Chères

Septembre a vu se terminer votre saga de l'été et vous avez été nombreuses à refermer avec regret le quatrième et dernier tome des aventures des frères MacKade.

Aussi suis-je heureuse de vous proposer de tourner dès ce mois-ci, et sans attendre, une nouvelle page de l'œuvre de Nora Roberts, et de découvrir une série de cinq romans intitulée « Enquêtes à Denver ». Avec cette série, Nora vous invite à explorer un genre dans lequel elle excelle et qui porte sa griffe — mélange particulièrement efficace de suspense, de rythme, de modernité, allié à un réel talent pour faire vivre des personnages avec leurs passions, leurs doutes, leurs ambitions, leurs désirs...

Le volume qui ouvre la série s'intitule « Menace sur les ondes » (Amours d'Aujourd'hui n° 796) et met en scène Cilla, disc-jockey dans une station de radio, une femme au caractère rebelle qu'un tueur psychopathe menace chaque soir sur les ondes...

Mais chut ! Je ne vous en dis pas plus. Je vous laisse le plaisir de découvrir la suite. Bien des surprises vous attendent. Rassurez-vous cependant : même si le suspense est au rendez-vous, c'est l'amour qui l'emporte toujours. Et, plus encore que le danger, la séduction est présente au cœur de tous vos romans.

Bonne lecture à toutes !

La responsable de collection

Les mots de l'amour

SHARON MIGNEREY

Les mots de l'amour

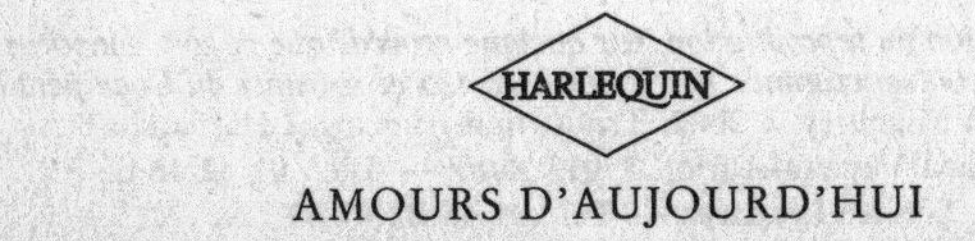

AMOURS D'AUJOURD'HUI

Si vous achetez ce livre privé de tout ou partie de sa couverture, nous vous signalons qu'il est en vente irrégulière. Il est considéré comme « invendu » et l'éditeur comme l'auteur n'ont reçu aucun paiement pour ce livre « détérioré ».

Cet ouvrage a été publié en langue anglaise sous le titre :
CASSIDY'S COURTSHIP

Traduction française de
JULIETTE MOREAUX

HARLEQUIN ®
est une marque déposée du Groupe Harlequin
et Amours d'Aujourd'hui ®
est une marque déposée d'Harlequin S.A.

Originally published by SILHOUETTE BOOKS,
division of Harlequin Enterprises Ltd.
Toronto, Canada

Illustration de couverture
Couple enlacé : © DAVID DE LOSSY / GETTY IMAGES

83-85, boulevard Vincent-Auriol, 75013 Paris — Tél. : 01 42 16 63 63
Service Lectrices — Tél : 01 45 82 47 47
ISBN 2-280-07797-3 — ISSN 1264-0409

Prologue

— Tiens-toi droite et regarde-moi quand je te parle, Brenna !

La petite fille risqua un regard vers son grand frère Michael, puis se retourna vers son père, et garda les yeux fixés sur les rangées de rubans multicolores qui ornaient sa poitrine.

— Peux-tu m'expliquer ce que signifient ces notes ? reprit-il en agitant le carnet scolaire sous son nez.

Elle fit un immense effort pour le regarder dans les yeux et, immédiatement, elle sentit son menton trembler.

— Vraiment, je ne comprends pas, Brenna ! s'exclama-t-il, excédé. Ton frère réussit très bien à l'école. Et tu veux savoir pourquoi ? Parce qu'il se donne du mal. Ce que tu ne fais jamais !

— Je me donne du mal, murmura la fillette, tandis qu'une grosse larme glissait sur sa joue.

— Je me donne du mal, qui ?

Elle avala sa salive avec la plus grande difficulté, et rectifia :

— Je me donne du mal, père.

— Regarde-moi, Brenna.

De nouveau, elle fit un gros effort pour soutenir son regard. Elle détestait cela : son regard lui faisait mal jusque dans le ventre.

— Tu ne te donnes aucun mal ! déclara-t-il en soulevant brutalement le menton de sa fille entre ses doigts. Tu ne passeras jamais dans la classe supérieure si tu ne décides pas de t'appliquer. Tu veux que je sois fier de toi, n'est-ce pas ? Comme je suis fier de Michael ?

— Oui, père.

— Alors, tu dois rapporter de bonnes notes. Maintenant, cesse de pleurer. Tu n'es plus un bébé.

— Non, père.

Elle serra les lèvres pour les empêcher de trembler, et osa dire :

— Papa ?

— Oui, Brenna.

— C'est dur pour moi, chuchota-t-elle en baissant la tête.

— Les choses qui comptent sont toujours difficiles. Tu as les capacités nécessaires pour décrocher des notes parfaites. J'attends de toi que tu en fasses bon usage. Je me fais comprendre ?

— Oui, père.

Et, sachant qu'il attendait qu'elle répétât ses paroles, elle ajouta :

— J'en ferai bon usage, père.

Il se détourna d'elle. L'épreuve était terminée. Elle se percha sur une chaise, les jambes dans le vide, devant la table de la cuisine, et regarda son frère tendre à son tour son carnet de notes à leur père. Ses résultats étaient *excellents*, comme ne cessait de le répéter la maîtresse. « Michael fait un excellent travail, Capitaine. C'est un garçon très intelligent. »

Michael souriait, leur père souriait... tout cela parce que les notes de Michael étaient parfaites. Brenna prit un crayon et se mit à recopier ses mots du jour. Du coin de l'œil, elle vit son père ébouriffer les cheveux de Michael.

Qui était parfait ? Michael. Qui était aimé par son père ? Michael. De grosses larmes vinrent mouiller le cahier de la fillette. Elle n'arrivait pas à être parfaite. Elle faisait de son mieux, mais ce n'était jamais assez. Jamais *parfait*. Alors, pourquoi se donner tant de mal ?

Serrant son crayon dans son poing, elle traça de grosses lignes noires en travers de la page, barrant les lettres qu'elle venait de former avec tant de soin.

1.

— Vous ai-je bien comprise, mademoiselle James ? Vous ignoriez que le fait d'entreposer des produits toxiques dans les locaux constituait une violation de bail ?

Cole Cassidy s'approcha de l'inculpée. Pour tenter de cacher son trouble, il posait ses questions d'une voix ferme, à la limite de l'agressivité. Il n'aimait pas les vendettas, et il était furieux de s'être laissé entraîner dans celle-ci.

— J'ignore de quels produits vous voulez parler.

Brenna James fixait sur lui ses yeux limpides comme un jour d'été. Cole savait d'expérience que les menteurs et les tricheurs réussissaient rarement à le regarder en face. Il avait beau mettre la pression, le regard de la jeune femme ne vacillait pas.

— Des barils de 200 litres de...

— Détergent, acheva-t-elle à sa place, en risquant un rapide coup d'œil vers Harvey Bates, le client de Cole. Du détergent biodégradable.

— Vous avez admis, lors de votre déposition, avoir également stocké de l'ammoniaque, de la naphtaline et des solvants dans votre boutique.

— Pas par barils de 200 litres.

— En quelles quantités, alors ?

Cole était tout à fait convaincu que, quoi qu'elle eût entreposé dans son arrière-boutique, les quantités étaient insignifiantes comparées à celles utilisées dans l'atelier voisin, qui appartenait également à Bates, et où l'on repeignait les voitures.

— Cinq litres. Dix au grand maximum.

Brenna regarda dans le vague un instant, puis précisa :

— Un jour, je me suis trompée en remplissant un bon de commande et, pendant une quinzaine de jours, il y a eu un baril d'ammoniaque dans les locaux. Le genre qu'on utilise pour les grosses unités de refroidissement.

Cole la dévisagea, stupéfait. Dans son métier, on espérait toujours que quelqu'un ferait ce genre de gaffe, qu'il donnerait une information malgré lui. En fait, ça n'arrivait jamais, et l'on devait articuler sa plaidoirie sur des réponses évasives, des omissions ou des mensonges. Un bon avocat apprenait à ses clients à ne jamais répondre à une question qu'on ne lui avait pas posée.

Il s'éclaircit la gorge.

— Vous aviez conscience du risque que cela représentait ?

— Oui. Dès que j'ai su qu'on ne pourrait pas me le reprendre avant plusieurs jours, j'ai prévenu M. Bates.

Décidément, cette femme jouait cartes sur table. Son témoignage était en totale contradiction avec l'accusation de Bates, car celui-ci affirmait qu'elle avait tenté de l'escroquer. Cole étudia un instant le visage de la jeune femme. Il la croyait. Il se retourna vers son client, qui haussa les épaules.

Son client... façon de parler. Bates était un ami de Roger Markham, l'un des patrons de la prestigieuse firme d'avocats à laquelle appartenait Cole. Et, comme cette affaire n'était pas suffisamment importante pour lui, Markham l'avait « cédée » à Cole. Bates accusait Brenna James d'avoir stocké des produits toxiques et dangereux dans les locaux qu'il lui louait, et d'avoir signé un chèque sans provision. Mais la clause du bail sur laquelle il s'appuyait était si ambiguë qu'elle aurait pu s'appliquer à l'eau du robinet. Quant à l'affaire du chèque, elle aurait pu être réglée par un huissier ou un organisme de recouvrement.

Cole revint à sa place et s'empara de l'unique élément concret de cette affaire : un chèque en bois représentant deux mois de loyer — un gros risque, vu la législation en vigueur au Colorado. Si cette pauvre jeune femme ne possédait pas les mille sept cents dollars du loyer, comment allait-elle se débrouiller pour trouver les cinq mille dollars supplémentaires que la loi l'obligerait à verser à Bates?

En préparant ses conclusions, il avait découvert que la petite entreprise « James Pressing et Nettoyage » s'était maintenue à flot un peu plus de trois ans. Les clients à qui il avait parlé ne tarissaient pas d'éloges sur Brenna James et ses employés. Pourtant, quand la comptable était partie en congé maternité, l'affaire avait commencé à sombrer. C'était tout bonnement incompréhensible! Cole se dit qu'il n'avait sans doute pas su poser les bonnes questions, et tendit le document à la jeune femme.

— Ceci est bien un chèque sur le compte de votre entreprise, signé par vous, et rédigé à l'ordre de M. Bates?

— Oui.

— Votre banque a-t-elle fait le versement?

— Je pensais que oui.

— Mademoiselle James, j'ai peine à croire que vous vouliez soutenir devant ce tribunal que...

— Y a-t-il une question dans cette phrase, Maître Cassidy? interrompit le juge.

Cole leva les yeux vers lui, puis jeta un coup d'œil à l'avocat de la jeune femme. Il méritait d'être repris par le juge, mais il aurait préféré une intervention de John Miller. Car, s'il se montrait aussi agressif, c'était surtout pour pousser l'avocat de la jeune femme à défendre un peu plus activement sa cliente. Miller n'avait pas demandé d'entrevue avec Bates avant l'audience, il ne l'avait pas cité comme témoin — en fait, il n'avait rien fait! Cole ne comprenait pas son attitude.

Il regagna sa place, et nota que, contrairement à la jeune femme qu'il accusait, Bates refusait de croiser son regard. Il prit alors un relevé de compte bancaire, et le présenta à Brenna.

— Vous reconnaissez ceci?

Elle étudia le document pendant plus d'une minute.

— C'est un relevé de compte, dit-elle enfin. Il concerne mon entreprise.

— Il couvre quelle période, mademoiselle James?

Il y eut un nouveau silence, un peu plus long que le premier.

— Février, murmura enfin Brenna.

Cole brandit de nouveau le petit rectangle de papier.

— Voulez-vous vérifier si ce chèque a été prélevé ? Le chèque numéro 1853.

Il attendit patiemment que le doigt fin de la jeune femme s'arrêtât au bon endroit. Elle était entièrement concentrée sur sa tâche, comme chaque fois qu'il lui avait demandé d'examiner un document. Du coin de l'œil, il vit que Miller affichait une expression de profond ennui, et Bates un air blasé. Il sentit alors la colère monter en lui. Cette femme ne méritait pas ça ! Aller au tribunal pour une faute aussi dérisoire, cela n'avait aucun sens. C'était exactement le genre de procès qui paralysait la justice.

« Et qui te fait vivre », lui rappela une petite voix cynique, au fond de sa conscience.

Bates n'avait cessé de répéter qu'il voulait récupérer la totalité de la somme, et Cole savait que l'accusée, cette jeune chef d'entreprise de 26 ans, se retrouvait aujourd'hui sans un sou, sans le moindre bien qui pût être saisi. Son entreprise venait de fermer, et elle n'avait plus qu'une montagne de dettes. Bates répétait que sa famille avait de l'argent — son père était un colonel à la retraite exerçant une activité lucrative de consultant auprès de ses vieux copains du Pentagone. C'était sans doute vrai, mais si le père de Brenna James lui avait un jour donné de l'argent, Cole n'en avait trouvé aucune trace.

Oh, vite, que l'audience se termine, et qu'il puisse boucler cette affaire ! Il recula de quelques pas afin de pouvoir embrasser d'un seul regard la cour, son client, Brenna James et son avocat. « Comment t'es-tu mise dans ce pétrin ? » aurait-il voulu demander à la jeune femme qui lui faisait face. Même si les apparences étaient contre elle, il restait convaincu qu'elle disait la vérité. Dès le premier instant, quand elle s'était présentée dans son bureau pour faire sa déposition, il avait reconnu en elle une authentique franchise. Il s'était déjà senti attiré par des femmes plus sophistiquées, plus belles aussi, sans doute — il avait même été fiancé à l'une d'elles. Mais aucune, jamais, ne l'avait bouleversé à ce point.

Bien sûr, il était trop réaliste pour espérer la revoir, après le jugement. Bates avait décidé de la démolir, et il était son outil, rien de plus — une position humiliante, compte tenu de la mesquinerie de ce conflit.

— J'attends, mademoiselle James !

Sa voix sèche claqua comme un coup de fouet dans la salle d'audience silencieuse.

— Il n'est pas sur la liste.

Sa voix calme l'irrita encore plus. Il saisit un autre relevé de compte sur la table.

— Le chèque a-t-il été payé en mars ?

Cette fois, elle ne regarda même pas la feuille.

— Je ne le pense pas.

— En avril, mademoiselle James ? A-t-il été payé en avril ?

Elle secoua la tête, les yeux toujours braqués sur lui. Quand son avocat allait-il se décider à agir ? Que fallait-il faire pour le pousser à bout ?

— Je ne vous entends pas, dit-il.

— Non.

— À votre connaissance, ce chèque a-t-il été payé par votre banque, mademoiselle James ?

Pour la première fois, la voix de la jeune femme faiblit.

— Non.

Ce chuchotement transperça le cœur de Cole.

— Je ne vous entends pas, mademoiselle James, répéta-t-il, déterminé à faire son travail jusqu'au bout.

Quand elle releva les yeux, il fut surpris de constater à quel point il lui était difficile de détourner son propre regard.

— Non, répéta-t-elle. Il n'a pas été payé.

Cole tendit les papiers au greffier.

— Veuillez lister ces relevés sous les numéros 8 à 10.

Il retourna à sa place et réfléchit aux autres questions qu'il avait projeté de poser, aux points qui lui semblaient importants au moment où il préparait ses conclusions. Il se retourna vers Brenna, et détailla le tailleur gris sans prétention qu'elle portait déjà la première fois qu'il l'avait vue, ses cheveux sombres noués en chignon sur la nuque, son regard direct qui ne révélait jamais ses pensées... Non, il ne dirait rien de plus.

— Je n'ai plus de questions, monsieur le Juge, déclara-t-il en s'asseyant.

— La parole est à la défense, dit le juge.

John Miller se leva, et boutonna son veston d'un geste machinal.

— Je n'ai pas de question, monsieur le Juge.

Médusé, Cole le dévisagea, puis se retourna d'un bloc vers Brenna. Son expression n'avait pas changé. Un instant, il crut qu'elle s'attendait à entendre cette petite phrase... puis il vit ses mains crispées.

— Souhaitez-vous vous adresser au tribunal, mademoiselle James ? demanda le juge.

Elle tourna la tête, regarda son avocat. La salle d'audience était très silencieuse. On entendait juste une toux étouffée, une chaise raclant le plancher. Quand John Miller baissa les yeux et se mit à contempler la table, la jeune femme répondit :

— Non, monsieur le Juge.

Cole eut envie de crier, d'exiger une explication. S'il l'avait pu, il aurait tempêté, accusé Miller d'incompétence, poussé Brenna James à se défendre. Bien entendu, en tant qu'avocat de la partie civile, il ne pouvait pas se le permettre. Il resta donc assis à sa place en rongeant son frein, et attendit que le juge prît la parole.

Celui-ci passa rapidement en revue le contenu du dossier, puis déclara :

— Mademoiselle James, je n'avais pas prévu de rendre une décision aujourd'hui, mais puisque vous ne présentez aucun élément en votre faveur, vous ne me laissez pas le choix. La cour déclare l'accusation fondée et vous condamne à verser à M. Bates les sommes qui lui sont dues ainsi que les amendes prévues par la législation de l'État du Colorado. Elle vous condamne également aux dépens. Monsieur Cassidy, vous voudrez bien préparer la procédure.

Il referma le dossier, puis hocha sèchement la tête.

— Greffier, prenez note. Monsieur Cassidy, monsieur Miller, veuillez me retrouver dans mon bureau immédiatement.

Il abattit son marteau, puis le greffier annonça une suspension d'audience de vingt minutes et suivit le juge qui quittait la salle.

Cole rassembla ses papiers. Bates se leva péniblement, à l'aide de la canne d'ivoire, et prit dans sa poche un cigare, avec ostentation.

— Bon travail, Cassidy, dit-il en donnant une grande claque dans le dos de Cole. Roger Markham sera fier de vous, mon garçon.

Sans répondre, Cole fourra le dossier dans sa mallette, rabattit le couvercle et regarda son client qui contemplait béatement la photo du Président des États-Unis, suspendue au mur du fond. Il pensa à ses deux victoires précédentes. Ni l'un ni l'autre de ces clients ne ressemblaient à Bates, mais eux aussi s'étaient exclamé : « Bon travail ! ». Pourtant, s'il l'avait emporté, c'était surtout parce qu'il s'était trouvé du côté des nantis : des gens qui avaient les moyens de s'offrir les services du meilleur cabinet d'avocats de la ville. Cela n'avait rien à voir avec la justice.

Il fit la grimace, mécontent du tour que prenaient ses pensées. Il voulait croire qu'il luttait pour la justice, et pas seulement pour l'argent.

— Maintenant, ordonna Bates, il me faut un accord qui ne lui laisse aucune échappatoire. Je veux qu'elle reconnaisse par écrit qu'elle savait que le chèque était en bois.

Brenna James sortait de la salle, seule, le dos très droit. Cole, qui la suivit du regard, ne put s'empêcher de demander :

— Vous voulez aussi sa tête sur un plateau ?

— Vous m'avez compris, répliqua Bates avec un grand sourire carnassier.

Au diable les amitiés avec les parvenus ! De toutes les affaires qu'il eût jamais plaidées, celle-ci était la plus sordide.

— Son avocat l'empêchera de signer un accord qui outrepasse les termes du jugement, dit-il.

Bates tira un briquet d'or de son gilet.

— Son avocat ne connaît rien à rien. Elle signera tout ce que vous lui mettrez sous le nez.

— Ma secrétaire vous contactera dès que nous aurons conclu un accord.

— Pas question de négocier ! Je veux la totalité de la somme sur la table. Et contactez-moi vous-même. Je veux être là quand elle signera.

— Elle n'a pas d'argent, Bates.

— Eh bien, il ne lui reste plus qu'à demander à son papa !

Sans tenir compte des panneaux « non fumeur » affichés au mur, Bates alluma son cigare, et s'éloigna en s'appuyant lourdement sur sa canne.

— Je veux savoir ce qui se passe !

Le Juge MacCauley se laissa tomber sur son fauteuil de bureau, et desserra sa cravate.

— En quinze ans, je n'ai jamais vu une défense aussi lamentable, Maître Miller. Je ne tolérerai plus une telle indifférence dans mon tribunal. C'est clair ?

Miller lissa sa moustache en marmonnant :

— Oui, monsieur.

Le regard du juge passa de Miller à Cole.

— Quant à vous, vous êtes passé à ça ...

Le juge lui désignait un minuscule espace, entre son pouce et son index.

— Votre attitude est inqualifiable. Vous n'aviez aucune raison valable de harceler cette femme. Si je vous ai autorisé à poursuivre, c'est uniquement à cause de mon amitié pour David Simmons. J'attendais autre chose de la part d'un membre de sa firme.

Cole ne détourna pas les yeux.

— Je comprends, monsieur.

Le juge hocha sèchement la tête.

— J'exige de voir les papiers concernant cette décision sur mon bureau avant la fin de la semaine. Et je veux que vous parveniez tous les deux à un accord concernant le mode de paiement.

Il referma le dossier et fit pivoter sa chaise face à la fenêtre.

— Ce sera tout.

Miller et Cole quittèrent tous les deux le bureau.

— Faites-moi savoir quand vous aurez une proposition d'accord, dit Miller le couloir. J'accompagnerai Mlle James chez vous.

— Vous comptez tout de même réviser l'accord avant de le signer ?

Miller haussa les sourcils d'un air surpris.

— Pour un homme qui vient de gagner, je vous trouve un peu nerveux.

— Et vous, vous avez l'air de vous moquer de cette affaire comme de l'an quarante !

— Oh, épargnez-moi le numéro de compassion ! Vous êtes là pour gagner votre fric, comme moi. Le sort du client n'entre pas en ligne de compte.

Cole en resta muet. Son collègue s'éloigna rapidement le long du couloir, ses pas résonnant sur le sol dallé. Arrivé à la grande porte, il se retourna un instant, lança un salut ironique, et disparut.

« Tu as raison : va au diable ! », songea Cole.

2.

— Tenez, dit Myra en entrant dans le bureau. Voici l'accord pour l'affaire Bates, dernière version.

Elle jeta un coup d'œil à sa montre, et précisa :

— Dix minutes avant le rendez-vous.

— Merci, dit Cole à sa secrétaire. Je suis désolé pour ces changements de dernière minute.

La semaine avait été tendue : Bates les avait bombardés d'instructions, et Myra, avec une patience à toute épreuve, avait intégré toutes les modifications au dossier, sans la moindre protestation.

— Inutile de me remercier, dit-elle en posant le document sur le coin du bureau. Je sais bien que tous les problèmes viennent du charmant M. Bates, pas de vous.

Elle se dirigea vers la grande baie qui s'ouvrait sur le lac. Il suivit son regard, et contempla l'eau grise giflée par le vent. Le panorama correspondait tout à fait à son humeur. Si seulement, au lieu de la réunion qui se préparait, il avait pu s'élancer vers le large avec son bateau ! N'importe quelle tempête aurait été préférable à la scène qui allait se jouer dans quelques minutes entre Bates et Brenna James.

— Vous croyez qu'elle est coupable ? demanda Myra tout à coup.

— Coupable ou non coupable... ce ne sont pas les termes qui conviennent dans un litige de ce genre.

— Ne me sortez pas votre vocabulaire technique, par pitié !

répliqua-t-elle. Sinon, je pars faire des études de droit, et vous verrez si vous pouvez vous débrouiller sans moi.

Myra avait la cinquantaine bien sonnée et un style assez excentrique qui ne plaisait guère au sein de la firme. Cole et elle s'entendaient très bien.

— Bien, madame, dit-il humblement.

Elle lui jeta un regard moqueur, et il sourit à son tour en venant la rejoindre devant la baie vitrée.

— Cet accord la fait passer pour une vraie fumiste, reprit Myra.

— C'est vrai.

— Vous refusez de me dire ce que vous en pensez ?

Il n'osait pas lui avouer que Brenna James hantait ses rêves et que, s'il avait la possibilité de changer le verdict, il le ferait.

— Je crois qu'elle a de gros ennuis, dit-il enfin.

Dans la rue, un bus s'arrêta et une unique passagère en descendit. Cole la suivit machinalement des yeux, et reconnut Brenna James. Aujourd'hui encore, ses cheveux étaient noués dans un chignon. Il se demanda s'il lui arrivait de les laisser flotter sur ses épaules.

Elle contempla l'immeuble pendant quelques secondes, puis releva le col de son manteau, et sortit de sa poche un bonnet rose fluo qu'elle mit sur sa tête avec précaution. Cette note de gaieté insolite tranchait avec sa réserve habituelle, et aussi avec cette journée lugubre. Qui était cette jeune femme si grave qui se retrouvait dans une situation insensée ? Ce petit bonnet semblait suggérer des mystères insoupçonnés. Comme si elle redoutait d'arriver en avance, elle enfonça ses mains dans ses poches et s'éloigna lentement vers le lac. Si elle avait froid, cela ne se voyait pas.

— La voilà ! dit Myra. Quand elle est venue, la dernière fois, pour sa déposition, je l'ai trouvée jolie. Un peu figée, mais mettez-vous à sa place...

Cole approuva de la tête sans rien dire.

— En général, poursuivit sa secrétaire, j'ai l'impression qu'on travaille honnêtement. Quand je lis les accords, ils paraissent avoir un sens. Mais, cette fois, je vois bien ce que fait M. Bates — ce que nous faisons pour lui —, et je sais que ce n'est pas bien.

Comme si Cole l'avait contredite, elle s'écria :

— Oh, je sais bien que c'est légal...

— C'est légal, confirma-t-il d'une voix neutre.

— ... mais ça ne nous donne pas raison.

Après un bref coup d'œil à sa montre, elle se dirigea vers la porte.

— Je ferais bien de me remettre au travail avant que mon patron me fasse des remarques ! Ça n'aurait rien d'étonnant, avec son sale caractère...

— J'ai un sale caractère, moi ? s'écria Cole.

— Parfaitement, répondit Myra en quittant la pièce.

Quand il se retrouva seul, Cole se sentit repris par ses doutes. Faisait-il ce boulot uniquement pour l'argent, comme le pensait Miller ? Cette idée le tourmentait depuis quelque temps. Il tourna de nouveau son regard vers la femme qui marchait dans la rue en attendant l'heure du rendez-vous.

Vingt interminables minutes plus tard, Myra frappa à la porte, puis apparut sur le seuil.

— Tout le monde est là, Cole.

— Merci.

Il se leva, s'étira, et enfila son veston.

— Vous vous attendez à des difficultés ? lui demanda Myra en prenant le dossier.

— Non.

— Pourtant, vous avez l'air inquiet.

— De quoi est-ce que je pourrais m'inquiéter ? Nous avons eu gain de cause. Bates va avoir ce qu'il veut, et...

— Si vous dites « la vie est belle », je hurle !

— Je ne me le permettrais pas.

Cole lui prit le dossier des mains et s'éloigna le long du couloir.

En entrant dans la salle de réunion, il examina Brenna, cherchant à évaluer les changements qui auraient pu intervenir en elle, depuis l'audience. Sa peau semblait translucide, elle avait des ombres bleutées sous les yeux. Elle ne devait pas dormir beaucoup... et il était en grande partie responsable de cette détresse.

Quand elle leva les yeux vers lui, son visage n'exprimait rien d'autre qu'un calme absolu. À la place du tailleur gris, elle portait une veste et un pantalon bleu marine, sur un chemisier blanc. Qu'avait-elle fait, ces derniers jours ? se demanda-t-il. À qui s'était-elle confiée ? La façade si lisse qu'elle présentait tranchait avec son propre trouble. Il lui envia sa maîtrise d'elle-même, lui qui avait tant de mal à prendre du recul par rapport à ses émotions, ce qui lui compliquait singulièrement la tâche, dans son métier.

— Mademoiselle James, dit-il en lui tendant la main.

Il se souvenait de sa poignée de main ferme et chaleureuse. — Il aurait tant aimé poser les lèvres sur sa peau pour en respirer le parfum ! — Comme toujours, le regard de la jeune femme était direct. Maintenant qu'il se tenait tout près d'elle, il remarquait de légères taches de rousseur, et aussi le grain délicat de sa peau. Elle dissimulait parfaitement ses pensées. À cet instant précis, il aurait donné n'importe quoi pour les connaître.

Elle recula, et il lâcha sa main à contrecœur, tout en espérant que son expression ne le trahirait pas. Vite, il serra la main de John Miller, et se tourna vers Bates. Comme toujours, le client de Cole était vêtu d'un impeccable complet anthracite, avec une chemise sur mesure et une cravate discrète — l'homme d'affaires dans toute sa splendeur. Bates regardait fixement Brenna, avec une hostilité évidente.

— Asseyons-nous, dit Cole. Mademoiselle James, avez-vous eu le temps d'étudier cet accord ?

— Oui.

— Avez-vous des questions ?

— Non, répondit-elle en secouant légèrement la tête.

Un instant, elle leva les yeux vers John Miller, qui était assis près d'elle. Comme il ne disait rien, elle murmura :

— Je voudrais juste que ce soit vite terminé.

Jamais Cole ne l'avait entendue prononcer une phrase aussi personnelle. Lors de l'audience, elle répondait d'une façon distante, mécanique — sauf au moment où sa voix s'était fêlée en parlant du chèque. Il leva les yeux vers son client, prit sa décision, et se pencha vers la jeune femme.

— Vous vous rendez bien compte que les termes de cet accord vont au-delà de ce que le tribunal a exigé dans sa décision ?

— C'est vrai ? demanda-t-elle en se tournant vers son avocat.

Miller ne la regarda pas, et elle répéta :

— C'est vrai ?

Il contempla ses mains croisées sur la table, puis soupira et lâcha mollement :

— Techniquement, peut-être...

De l'autre côté de la table, Cole tendit la main vers lui.

— Maître Miller, avez-vous expliqué à votre cliente que cet accord équivaut à la confession d'une escroquerie ?

À cet instant, Bates abattit bruyamment son poing sur la table.

— Elle dit qu'elle est prête à signer ! Finissons-en !

— Etes-vous vraiment prête ?

Ignorant son client, Cole gardait le regard rivé sur Brenna, et attendait toujours la réponse de Miller. Les secondes passèrent. Il vit les lèvres de la jeune femme se crisper, et la première réaction de colère briser son calme. Du bout de la table, Bates fit glisser vers eux un stylo en or.

— Elle dit qu'elle est prête à signer, siffla-t-il.

Brenna referma les doigts sur le stylo, puis le repoussa.

— Un instant, murmura Cole. Elle est en droit de prendre son temps pour bien mesurer les conséquences.

— Quelles conséquences ? demanda la jeune femme d'une voix sourde.

Sa phrase fut couverte par la voix péremptoire de Bates.

— La question n'est pas là ! Elle n'a pas d'argent pour payer sa dette. Si elle a un problème, c'est à son avocat de s'en occuper.

Perdant toute patience, Cole lui jeta un regard haineux, puis se retourna vers John Miller.

— Alors, occupez-vous d'elle ! Elle vous a posé une question : commencez par lui répondre.

Miller recula sa chaise, jeta à Brenna un regard absent, et fronça les sourcils.

— C'est l'accord que vous avez exigé, Cassidy. Ma cliente...

— Je veux savoir de quelles conséquences parle Me Cassidy, déclara Brenna, cette fois à haute et intelligible voix.

— Vous avez changé d'avis ? lui demanda Miller.

La question était agressive, sans aucune trace de la sollicitude dont use habituellement un avocat avec sa cliente.

— Quand nous nous sommes vus dans mon bureau, hier, vous vouliez uniquement...

— De quoi parle Me Cassidy exactement ?

Miller se gratta le nez et lança avec impatience :

— D'une clause conçue pour protéger Bates dans le cas où vous auriez des difficultés à régler la dette.

D'un petit geste de la main, Brenna le fit taire et se tourna vers Cole.

— De quelle façon cela protège-t-il M. Bates ?

— Le paragraphe six revient à admettre que vous aviez l'intention de perpétrer un acte frauduleux en signant ce chèque, dit Cole, révélant ainsi à la jeune femme la brutale vérité que son avocat lui refusait.

Elle parut déstabilisée un court instant.

— Frauduleux ? Le genre de fraude pour lequel on vous met en prison ?

Cole hocha la tête. Il se faisait l'effet d'un monstre pour avoir simplement traduit les exigences de Bates en termes juridiques.

— Ce n'est pas seulement une question d'argent, n'est-ce pas, monsieur Bates ? dit-elle d'une voix parfaitement neutre. Je dois servir d'exemple, c'est ça ? Pour bien montrer qu'on ne joue pas avec vous ?

— C'est exactement ça, répondit Bates avec son sourire féroce.

Une fois de plus, il poussa le stylo vers elle.

— Signez.

— Retirez ce paragraphe.

— Je veux ce paragraphe ! hurla Bates. Il...

— Non ! trancha-t-elle.

Sa voix calme et déterminée coupa net l'explosion de colère qui enflait. Elle se retourna vers son avocat, et lui demanda :

— Pourquoi ne m'avez-vous pas expliqué cela ?

Il haussa les épaules.

— Je supposais que vous l'aviez compris.

— Et moi, je supposais que vous vous préoccupiez de mes intérêts.

Brusquement, elle se leva, et continua d'une voix tremblante :

— Je supposais que vous étiez là pour me conseiller de votre mieux. Je supposais...

Elle se tut tout à coup.

Sa détresse, sa solitude bouleversaient Cole. D'autres personnes avaient exprimé leur souffrance dans cette pièce, mais jamais il ne s'était senti interpellé de cette façon, jamais il n'avait éprouvé ce besoin de les réconforter et de les protéger. Il ne pouvait pourtant la sauver ni des conséquences de ses actes, ni de l'incompétence de Miller — et encore moins du besoin vicieux de vengeance que manifestait Bates.

Il vit des larmes voiler ses yeux clairs. Avec un cran qu'il trouva admirable, elle secoua la tête et se reprit.

— Je supposais que vous faisiez le travail que j'attendais de vous. Pourtant, je n'arrivais pas à comprendre pourquoi vous ne ... Oh, et puis à quoi bon ? Je vous faisais confiance, voilà tout !

Elle serra les poings, ferma les yeux, et soupira. Ses épaules se voûtèrent. Soudain vaincue, elle répéta :

— Je vous faisais confiance.

Cole ressentit cette défaite comme si c'était la sienne.

Quand elle rouvrit les yeux, ils étaient aussi froids que le lac en hiver.

— Vous êtes viré, Miller ! lança-t-elle.

Comme si cela lui demandait un véritable effort de concentration, elle desserra les poings. Puis elle jeta à la ronde un sourire étrange, qui n'adoucissait pas son expression.

— J'ai commis deux erreurs, monsieur Bates. Je vous ai signé un chèque sans provision, et j'ai pensé que vous étiez un homme raisonnable, conscient qu'il ne me faudrait qu'un peu de temps pour me sortir de la situation délicate où je m'étais mise. Mais la patience n'est pas votre fort, n'est-ce pas ? Quant à la sympathie et à la compréhension... cela n'entrait même pas en ligne de compte.

Elle se tut mais ne le quitta pas des yeux. Elle gardait toujours ses mains croisées sur la table.

— Vous n'arrivez même pas à me regarder en face ! s'écria-t-elle. Mais rassurez-vous : vous avez gagné. Il ne vous reste plus qu'à trouver le moyen de récupérer votre fichu argent.

— Demandez à votre papa, fit Bates en relevant la tête. De cette façon, vous pourrez recoller les morceaux et continuer comme avant.

— Allez au diable !

Elle prit son sac, s'arrêta un instant à la porte et se retourna pour regarder Cole. Il soutint son regard. Il se sentait incroyablement heureux qu'elle eût réussi à prendre la situation en main. Il doutait fort qu'un autre avocat pût la sauver du désastre, mais, au moins, elle était débarrassée de John Miller.

Plusieurs secondes s'écoulèrent.

Quel visage avait-elle quand elle souriait vraiment ? se demandait-il. Et quel dommage qu'il ne l'eût pas rencontrée dans d'autres circonstances !

La jeune femme se tourna ensuite vers Miller qui semblait extrêmement gêné. Quand elle passa à Bates, il rougit d'un seul coup et baissa les yeux. Elle le contempla un long moment avant de revenir à Cole. Il devinait à quel point elle se sentait trahie... Et dire qu'il avait participé à sa mise en accusation ! Sans un mot, elle passa la porte et la referma derrière elle. Il y eut une dernière seconde de silence, puis Bates se redressa brusquement.

— Eh bien ! Vous êtes viré, Cassidy, dit-il en imitant la jeune femme.

— Trop tard, repartit Cole. J'ai déjà démissionné il y a un moment.

De retour dans son bureau, il eut la sensation qu'on venait de le soulager d'un énorme fardeau. L'affaire Bates n'était que la dernière d'une série de dossiers plus mesquins les uns que les autres. Il n'en pouvait plus de faire taire ses propres convictions et de détourner les textes de loi au service des plus puissants. Il était temps pour lui de passer à autre chose.

Planté devant la fenêtre, il rédigea mentalement sa lettre de démission de la firme Jones, Markham & Simmons. Plus jamais il ne représenterait un client simplement parce qu'on le lui avait ordonné. Puis il fronça les sourcils en prenant soudain conscience que les affaires déléguées par Peter Jones et David Simmons ne lui posaient aucun problème. Seul Markham semblait attirer les personnages douteux. Au départ, Cole n'avait aucune envie de représenter Bates, et encore moins le dernier en date que Markham voulait lui envoyer : un patron accusé de harcèlement sexuel. Un type arrogant, un misogyne qui avait sans doute fait tout ce dont on l'accusait.

Cole comprit alors que, s'il s'en allait, il ne ferait que se punir lui-même. Il avait été attiré par ce cabinet à cause de sa réputation — et aussi, même si c'était plus difficile à admettre, par son aura de prestige et de puissance. La place qu'il occupait valait bien qu'il fît un effort pour la garder, et il fallait aussi tenir compte de l'aspect pratique... comme les traites d'une maison entourée d'un hectare de terrain qui lui rappelait tous les bons côtés du ranch où il avait grandi. Une maison suffisamment éloignée des lumières de Denver pour qu'il pût voir les étoiles.

Cette maison, il avait espéré la remplir d'enfants. En achetant le terrain, cinq ans plus tôt, il rêvait de fonder une famille. Puis il avait rencontré Susan Stranahan — si belle, si cultivée, si intelligente. Comme sa carrière l'appelait à Chicago, Cole s'était résigné à mettre sa maison en vente, et ils s'étaient installés tous les deux dans un appartement superbe, au cœur d'un quartier branché du centre, que Susan adorait.

Cole aussi appréciait ce genre de vie, symbole de sa réussite. Il avait décroché des entretiens dans plusieurs excellents cabinets d'avocats de Chicago, et il savait qu'on lui offrirait une place s'il le souhaitait. Puis un acheteur s'était présenté pour sa maison — la maison où il avait planté de jeunes arbres en espérant les voir grandir. La maison où il avait pensé élever ses enfants. Il avait été incapable de signer, le jour de la vente. Malgré les milliers de dollars que lui coûtait la rupture de promesse de vente, malgré Susan qui lui assenait qu'il n'avait jamais cessé d'être un garçon de ferme. Pour finir, elle s'était installée à Chicago toute seule.

Il se laissa tomber sur son siège, et réfléchit. Comment échapper aux amis de Markham sans être obligé de rompre avec la firme ? Il se mit à prendre des notes avec une extrême concentration et, après qu'il eut noirci près d'une dizaine de feuilles, ses pensées chaotiques commencèrent à s'ordonner.

— Cole, il faut qu'on parle ! lança Roger Markham, depuis la porte.

Cole se leva vivement et l'invita à entrer.

— J'allais justement monter vous voir.

Il aurait aimé disposer de quelques minutes supplémentaires pour préparer ce qu'il voulait dire, mais, d'un autre côté, il se sentait soulagé de pouvoir enfin vider son sac.

— Asseyez-vous, je vous en prie, dit-il à Markham.

— Non, merci.

— Bates est venu vous parler, c'est ça ?

— Oui. Il m'apprend que Mlle James est partie sans signer l'accord. Et ce serait vous qui le lui auriez conseillé.

— Elle n'avait pas conscience de signer une confession.

— Ce n'est pas votre problème. M. Bates est notre client. Mon client. Je vous l'ai adressé en toute confiance.

Markham se pencha vers une maquette de bateau qui était posée sur le bureau de Cole, et la prit dans ses mains pour l'examiner.

— D'après lui, reprit-il, vous avez trahi cette confiance.

— J'ai rédigé l'accord qu'il me demandait, dit Cole en posant son stylo.

— Et ensuite, vous avez recommandé à la partie adverse de ne pas le signer !

— Pas du tout !

— Ce serait plutôt à son avocat de...

— Son avocat n'a pas levé le petit doigt pour protéger ses intérêts !

Cole regardait les traces de doigts sur les voiles brillantes de son bateau. Habituellement, cette maquette lui rappelait l'ivresse de la liberté. Aujourd'hui, elle lui faisait plutôt penser aux tempêtes subites, aux récifs cachés juste sous la surface de l'eau.

— Ça non plus, ce n'est pas votre problème.

— Et la justice ? Et l'éthique ?

— C'est au tribunal de dispenser la justice, Cole. Pas à vous, pas à moi. En tant qu'avocats, nous nous devons seulement d'informer le tribunal des faits, tout en les présentant sous l'angle le plus favorable à notre client.

Son visage était dur, tout comme son argumentation.

— Quant à l'éthique, reprit-il, je me permets de vous faire remarquer que la vôtre laisse beaucoup à désirer. Il va falloir me garantir que cet incident ne se répétera pas.

— Je ne peux pas vous le promettre, répliqua Cole. Je n'éprouve aucun regret pour ce que j'ai fait.

L'index de Markham traça une ligne luisante sur la voile du petit bateau.

— C'est regrettable. Vous avez prêté serment de représenter vos clients au mieux de vos capacités... et, dans le cas présent, vous êtes allé jusqu'à travailler contre l'un d'entre eux. C'est précisément la faute que vous imputez à John Miller. M. Bates estime que vous avez compromis ses chances de recouvrer les sommes qui lui sont dues.

Cole croisa les bras sur sa poitrine et fit un effort pour afficher un calme qu'il ne ressentait pas. Il devait bien y avoir un moyen de convaincre Markham du bien-fondé de son attitude !

— Elle n'a pas un sou, dit-il. On ne peut rien lui saisir. Aucun bien immobilier, pas de voiture, pas d'épargne. Son unique atout était son entreprise, qui a coulé. Elle mettra des années à rembourser ses dettes, à moins de déposer son bilan.

— Voilà, vous avez fini par comprendre, fit Markham avec un sourire.

— Quoi donc ?

— S'il est prouvé que cette dette est le résultat d'un acte frauduleux...

— Je sais, je sais : elle ne peut être effacée par un dépôt de bilan, coupa Cole. Dans ce cas, Mlle James doit payer. Par la même occasion, on lui colle une étiquette d'escroc, et elle peut parfaitement se retrouver en prison.

— Tout à fait.

— Et on ne tient aucun compte du fait que ce n'était pas une fraude.

— Pas une fraude? Comment le savez-vous? riposta Markham. Cette jeune femme peut très bien cacher une âme d'escroc derrière ses airs très « comme il faut ». De toute façon, ça n'entre pas en ligne de compte.

— Cela ne lui suffit pas de me retirer l'affaire, dit Cole en repoussant son fauteuil. Il veut me faire virer, n'est-ce pas?

— Naturellement.

— Et alors? Va-t-il y parvenir?

— Étant donné votre attitude, cela semble être la seule conclusion logique.

— Mais...

Markham remit le voilier à sa place sur le bureau.

— Il n'y a pas de « mais », dit-il. Vous n'êtes pas un débutant, et pourtant, vous n'avez toujours pas pris conscience des obligations auxquelles sont tenus les avocats vis-à-vis de leurs clients.

— Au contraire, je pense que j'en ai pris pleinement conscience. Vous aurez ma démission sur votre bureau dans une heure.

Une expression qui tenait plus du regret que du soulagement passa sur le visage de Markham.

— Dommage que ça se termine ainsi! dit-il.

3.

— Hé, Brenna, lança l'un des consommateurs. Qui a remporté la World Series en 1955 ?

— Brooklyn, répondit gaiement la jeune femme en posant une nouvelle bière devant lui. Ils ont joué contre les Yankees en sept reprises.

C'était le genre de question que les habitués du Score ne cessaient de lui poser depuis qu'elle travaillait dans l'établissement comme serveuse. On s'était vite aperçu qu'elle était absolument incollable pour tout ce qui touchait à l'histoire du base-ball — l'unique domaine dans lequel elle eût jamais éclipsé son frère Michael.

— Je te l'avais bien dit ! s'écria l'homme, ravi. À moi la mise !

Brenna tendit la main en souriant.

— C'est ça, Georges. Et ensuite, vous n'aurez qu'à payer votre tournée.

Il éclata de rire et lui tendit le billet que son ami venait de lui remettre.

— Je parie que vous ne savez pas qui est le Cheval de Fer.

— Vous perdriez, Georges, dit-elle en comptant sa monnaie. Et vous devriez dire : qui « était » le Cheval de Fer, puisqu'il est mort.

Elle se tut un instant pour mieux ménager son effet.

— Lou Gehrig, lâcha-t-elle enfin.

Georges leva bien haut son verre de bière.

— Je bois à Brenna ! Non seulement elle sait tout sur le

base-ball, mais elle n'oublie jamais une commande. Dites au patron de vous augmenter !

— Je vais lui en parler.

Elle prit la commande de la tournée suivante et quitta la table.

Ces échanges amicaux faisaient passer les soirées. Le travail ne lui déplaisait pas, pas plus que ses collègues ou les gens qu'elle côtoyait dans la salle. Même le fait de devoir s'habiller en cheerleader ne la dérangeait pas outre mesure, bien qu'elle n'affectionnât guère ses socquettes blanches et sa queue de cheval. Non, ce qui lui manquait, c'était un travail qui fît appel à ses véritables capacités, et qui pût représenter un réel défi. Quoique... Si c'était pour se retrouver avec un nouveau procès sur le dos, merci beaucoup ! En créant son entreprise, elle avait eu l'occasion de relever toutes sortes de défis : trouver des clients, embaucher une bonne équipe... Et les dix-sept personnes qui avaient formé cette équipe se retrouvaient sans emploi, aujourd'hui. C'était largement suffisant comme désastre. Inutile de récidiver...

Elle débarrassa une table, rassembla les verres vides, passa un coup de torchon, et rapporta son plateau au bar. Théo, le barman, lui adressa un sourire machinal en récupérant les verres. Son attention, comme celle de tous les clients, était fixée sur la télé grand écran où un joueur des *Rockies* prenait la batte contre les *Cardinals*, à la fin de la sixième reprise.

La porte du bar s'ouvrit brusquement, et un homme de haute taille, vêtu comme un homme d'affaires, entra dans la salle. Brenna le suivit des yeux pour repérer où il s'installait... et sentit ses mains devenir moites en le reconnaissant. Cassidy. L'avocat de Bates. Et elle allait devoir le servir ! Il parcourut la salle du regard, puis se dirigea vers une table libre, tout au fond.

Brenna se sentit envahie par une bouffée de colère, ce qui la surprit un peu. Après tout, le procès était terminé, et elle parvenait, tant bien que mal, à en assumer les conséquences. En résumé, elle survivait. Et, puisqu'elle ne pouvait pas changer le passé, elle avait décidé de profiter de l'expérience. Cette fois, les conclusions à tirer étaient simples, se dit-elle avec amertume. La bonne foi ne servait à rien si l'on ne pouvait pas la prouver.

— Un client, Brenna, dit Théo à la jeune femme avec un signe discret vers le fond de la salle.

— Je le vois.

Elle reprit son plateau, et cacha ses émotions derrière un masque neutre. Sa mère, en bonne épouse de militaire, ne laissait jamais deviner ce qu'elle ressentait — cette leçon aussi, Brenna l'avait apprise très jeune. Elle allait traiter Cassidy comme elle traitait tous les inconnus qui s'arrêtaient au bar pour boire un verre avant de rentrer chez eux. Et, avec un peu de chance, il ne la reconnaîtrait pas.

Il semblait très à l'aise dans son beau costume. Sa cravate était légèrement desserrée, et il avait ouvert le premier bouton de sa chemise blanche. Elle fut surprise de le découvrir aussi grand, avec des épaules aussi larges — elle n'avait pas remarqué tout ça lors de leurs rencontres précédentes. Il était bronzé, et ses cheveux étaient légèrement décolorés par le soleil... En réalité, ça l'agaçait de devoir admettre qu'elle le trouvait extrêmement séduisant. D'ailleurs, elle ne tarda pas à se rappeler à l'ordre. Ce n'était pas parce qu'un homme était agréable à regarder qu'il méritait d'être connu et apprécié.

Il fixait sur le poste de télévision un regard froid et même légèrement hautain. Brenna sentit de nouveau la rage l'envahir. Et, derrière cette sensation familière, elle reconnut la panique qui s'emparait d'elle dès qu'elle se retrouvait en présence de son père. Pourtant, rien chez Cassidy ne lui rappelait le Colonel... Elle passa la langue sur ses lèvres sèches, puis s'approcha de la table, posa une serviette en papier devant Cole, et lui demanda :

— Qu'est-ce que je vous sers ?

Au lieu du regard froid de prédateur dont elle se souvenait, il leva vers elle des yeux stupéfaits, puis son visage s'éclaira et il sourit.

— Brenna James !

Son sourire lui plissait les yeux et faisait ressortir une fossette dans sa joue.

— C'est fantastique de vous voir ! Il ne s'est pas passé un jour sans que je me demande ce que vous étiez devenue.

Elle en resta bouche bée. Après toutes les raisons qu'il lui avait données de le détester, cette attitude chaleureuse lui paraissait incompréhensible.

— Maintenant, vous le savez, répliqua-t-elle. Que voulez-vous boire ?

Sa voix était trop sèche. Elle se contrôlait moins bien qu'elle ne l'aurait voulu. « Bon, il a bonne mémoire, se dit-elle. Et alors ? »

Sa réponse acerbe le troubla. Il cessa de sourire, et demanda avec une sorte de retenue :

— Vous avez des bières à la pression ?

Elle lui cita trois marques en regardant ailleurs. Puis, quand elle eut pris sa commande, elle fit le tour de la salle, et débarrassa quelques tables vides, consciente du regard de Cole posé sur elle. Quand elle revint vers lui, quelques minutes plus tard, il ne l'avait toujours pas quittée des yeux. Il demeura parfaitement silencieux pendant qu'elle posait son demi sur un petit rond de liège, qu'elle prenait son billet de cinq dollars et comptait la monnaie.

— Vous avez l'air en forme, dit-il enfin en lui offrant un nouveau sourire, plus hésitant, cette fois.

Elle faillit lui rendre son sourire, et se retint juste à temps. S'il avait été un inconnu pour elle, elle l'aurait presque trouvé sympathique... Pourquoi faisait-il semblant de s'intéresser à elle ? Avec cet homme, rien ne pouvait être simple. Par conséquent, s'il cherchait à la mettre en confiance, c'est qu'il devait avoir une bonne raison de le faire.

— Je pourrai vous parler quelques minutes quand vous aurez servi tout ça ? demanda-t-il en désignant le plateau chargé de consommations.

— Je ne vois strictement rien que nous puissions nous dire, répliqua-t-elle.

Puis elle s'éloigna.

Que savait-il d'elle exactement ? Connaissait-il son secret ? John Miller le lui avait-il révélé ? En tout cas, il ne saurait jamais ce qu'elle avait éprouvé pendant le procès. Jamais elle ne s'était sentie aussi impuissante. C'était déjà terrible pour elle de voir sombrer son entreprise, mais le procès en lui-même avait constitué une terrible épreuve. Aujourd'hui encore, elle se demandait pourquoi Bates s'était ainsi acharné contre elle, et surtout pourquoi il avait tant insisté pour qu'elle demandât à son père de régler ses dettes. Comme si elle avait été prête à se tourner vers lui !

Plus jamais elle ne se retrouverait dans une telle situation de vulnérabilité. Ce chapitre de sa vie était définitivement clos ; elle refusait d'emblée tout ce qui viendrait lui rappeler son épreuve. Pas question de discuter un seul instant avec Cassidy. Pas même du temps qu'il faisait.

Malgré elle, elle se retourna pour lui jeter un coup d'œil, et vit sur son visage une expression très éloignée de ce qu'elle ressentait. Il semblait content, sincèrement content. Il ne s'agissait pas d'une satisfaction cruelle, comme celle du chat qui joue avec une souris... non, il faisait plutôt penser à un chat qui savoure la chaleur du soleil à travers sa fourrure. Et cette expression le rendait indéniablement sympathique.

« D'accord, il est séduisant, se dit-elle. Et après ? Méfie-toi de lui : il n'a pas de cœur. »

Il vida lentement son verre, et elle dut revenir vers lui pour lui demander s'il voulait autre chose.

— Une autre bière, merci.

Elle lui apporta sa commande sans tarder, et il lui sourit.

— Vous vous en sortez ? demanda-t-il en essuyant machinalement la buée accumulée sur son verre.

— Tout dépend de ce que vous entendez par là, répondit-elle laconiquement.

Elle regarda sa grande main se refermer sur son verre. Elle ressemblait plus à la main d'un travailleur de force plutôt qu'à celle d'un avocat, remarqua-t-elle avec surprise. Elle était un peu calleuse, avec une éraflure en travers des jointures. Brenna se sentit intriguée par le contraste qui existait entre cette main et l'élégant costume que portait Cole.

Non content d'être élégant, il devait posséder une BMW, une

maison sur le lac, une femme qui s'habillait dans les petites boutiques branchées de la Seconde Avenue, et des gosses qui n'avaient pas à s'en faire, parce que leur papa pourrait toujours leur payer ce dont ils auraient besoin.

La jeune femme fut soudain surprise par l'intensité de sa propre amertume. Clignant des yeux, elle retomba sur terre. Rien de ce qui concernait Cole Cassidy ne l'intéressait. Elle vit dans ses yeux une étincelle dorée qu'elle connaissait déjà, et soutint son regard d'un air de défi. Une fois de plus, elle avait l'impression désagréable d'être transparente — l'impression de ne rien pouvoir lui cacher.

— Je ne cherchais pas à faire la conversation par politesse, dit-il enfin. Je vous ai posé cette question parce que je m'intéresse réellement à vous.

Devait-elle lui dire qu'après avoir perdu son entreprise, elle avait dû quitter son appartement et vendre ses meubles ? Devait-elle lui avouer qu'elle n'avait plus rien et que, sans son frère, elle serait à la rue ?

Retrouverait-elle un jour son indépendance ? Bien sûr que non !

— Je m'en sors, dit-elle enfin. Et comment vont les affaires chez Jones, Markham et Simmons ?

— Je ne sais pas. Je ne travaille plus avec eux depuis déjà pas mal de temps.

Rien dans sa voix ne permettait de deviner ce qui l'avait poussé à quitter la firme, mais Brenna ressentit tout de même une satisfaction obscure en apprenant la nouvelle.

Il sortit une photo de sa poche et la posa sur la table.

— Je cherche des informations au sujet de ce type. Vous le connaissez ?

Elle jeta un coup d'œil à la photo, et reconnut tout de suite Zach MacKenzie.

— Quel genre d'informations ? demanda-t-elle avec méfiance.

Si Zach devait être la prochaine cible de Cassidy, il avait toute sa sympathie.

Zach venait souvent au bar avant d'être mêlé à un accident

de la circulation, un mois plus tôt. C'était un soir où il rentrait justement du Score. Brenna avait été choquée d'apprendre qu'on l'accusait d'homicide involontaire et de conduite en état d'ivresse. Théo jurait que Zach n'avait bu que des sodas, ce soir-là. Mais Brenna avait été incapable de s'en souvenir quand la police était venue l'interroger.

— J'ai besoin d'informations concernant la dernière visite de M. MacKenzie. Le 26 mai. Combien de temps il est resté, ce qu'il a bu, etc.

— Je suppose que vous avez fait la même chose pour moi ?

Le ton égal de sa voix ne cachait pas sa colère. Surpris, Cole fronça les sourcils.

— Pour vous ? répéta-t-il.

— Prendre des informations. Poser des questions indiscrètes et sans aucun rapport avec mon affaire. Enfin, réunir tous les indices capables de m'enfoncer.

— Des questions indiscrètes ? répéta-t-il.

Il contempla la table un instant avant de relever les yeux.

— La première fois que j'ai parlé à vos employés, dit-il, je m'attendais à ce qu'ils confirment les accusations de Bates. Et c'est tout le contraire qui s'est produit. En fait, tous vos employés avaient une haute opinion de vous. De même que vos clients, d'ailleurs.

Il but une longue gorgée de sa bière, puis reposa le verre et demanda :

— Vous pensez que j'ai cherché à vous enfoncer ?

— On vous a payé pour le faire.

— On me paie pour découvrir la vérité.

— Je vous en prie ! s'écria-t-elle. Je suis sûre que vous feriez n'importe quoi pour gagner. Je suis sûre...

— Je vais défendre Zach MacKenzie, dit Cole en tendant la main vers la jeune femme.

Comme elle le dévisageait d'un air incrédule, il sourit et ajouta :

— C'est vrai, j'aime gagner... mais je n'ai eu aucun plaisir à gagner contre vous.

— Je suis censée vous remercier ? demanda-t-elle froidement.

Il passa les mains dans ses cheveux, puis les laissa retomber sur la table, paumes vers le ciel.

— Non.

Brenna regarda, une fois encore, ces mains larges et rudes qui lui rappelaient celles de son grand-père, aussi habiles à réparer les canalisations qu'à désinfecter une coupure sur le genou d'une petite fille. Puis elle leva les yeux vers son visage, et retrouva la chaleur de son regard.

Cette fois, elle chercha à discerner en lui l'homme plutôt que l'adversaire. Il avait les pommettes hautes, les joues légèrement creusées au-dessus d'une mâchoire carrée. Son visage n'avait rien de doux, mais elle n'y lisait aucune trace de cruauté. Pourtant, elle se rappelait la détermination implacable dont il avait fait preuve lors de l'audience...

— Vous êtes vraiment l'avocat de Zach ? Lui demanda-t-elle.

Il hocha la tête, et reprit son verre.

— J'ai besoin de savoir s'il était soûl en partant d'ici. Parce que, s'il ne l'était pas...

— Il ne l'était pas, dit-elle.

— Qu'est-ce qu'il a bu, ce soir-là ?

— Je ne me souviens pas. Une bière, peut-être. Plus vraisemblablement du Canada Dry.

Voyant qu'il haussait les sourcils d'un air de doute, elle expliqua :

— Parfois, il prenait une bière ou deux. Jamais plus de deux. Ensuite, il passait au Canada Dry. Quand il venait, c'était surtout pour bavarder.

— Il venait souvent ?

— Plus souvent que certains, moins que d'autres. Théo et lui sont copains.

— Je sais, dit Cole en jetant un regard au barman. Théo m'a dit qu'il aurait le temps de me parler vers 20 h 30.

— Pourquoi ne me l'avez-vous pas dit en arrivant ?

— Je voulais d'abord voir quel était le style de la maison.

Elle le quitta et alla prévenir Théo que l'avocat de Zach était là. Un peu à l'écart, elle regarda les deux hommes se serrer la main. Pendant qu'ils parlaient, elle passa derrière le bar et s'occupa des clients, renouvelant les consommations et remplissant les coupes d'amuse-gueules. La conversation se termina juste avant la fin du match, mais Cassidy ne quitta pas le bar. Voyant qu'il revenait à sa table, elle alla lui demander s'il désirait une autre bière.

— Non, répondit-il. Je préfère un café.

Quand elle revint avec une tasse fumante, il demanda :

— Ça vous plaît de travailler ici ?

— Suffisamment.

— Je ne vous voyais pas serveuse de bar.

Compte tenu de l'opinion que Bates avait d'elle, elle ne voulait même pas savoir comment il l'imaginait.

— C'est un travail honnête, qui me permet de payer mes factures, dit-elle.

Cole sourit brusquement, et dit d'un air un peu penaud :

— Je viens de recommencer.

— Quoi donc ?

Elle se sentit faiblir, tant il était charmant quand il souriait.

— J'ai mis les pieds dans le plat... Je veux dire : je ne voulais pas me montrer méprisant par rapport à votre boulot. On pourrait peut-être recommencer à zéro ?

Elle resta muette. Elle se sentait dépassée par le tour que prenait la conversation.

— Bonjour ! dit-il en lui tendant la main avec un sourire cordial. Je suis Cole Cassidy.

Comme elle le dévisageait sans faire un geste, il lui prit la main et souffla :

— Vous êtes censée vous présenter. C'est notre première rencontre.

Elle restait là à le regarder, incapable de prononcer le moindre mot, abasourdie de sentir sa main dans la sienne... Comment réagir ? Elle qui se fiait toujours à son instinct, elle ne savait plus si elle devait lui obéir.

— Brenna James ! s'écria Cole, comme si elle venait de lui dire son nom. Comme c'est joli ! C'est irlandais, n'est-ce pas ?

— Vous êtes fou ! Fou à lier.

Il éclata de rire et lui lâcha la main.

— C'est la chose la plus gentille que vous m'ayez jamais dite.

— Je croyais qu'on venait juste de se rencontrer, répliqua-t-elle en essayant de ne pas sourire.

— Ça tient toujours.

Il goûta son café, et hocha la tête en regardant la tenue de travail de la jeune femme.

— Jolie robe. On vous donnerait quinze ans.

Le ton de sa voix correspondait au sentiment qu'il exprimait. Elle baissa les yeux vers sa jupe courte, verte et blanche.

— Quand je suis habillée comme ça, j'ai un peu l'impression d'avoir quinze ans, c'est vrai.

— Et c'est agréable ?

— Je ne dirais pas ça. L'année de mes quinze ans a été la pire de toute ma vie.

Était-ce bien elle qui venait de dire ça ? Stupéfaite, profondément troublée, elle se détourna sans savoir ce qu'elle faisait et se mit à rassembler les verres et les paquets de cigarettes vides sur la table voisine.

— Je dois me remettre au travail, marmonna-t-elle.

Elle travailla machinalement, tandis que les mauvais souvenirs prenaient toute la place dans son esprit. L'année de ses quinze ans, elle avait vécu deux deuils...

Sa mère, qui ne savait plus que faire pour calmer l'hostilité grandissante entre le père et la fille, avait accepté de la laisser partir. Et elle était morte peu après. De même que sa grand-mère, la seule qui se fût jamais vraiment donné la peine de la comprendre et de lui tendre la main, la seule qui l'eût aimée inconditionnellement. Aujourd'hui encore, quand elle se sentait glisser vers le désespoir, Brenna n'avait qu'à fermer les yeux et penser à elle. Tout de suite, elle se sentait réconfortée.

Désormais, il ne pourrait rien lui arriver de plus épouvantable que d'avoir quinze ans et de découvrir qu'elle ne pouvait plus compter que sur une seule personne : elle-même. Les onze années qui s'étaient écoulées, depuis, ne suffisaient pas à lui faire oublier ce désespoir absolu.

Perdue dans ses pensées, elle servit les clients sans répondre à leurs plaisanteries, nettoya les tables au fur et à mesure qu'elles se libéraient, remit les chaises à leur place. Les autres consommateurs restaient un moment, puis repartaient, mais Cassidy ne bougeait pas. Elle aurait aimé pouvoir se sauver, échapper à ce regard qui la suivait partout, ou déverser sur Cole la colère qu'éveillaient ces douloureux souvenirs. En même temps, elle avait envie de s'asseoir à côté de lui, et de lui demander d'où lui venaient ces cals aux mains et ces jointures éraflées. Par-dessus tout, elle avait besoin d'être seule pour analyser les sentiments qu'il lui inspirait.

La première fois qu'elle était venue dans son bureau faire sa déposition, elle avait fortement ressenti son magnétisme. Il dominait son souvenir de cette journée comme il dominait toutes ses sensations actuelles. Qu'avait-il donc de si particulier ?

La soirée s'étira, interminable. Cole partit un quart d'heure seulement avant la fermeture, en lui laissant un pourboire très ordinaire, et un mot qui ne l'était pas du tout. Brenna le lut d'un air médusé, puis le posa sur son plateau avec la tasse vide.

Quand elle eut regagné le bar, elle déposa son chargement près de l'évier, et demanda à Théo :

— Tu arrives à déchiffrer ça, toi ?

Le barman jeta un coup d'œil rapide sur le message, et lança :

— À bientôt.

— À bientôt, répéta la jeune femme en contemplant le morceau de papier un peu chiffonné.

Elle glissa le mot dans sa poche.

— Tu le connaissais déjà ? demanda Théo.

— Oui.

— Vous êtes amis ?

— Non. Pas amis, non. Je l'ai rencontré l'année dernière, mais je ne l'avais pas vu depuis des mois.

« Deux mois et trois semaines, pour être précise », songea-t-elle en se souvenant de la dernière réunion.

— On n'a qu'à fermer : il n'y a plus personne, dit Théo en regardant sa montre. Ton bus passe à quelle heure ?

— Moins cinq.

— Alors, vas-y tout de suite. Je ne veux pas que tu attendes une demi-heure pour avoir le suivant.

Au vestiaire, Brenna retira son uniforme, passa un jean et un T-shirt ample, détacha ses cheveux et les brossa énergiquement. Ses pensées revenaient sans cesse vers Cassidy. Jusque-là, il n'avait été pour elle qu'un complice de Bates, un homme qui cherchait délibérément à lui faire du tort. Ce soir, elle l'avait vu sous un jour très différent. Charmant, plein de gentillesse. Et très attirant.

« Est-ce que tu es devenue folle ? Se demanda-t-elle en regardant son reflet dans le miroir. Comment peux-tu avoir envie que cet avocat pourri s'intéresse à toi ? »

À une époque, cette petite voix intérieure la poussait à croire que tout était possible, qu'il suffisait de se fixer un objectif... Et si elle avait rencontré Cassidy d'une autre façon ? Et si elle lui plaisait réellement, telle qu'elle était ?

« Moi ? Tu rêves ! »

Elle jeta sa brosse à cheveux dans son sac de toile — un sac qui avait été beige, autrefois, et qui était maintenant constitué d'un kaléidoscope de pièces de toutes les couleurs. Ce sac illustrait parfaitement leurs différences : Cassidy avait une mallette de cuir et elle un sac de toile rapiécé. Et, même s'ils s'étaient rencontrés dans les meilleures circonstances possibles, ce paramètre-là n'aurait pas changé...

Dans la rue, il y avait un peu moins de circulation que d'habitude. Le SDF qui dormait sous l'abri de bus, les deux nuits précédentes, n'était plus là. Sur le trottoir, il n'y avait qu'un ivrogne appuyé contre un immeuble, et deux hommes qui discutaient devant un bar, à l'angle de la rue, accoudés à un parcmètre. Leurs rires flottaient jusqu'à elle.

Elle avait déjà travaillé dans des quartiers plus dangereux, comme elle ne cessait de le répéter à Michael qui détestait l'idée de laisser sa sœur patienter à un arrêt de bus au milieu de la nuit. Cette conversation récurrente n'avait aucun sens pour Brenna : elle vivait ainsi depuis tant d'années ! Pas question d'accepter qu'il vînt la chercher au bar à 1 heure du matin ! Michael avait fini par abandonner, à contrecœur.

Après un dernier regard à la ronde, la jeune femme se dirigea vers l'arrêt du bus, distant de deux cents mètres.

Elle était à mi-chemin quand elle perçut un mouvement dans l'ombre de l'immeuble qu'elle venait de dépasser. Automatiquement, elle chercha la mini bombe au poivre qui se trouvait toujours dans son sac.

Un homme jaillit tout à coup près d'elle. Ses yeux sombres étaient sans expression.

— Hé, bébé, tu veux faire la fête ?

4.

Cet homme, Brenna ne l'avait encore jamais vu. Elle le jaugea d'un regard rapide, puis détourna les yeux. Un jean informe, un T-shirt noir, un visage en lame de couteau et un corps mince et musclé de prédateur. Il était sale, ivre et dangereux.

Tout en essayant de cacher sa peur, elle continua à marcher sans réagir à sa question. Elle réfléchissait à toute allure. Retourner au bar ? Trop loin. Si, par miracle, un bon Samaritain passait en voiture, elle pourrait peut-être lui faire signe ? Le plus discrètement possible, elle fouillait le chaos de son sac à la recherche de ce satané spray lacrymogène. Si les choses se gâtaient, pourrait-elle courir plus vite que lui ? Pas très longtemps, sans doute, et tout se jouerait dans les premiers mètres. Elle sentit son estomac se crisper, et lutta contre l'envie de s'enfuir tout de suite.

L'homme allongea le pas pour rester à sa hauteur.

— T'es pressée de rentrer retrouver ton petit copain ?

Il tendit la main vers elle, et elle fit un écart pour l'éviter.

— Hé, protesta-t-il, je veux juste être gentil avec toi. C'est dangereux, par ici, tu sais ? Tu te cherchais un mec pour la nuit ?

Il hocha la tête vers une boîte de strip-tease de l'autre côté de la rue.

— T'es strippeuse ?

Brenna jeta un coup d'œil vers le bas de l'avenue. Si seulement le bus pouvait arriver !

— Tu t'appelles comment ? demanda-t-il.

Elle ne répondit pas, et continua d'avancer vers l'arrêt de bus calmement, avec détermination. Enfin, ses doigts se refermèrent sur la minibombe au fond de son sac. Un nouveau coup d'œil vers le bas de la rue, pour l'instant aussi déserte qu'une route de campagne... Que faisait ce maudit bus ?

L'homme suivit son regard.

— Tu attends quelqu'un ?

Cette fois, elle croisa son regard.

— Oui, dit-elle avec beaucoup de conviction.

À défaut du bus, elle serait enchantée de voir n'importe quel véhicule. Sinon, elle allait devoir se servir de sa bombe, en espérant que ses réflexes seraient plus rapides que ceux de l'homme.

Il était trop près d'elle, si près qu'elle sentait sa sueur, l'alcool qui l'imprégnait. Elle s'écarta vers le bord du trottoir pour tenter de reprendre ses distances, mais il la suivit, roulant des épaules avec assurance. Une unique voiture les dépassa, mais le chauffeur garda le regard fixé droit devant lui. Où était le bus ? L'arrêt était tout proche, maintenant. Si elle s'y arrêtait, le type risquait de devenir encore plus entreprenant. Si elle continuait son chemin...

En face, cette fois, une jeep noire s'approcha d'eux... et Brenna reconnut le chauffeur. Cole Cassidy ! C'était une réponse inattendue à sa prière. Elle agita la main. Cassidy la regarda fixement, puis fit un demi-tour abrupt et tout à fait illégal au beau milieu de l'avenue pour venir se ranger contre le trottoir.

— Brenna ?

Son regard glissa sur elle et alla se poser sur l'homme. Vite, il serra le frein à main et sauta à terre. Il avait retiré sa veste, roulé les manches de sa chemise. Elle vit ses avant-bras se durcir quand il ferma à demi les poings. Il se dégageait de lui une force saisissante.

Elle sentit l'inconnu reculer.

— Bonsoir ! dit-elle, le souffle court.

— Tout va bien ?

Elle hocha la tête, tout en regardant le voyou avec méfiance. Celui-ci s'approchait, la tête haute, la poitrine bombée. Elle se hâta de poser la main sur le bras de Cole.

— Tu es en retard, lui dit-elle en cherchant à l'entraîner vers la jeep.

Il haussa les sourcils, mais accepta de jouer le jeu.

— Désolé, dit-il en lui prenant le bras d'un geste possessif qu'elle n'aurait pas accepté dans d'autres circonstances.

— C'est ton mec ? demanda l'homme.

Comme ils ne répondaient ni l'un ni l'autre, il reprit :

— Dis donc, c'est une belle caisse, ça !

— Bas les pattes ! gronda Cole.

— T'affole pas : j'ai rien fait à ta nana ! Je lui aurais même plutôt rendu service. Ça craint, par ici, pour une belle poupée comme ça.

— Trop aimable, dit Cole d'un ton grinçant.

Le son de sa voix stupéfia Brenna. Elle lui glissa un regard en coin. Il semblait littéralement prêt à tuer.

Il ouvrit la portière de sa jeep sans quitter le voyou du regard. Enfin, l'autre haussa les épaules et s'éloigna, tout en grommelant quelque chose à mi-voix. Cole contourna le véhicule et s'installa derrière le volant, puis il passa une vitesse et démarra sans un mot.

Dans cette voiture découverte, le vent s'empara des cheveux de la jeune femme qui se mirent à lui fouetter le visage. Elle frémit. Elle avait les nerfs à vif — autant à cause de la présence de Cassidy que de la rencontre avec le voyou.

— Merci, dit-elle. Si vous saviez comme j'étais contente de vous voir !

— Où est votre voiture ? demanda-t-il.

— Je n'ai pas de voiture. J'allais rejoindre l'arrêt du bus.

Elle lui indiqua un autre arrêt, à une centaine de mètres devant eux, en précisant :

— Celui-ci est encore un peu trop près, mais si vous voulez bien me déposer au suivant...

— Vous prenez le bus ? demanda Cole d'un air incrédule.

— C'est ce qu'on fait habituellement pour se rendre sur son

lieu de travail, quand on n'a pas de voiture, répliqua-t-elle en repoussant ses cheveux en arrière.

Cole fit un geste de la tête pour indiquer l'avenue derrière eux.

— Et ça arrive souvent ?

— Ce type ?

— Ce type, oui, confirma-t-il avec impatience. Celui dont vous aviez tellement envie de vous débarrasser ! Au point d'accepter ma compagnie.

Brenna lui jeta un coup d'œil rapide. La colère qu'elle sentait en lui ce soir ne ressemblait en rien à celle qu'il avait exprimée le jour de l'audience, quand il s'était servi de tout le poids de l'appareil judiciaire pour l'écraser. L'homme qu'elle avait devant elle était plus... terrien. Moins suave et moins sophistiqué.

— Ça arrive souvent ? répéta-t-il. Une fois par semaine ? Tous les soirs ?

Il braqua sur elle un regard dur et lui demanda sèchement :

— Qu'auriez-vous fait si je n'étais pas passé par là ?

— Je me serais débrouillée. J'ai l'habitude.

— J'ai vu comment vous vous débrouillez. Vous ne devriez pas être dans la rue à une heure pareille.

— Ce que je devrais faire ou ne pas faire ne vous concerne pas, riposta Brenna avec colère. Vous pouvez me déposer ici.

— Et ensuite ?

— J'attendrai le bus. Comme je le fais chaque soir en sortant du travail.

— Fantastique ! Et moi, je n'aurai qu'à m'en aller tranquillement, sans me préoccuper du prochain ivrogne qui voudra vous agresser.

Elle lui montra sa bombe lacrymogène.

— La prochaine fois, je serai prête. Vous pouvez me déposer ici.

— Pas question.

— Comment ça ?

— Mais pour qui me prenez-vous ?

Elle ouvrit la bouche pour répondre, mais il fut plus rapide qu'elle.

— Réflexion faite, dit-il, ne répondez pas. Je préfère ne pas le savoir. En tout cas, je n'ai aucune intention de vous lâcher dans la nature.

Il fit un geste du pouce vers sa petite bombe.

— Et si elle s'était enrayée ? Et s'il vous l'avait prise ? Et si...

Il serra les lèvres et crispa les mains sur le volant.

— Je vous ramène chez vous.

— Ce n'est pas nécessaire.

— Vous feriez aussi bien de me dire où vous habitez... À moins que vous ne préfériez que je vous emmène chez moi ?

Visiblement, il ne céderait pas. Elle sentait bien qu'il parlait tout à fait sérieusement.

En attendant sa réponse, il se concentra sur la conduite de la voiture, et elle en profita pour mieux l'étudier. La fureur de Cassidy la laissait perplexe. Quant à sa façon de dire qu'il s'inquiéterait pour elle...

Ainsi, il n'avait retiré aucune satisfaction de sa victoire au procès ? Elle revit son expression, le dernier jour, dans la salle de réunion, tandis qu'il poussait Miller à faire son travail, à la prévenir qu'elle s'apprêtait à signer des aveux. Elle fronça les sourcils. Ce jour-là, l'intervention de Cassidy n'avait pas plus de sens pour elle que l'inertie de Miller. Sans doute existait-il une raison technique pour qu'il eût agi ainsi ? Ce soir, neuf mois plus tard, elle se demandait s'il avait cherché à la protéger.

La protéger comme il venait de le faire en la tirant des pattes du voyou... Mais était-ce aussi simple que cela ?

Il lui jeta un coup d'œil de biais.

— Alors ? Que décidez-vous ?

Sa voix s'était radoucie, tout comme son expression.

— Pourquoi faites-vous ça ? demanda-t-elle.

— Ma bonne action du jour, lâcha-t-il d'une voix brève.

Elle regarda sa montre avec ostentation.

— Une par jour, et il n'est que minuit cinq. J'ai eu de la chance de vous croiser aussi tôt !

— Brenna...

Sa voix contenait un avertissement. Elle capitula et lui donna l'adresse de son frère, à quelques minutes à pied de l'École de Médecine de l'Université du Colorado, où il était chargé de recherches. Cela n'aurait pas dû être aussi difficile de dire à cet homme où elle habitait, mais, en vérité, elle se sentait très mal à l'aise.

Parfois, dans sa vie, elle avait eu l'impression d'être à la croisée des chemins, de vivre un moment clé, de devoir prendre une décision capable de l'entraîner dans une direction radicalement nouvelle. Et, en cet instant, il lui semblait reconnaître l'un de ces prémices.

Où allait-elle ? Elle ne le savait pas. Cole Cassidy allait-il faire partie de sa vie, au moins pendant un certain temps ? Si c'était le cas, rien ne serait jamais plus comme avant.

Quand elle releva les yeux vers lui, il la regardait aussi. Il lui sourit et demanda :

— C'était si difficile que ça de me donner votre adresse ?

— Plus que vous ne l'imaginez, grommela-t-elle.

Qu'il aille au diable avec son sourire, sa gentillesse... avec son côté protecteur si rassurant !

— Vous êtes toujours aussi butée ? reprit-il. Ou c'est seulement avec moi ?

Encore ce sourire, qui l'invitait à sourire aussi.

— Je suis toujours aussi butée, répondit-elle en croisant fermement les bras sur son sac de toile.

Que voulait-il d'elle ? Que voulait-il, réellement ?

— Je me disais aussi...

— Pourquoi étiez-vous encore en train de traîner dans le coin ? demanda-t-elle. Vous aviez quitté le bar depuis un bon moment.

À la grande surprise de la jeune femme, Cole eut l'air gêné.

— Je... voulais voir ce que vous aviez comme voiture.

— Pourquoi ? Si j'avais possédé une voiture de luxe, vous en auriez conclu que j'avais volé de l'argent à Bates, c'est ça ?

— Bien sûr que non !

Il paraissait vraiment choqué par cette idée. Puis, en plongeant les yeux dans les siens, il répéta avec conviction :

— Non.

— Alors, pourquoi ?

— Simple curiosité.

Il s'arrêta à un feu rouge, et enchaîna en se tournant vers elle :

— Vous savez bien : quand une femme nous plaît, on cherche à découvrir où elle travaille, quelle voiture elle conduit. On s'arrange pour la croiser régulièrement.

Un léger choc, comme un sursaut intérieur... Brenna avait bien cru sentir qu'il s'intéressait à elle, tout en restant convaincue qu'elle devait se tromper, qu'il avait un autre mobile. Elle ne s'attendait pas du tout à cette déclaration sans détours.

Pourtant, ses paroles sonnaient juste. Il y eut un moment de silence. Comme tout allait vite ! Deux heures plus tôt, elle croyait savoir l'essentiel sur lui, et n'avait aucune envie d'en découvrir plus. Maintenant... comment faire pour continuer à le détester ? Bien sûr, si elle pensait à tout ce qu'elle avait perdu par sa faute... mais c'était la faute de Bates, pas la sienne.

— Vous avez toutes les raisons d'avoir une mauvaise opinion de moi, dit-il soudain.

Elle le regarda et vit qu'il ne souriait plus.

— Je ne cherche pas à vous harceler. J'aimerais juste vous connaître mieux.

— Je vous crois, dit-elle.

Le feu passa au vert, la voiture avança en souplesse. Brenna ferma les yeux et laissa son imagination vagabonder. Où vivait-il ? Toutes ses idées préconçues se révélaient fausses : il ne conduisait pas une BMW mais une jeep, et il n'y avait pas d'alliance à son doigt. Se trompait-elle aussi sur le reste ? Cette jeep pouvait signifier qu'il aimait la campagne autant qu'elle.

Elle lui jeta un regard furtif et secoua la tête avec agacement. Sur quel terrain dangereux était-elle en train de se laisser glisser ? Cet homme était avocat dans une grande ville. S'il avait voulu vivre à la campagne, il aurait choisi une autre profession. La jeep n'était rien d'autre qu'un symbole machiste, et il habitait sans doute un loft luxueux dans le quartier de Lodo.

— À quoi rêvez-vous, belle dame ? lui demanda-t-il en se tournant vers elle.

Cette question si simple lui fit monter les larmes aux yeux. Ses rêves ! Elle avait payé cher pour savoir que les rêves ne mènent à rien. Mais comment renoncer à rêver ? La voix de son père résonnait encore dans les couloirs sombres de son esprit : *Encore en train de rêver, Brenna ? Si tu sortais ta tête des nuages, tu réussirais peut-être un peu mieux en classe.* La voix de sa mère, par contre, était douce et lui revenait plus souvent, depuis quelque temps : *Dans tes rêves, tu peux trouver des clés et des solutions.* Et, pour finir, sa grand-mère lui disait : *Rêve, et ensuite, réalise tes rêves.*

Pour la première fois, Brenna prononça ces paroles à haute voix :

— Je rêve de... reprendre mes études, dit-elle à Cole.

Cassidy hocha la tête d'un air approbateur.

— C'est un cap difficile à passer : il n'est pas aisé de concilier études et travail.

— Non.

Il lui adressa un sourire cordial.

— Quand on est à l'école, on meurt d'envie d'en sortir. Quand on en est sorti, on meurt d'envie d'y retourner !

Elle approuva vigoureusement de la tête. Comme elle avait détesté l'école ! Elle s'y sentait étrangère.

— Et quoi d'autre ?

Elle haussa les épaules avec une nonchalance feinte.

— Oh, les choses habituelles.

— Par exemple ?

— Un logement agréable. Un travail intéressant.

— Le vôtre n'est pas intéressant ?

— Vous voulez rire ! C'est une solution de dépannage. Heureusement, la plupart des consommateurs sont gentils, mais...

— Qu'est-ce qui vous intéresserait ? Si vous aviez le choix.

Elle réfléchit un instant.

— Je récolterais des histoires.

Oubliant sa réserve, elle se tourna vers lui, et commença à lui expliquer sur un ton volubile :

— Vous comprenez, on ne se parle plus comme on le faisait autrefois. On regarde la télévision, on sort, mais... L'une des choses que j'adorais chez mes grands-parents, c'étaient les soirées passées à parler, à raconter des histoires. Ils évoquaient leurs souvenirs, me lisaient les contes qu'ils avaient entendus quand ils étaient petits. Ma grand-mère me décrivait aussi les débuts de son histoire d'amour avec mon grand-père, à l'époque où il lui faisait la cour.

— La transmission orale des traditions, dit-il.

— C'est ça !

— C'est une belle idée.

— Oui.

— Merci de m'avoir permis de vous ramener chez vous, dit-il à la jeune femme en lui pressant légèrement la main. Merci d'avoir partagé vos rêves avec moi.

Brenna sentit une douce chaleur l'envahir. À la dérobée, elle contempla le profil de Cole. C'était difficile à croire, mais il semblait vraiment l'apprécier ! Son sourire était sincère, toutefois elle continuait de se répéter qu'elle ne pouvait pas lui faire confiance.

— Ce n'est pas facile, hein ? demanda-t-il soudain.

— Quoi donc ?

— De me voir. Juste moi, pas l'avocat de Bates.

Cette perspicacité la surprit.

— Non, ce n'est pas facile, avoua-t-elle. Et vous, est-ce que vous me voyez ? Juste moi ?

Elle se tut, abasourdie d'avoir osé poser une telle question.

— Je crois que je vous ai vue dès la première fois.

Il la regarda un instant au fond des yeux, puis se concentra sur la conduite de la voiture.

— John Miller vous a dit ? demanda-t-elle soudain.

— Dit quoi ?

Elle sursauta, surprise elle-même d'avoir parlé tout haut.

— Eh bien, il aurait pu vous dire des choses sur moi.

— Rien du tout.

Dans ce cas, il ne la voyait pas vraiment telle qu'elle était. Et cela expliquait qu'il se comportât comme s'il se plaisait en sa compagnie.

— Bon, vous travaillez le soir au Score, reprit-il d'un ton enjoué. Mais à quoi passez-vous vos journées ?

— Je m'occupe de mon neveu les jours où ma belle-sœur donne ses cours.

— Et le reste du temps ?

— Je fais des ménages, répondit-elle avec un regard de défi.

Serveuse de bar, femme de ménage, c'étaient des emplois de survie, mais elle espérait bien mettre assez d'argent de côté pour prendre un appartement.

— Tout ça ne vous laisse guère de temps pour vous.

— Quand on se retrouve dans une situation comme la mienne, on n'a pas le choix.

— Sans doute. Parlez-moi de votre neveu.

Cette fois, elle hésita à peine avant de répondre :

— Teddy est le plus charmant petit garçon que l'on puisse imaginer. Il a quatre ans. J'adore passer du temps avec lui : c'est l'une des rares bonnes choses qui me soient arrivées depuis longtemps.

Elle se tut un instant, et regarda défiler les lumières de la rue.

— Vous tournerez à gauche au prochain feu.

— D'accord.

Il ralentit, vira au carrefour, et déclara :

— S'il est comme mes nièces, il doit aimer nager et jouer au Frisbee.

— Vous oubliez le base-ball !

— Elles n'ont pas l'air de s'y intéresser.

— Dommage ! C'est un bon sport, et les filles peuvent y jouer aussi bien que les garçons.

Elle se mordilla la lèvre inférieure, puis posa tout à coup la question qui la tourmentait depuis le début de la soirée :

— Pourquoi allez-vous défendre Zach MacKenzie ?

Le sourire de Cassidy s'effaça.

— Parce que je le crois. Je crois en lui.

— C'est pour ça que vous avez représenté Bates ?

— Non. J'ai représenté Bates parce que l'un des associés de la firme m'a donné son affaire. J'ai fait tout mon possible pour le convaincre d'adopter une position raisonnable, mais il n'a pas voulu céder d'un pouce.

Il ralentit pour lire les numéros des maisons, et elle lui indiqua la sienne d'un geste. Il se gara contre le trottoir et se tourna vers elle.

— Je ne cherche pas à éluder vos questions, mais je ne comprends pas très bien ce que vous voulez savoir.

— Je pensais juste à Zach, dit-elle en tordant machinalement la lanière de son sac. Il me ressemble un peu : c'est un type ordinaire qui s'est mis dans un sale pétrin. Je ne pensais pas qu'une affaire de ce genre vous intéresserait.

— Si j'étais resté chez Jones, Markham et Simmons, je n'aurais jamais eu l'occasion de défendre un homme comme lui — ou une femme comme vous. Vous n'auriez jamais eu les moyens de vous offrir mes services.

Il ne semblait pas se vanter, simplement énoncer des évidences.

— Et maintenant?

— Maintenant, je peux choisir mes clients. C'est l'intérêt d'être son propre patron.

Il se tourna vers elle, posa le bras sur le dossier du siège, et effleura ses cheveux. Elle sentit sa chaleur toute proche, et eut envie de blottir sa joue dans sa paume ouverte. Voilà à quoi elle en était réduite! Au prix d'un réel effort, elle se tint immobile et, bientôt, il écarta son bras et lui lança un sourire un peu penaud.

— J'ai toujours eu envie d'être le type qui règle les problèmes de tout le monde. À la firme, je n'avais plus l'impression d'aider qui que ce soit.

— Vous pensez pouvoir aider Zach?

— Oui. J'en suis sûr.

— C'est bien. Il va avoir besoin de quelqu'un qui...

Quelqu'un qui ne se laisse pas marcher sur les pieds, pensait-elle. Quelqu'un d'agressif. Comme elle ne disait plus rien, il finit par demander :

— Quelqu'un qui... ?

Se sentant rougir, elle bredouilla :

— Vous pouvez être assez... intimidant.

— Il paraît, oui, dit-il en riant.

Quand elle baissa les yeux, il passa l'index sous son menton pour lui relever la tête.

— Je suis désolé de vous avoir intimidée, en tout cas. Je vous croyais.

Mentalement, elle compléta la formule qu'il avait utilisée pour Zach : « Je croyais en vous. ».

— J'aimerais vous revoir demain, dit-il. On pourrait dîner ensemble, ou aller au cinéma ?

— Je ne peux pas, dit-elle, curieusement déçue de devoir refuser. Je garde Teddy le matin, et le ciel nous tomberait probablement sur la tête si on ratait le « Rendez-vous du Conteur » à la bibliothèque. Ensuite, j'ai un ménage l'après-midi, et j'aurai fini juste à temps pour retourner au Score.

Du bout du doigt, il traça une ligne le long de sa joue.

— Une autre fois, alors ?

Elle savoura cette promesse. Et pourtant, elle se méfiait de cette vision fugace qu'il faisait miroiter devant elle et qui contenait l'espoir d'une existence plus facile, où il eût été permis de passer de bons moments. Cette existence lui était interdite.

— Une autre fois, répéta-t-elle sans y croire.

Il descendit de voiture, puis l'accompagna jusqu'à la porte.

— À bientôt, dit-il à mi-voix.

Et il déposa un baiser léger, presque intangible, sur ses lèvres.

5.

— Tatie Brennie, j'ai pas envie de mettre des chaussettes !

Tout en regardant Brenna avec des yeux suppliants, Teddy laissa choir ses sandales de cuir et ses chaussettes sur le carrelage de la cuisine, près de la table où sa tante terminait son café du matin. En son for intérieur, Brenna lui aurait bien donné raison, mais elle n'était pas parvenue à convaincre Jane, sa belle-sœur suisse récemment arrivée aux États-Unis, que les petits garçons ne portaient pas de chaussettes avec leurs sandales, à Denver. Si bien que Teddy n'avait pas le choix.

Si seulement ses sentiments pour Cole Cassidy pouvaient être aussi clairs ! Mais, chaque fois qu'elle décidait de ne plus penser à lui, son image revenait la tourmenter. Le fait qu'il eût insisté pour la raccompagner chez elle prouvait qu'il était généreux et bien élevé, rien de plus, se répétait-elle. Elle serait stupide d'y attacher autant d'importance. Quant aux questions qu'elle se posait à son sujet, ce n'était que simple curiosité.

Pourtant, jamais le contact de la main d'un homme ne lui avait laissé un souvenir aussi vif. Il lui suffisait d'y penser pour sentir son cœur s'emballer. Mais cette réaction physique n'avait rien à voir avec sa raison. Tout simplement, elle avait oublié la chaleur que dégage le corps d'un homme — et la chaleur de Cole lui avait semblé aussi réconfortante qu'un feu pétillant par une journée d'hiver.

— Tatie Brennie, tu m'écoutes pas ! geignit Teddy en tapotant le bras de la jeune femme.

Il grimpa sur ses genoux et appuya son front contre le sien en prenant son expression sévère.

— Je suis obligé de mettre des chaussettes ?

Brenna repoussa la pensée de Cole Cassidy et sourit à son neveu en louchant. Il pouffa de rire, et elle ébouriffa ses cheveux blonds.

— Oui, tu es obligé de mettre des chaussettes.

— Pourquoi ?

Satisfait d'avoir capté l'attention de sa tante, il redescendit de ses genoux et s'assit sur le sol, à côté de ses sandales.

— Parce que ta maman dit que tu dois en mettre.

Brenna glissa de sa chaise, et s'assit près de lui.

— Je vais te donner un coup de main.

Teddy lui tendit un pied qu'elle s'empressa de chatouiller. Le petit garçon poussa un cri aigu.

— Tu vois ? fit Brenna. Les chaussettes, c'est très utile. Quand tu les auras mises, elles te protégeront des chatouilles.

— Mais j'aime bien quand tu me chatouilles ! dit-il en lui tendant l'autre pied.

— Ah, tu aimes ça ?

Elle saisit son pied, effleura la plante du bout des doigts, puis l'approcha de sa bouche.

— Mm, il a l'air bon ! Dommage que j'aie déjà pris mon petit déjeuner !

Sous la table, la chatte Pénélope contemplait leur jeu avec un dédain infini. Brenna fit le geste de lui proposer le pied du petit garçon.

— Tu en veux un peu ?

Pénélope cligna ses yeux dorés et s'éloigna, la queue en l'air. Éclatant de rire, Brenna souffla doucement sur la plante du petit pied et le chatouilla encore. Teddy se laissa aller à la renverse sur le carrelage, éclatant de son rire adorable et se tortillant comme un chiot. Brenna le lâcha et lui tendit l'une des chaussettes.

— Oh, je croyais que tu allais oublier, dit-il en se redressant. Seulement, tu n'oublies jamais rien, hein ?

— C'est rare, en effet, admit-elle en lui enfilant la seconde chaussette.

Après les chaussettes, elle l'aida patiemment à boucler ses sandales.

— Quand même, je trouve ça bête, dit-il en se relevant.

— Alors parles-en à ta mère.

— Tu pourrais le faire, toi !

— Non, dit Brenna en posant un baiser sur la joue du gamin. C'est une bataille que tu devras livrer toi-même.

Elle se leva à son tour.

— Donne à manger à Pénélope. Moi, je fais la vaisselle, et on ira à la bibliothèque pour le Rendez-vous des Contes.

— D'accord.

Cela faisait trois mois qu'elle vivait ici, et Teddy et elle avaient trouvé leur rythme. Trois après-midi par semaine, pendant que Jane était à ses cours, ils allaient à la piscine. La bibliothèque, c'était pour le mardi matin, et le jeudi était réservé à la sortie au parc.

Brenna commençait la vaisselle quand le téléphone sonna.

— Ah, c'est toi, Brenna ! fit la voix de son père. Je pensais que Michael serait encore là.

— Bonjour, père, dit-elle en lui donnant automatiquement le titre qu'il exigeait quand ils étaient petits. Non, il est parti depuis plus d'une heure.

— Tu ne travailles pas, ce matin ?

Tout de suite, elle se sentit sur la défensive. Venant de n'importe qui d'autre, la question n'aurait suscité chez elle aucune réaction particulière. De la part de son père, elle sous-entendait une critique.

— Jane a un cours, ce matin. Je garde Teddy.

— Et comment va mon petit-fils ? Bien, je présume.

Brenna regarda Teddy qui, assis par terre, tendait des croquettes à Pénélope.

— Il va bien. Il pousse comme une mauvaise herbe.

— Et toi, tu as trouvé un autre travail ?

Lors de leur dernière conversation, il avait été outré d'apprendre qu'elle travaillait dans un bar.

— Je n'ai pas cherché, répondit-elle.

— Et je suppose que tu ne cherches pas non plus d'appartement ?

— Pas encore, non.

Car son père lui reprochait de profiter de l'hospitalité de Michael. Inutile de lui dire qu'elle avait hâte de recouvrer son indépendance : il ne la croirait pas. En s'efforçant de garder son calme, elle demanda :

— Vous appeliez pour une raison particulière ?

— Je voulais juste prévenir Michael que je serai à Denver la deuxième semaine de juillet.

— Je le lui dirai.

— J'ai son numéro au travail. Je l'appellerai moi-même.

— Parfait.

Elle ferma les yeux. Après tout ce temps, pourquoi l'attitude de son père la faisait-elle encore souffrir ? À ses yeux, elle n'avait aucune qualité. Difficile de lutter contre une telle image ! À chaque conversation, elle se sentait encore un peu plus rabaissée. Il tenait à prévenir Michael de sa visite, mais il ne lui aurait rien dit à elle. Et il ne lui faisait même pas confiance pour transmettre son message.

— Au revoir, Brenna, dit-il.

Et il coupa la communication sans attendre sa réponse.

Elle raccrocha à son tour, et regarda un instant dans le vide. Face à son père, elle se sentait redevenir une fillette maladroite et complexée.

Vingt minutes plus tard, elle était en route pour la bibliothèque avec Teddy. En montant dans l'autobus, le petit garçon mettait un point d'honneur à dire bonjour au chauffeur et à tous les passagers. Puis, pendant la dernière partie du trajet qui se faisait à pied, il sautillait au côté de sa tante en s'arrêtant chaque fois qu'une nouvelle idée le frappait.

— Pourquoi il y a des fentes dans le trottoir ?

— Parce que le trottoir est fait de blocs de béton posés les uns à côté des autres.

— Oh, fit le petit garçon en sautant par-dessus une fente. Je me demande pourquoi ils ne font pas une grande bande jusqu'au coin.

Un écureuil poussa un petit cri en montant sur la branche basse d'un arbre.

— Pourquoi les écureuils grimpent aux arbres et pas les rats ? Papa dit qu'ils sont tous des satanés rongeurs.

Brenna leva les yeux vers l'endroit où ils avaient vu l'écureuil, horrifiée en imaginant des rats en train de grimper aux arbres. Mais Teddy était déjà passé à autre chose.

— Pourquoi les fleurs sentent bon mais pas les feuilles ?

— Il y a des feuilles qui sentent bon. La menthe, la...

Teddy se précipita vers le perron imposant de la bibliothèque.

— Tu as pensé à emporter « La Petite Locomotive » ? lança-t-il par-dessus son épaule.

— Bien sûr !

À l'intérieur, Teddy dévala l'escalier qui menait à la salle des enfants. Trois autres gamins étaient déjà installés. Il s'assit près d'une petite fille et se mit à bavarder avec elle. « Ce gosse est vraiment adorable », pensa la jeune femme.

— Bonjour, Brenna ! lança Nancy Jenkins, depuis le comptoir des prêts.

— Bonjour ! Comment va le monde des rase-mottes ?

— Fais attention à ce que tu dis ! répliqua Nancy en riant. Tu es en territoire ennemi !

Brenna se mit à rire à son tour, et regarda avec plaisir la salle claire et gaie. Nancy ne se doutait pas à quel point sa boutade frappait juste ! Pour Brenna, ce lieu était bien un territoire dangereux — même si le fait de conter des histoires aux enfants se révélait bien moins impressionnant qu'elle ne l'avait redouté en se portant volontaire. Elle y prenait un plaisir réel, et attendait ce rendez-vous hebdomadaire avec impatience.

— J'ai trouvé ce livre sur les locomotives que tu m'avais demandé, dit Nancy en la précédant vers le coin de lecture.

— Parfait. Avec des photos couleur ?

— Bien sûr ! fit la bibliothécaire en s'emparant de l'énorme volume.

Sans se préoccuper des légendes en petites lettres qui auraient pu la paniquer, Brenna se concentra sur les photos.

— C'est parfait. Pourvu que les gosses ne me demandent rien de plus technique que : « Où est la cheminée ? » !

— Ça ne changerait rien, fit Nancy en refermant le livre. Tu as toujours une réponse à leur donner.

— C'est facile de parler aux enfants, dit Brenna sans relever le compliment. Si seulement ça pouvait être aussi simple avec les adultes !

— Autrement dit, je suis de trop ! Bon, j'y vais. Préviens-moi la prochaine fois que tu seras libre un samedi après-midi. On ira au cinéma.

— Je n'ai guère de samedis en perspective. Je viens de décrocher de nouvelles heures de ménage.

Au départ, elles s'étaient liées d'amitié parce qu'elles aimaient toutes les deux le cinéma. Puis elles avaient découvert qu'elles étaient, l'une et l'autre, filles de militaires et qu'elles n'avaient jamais séjourné une année entière au même endroit. Cette expérience commune les rapprochait, et elles passaient de bons moments ensemble, mais Brenna voyait trop bien les différences qui ne manqueraient pas de les séparer.

— Un dimanche, alors ?

— Parfait !

Elle s'éloigna. Brenna disposa autour d'elle quelques livres illustrés sur les trains, et se mit à feuilleter le sien, sûre d'avoir bien appris son récit. Il restait encore quelques minutes avant de commencer. Dans son coin, Teddy bavardait toujours, et elle l'entendit déclarer avec fierté :

— C'est ma tatie. C'est elle qui va nous raconter l'histoire.

Brenna leva les yeux vers son neveu, puis parcourut la salle du regard. Comme elle était agréable, cette grande pièce aux couleurs vives ! Un instant, elle se demanda ce qu'elle ressentirait si elle avait un job comme celui de Nancy — et elle repoussa tout de suite cette pensée importune. Elle aimait les enfants, elle aimait venir ici, mais ça s'arrêtait là. Si seulement le métier de conteur existait encore !

Aussi loin qu'elle pût se souvenir, elle avait toujours eu cette passion. Elle se rappelait encore parfaitement les récits de ses grands-parents sur la grande Dépression de 1929. Les souvenirs de son père sur ses débuts dans l'armée étaient fascinants, eux aussi, mais ce qu'elle aimait par-dessus tout, c'étaient les contes que sa grand-mère tenait de sa propre grand-mère.

Bien qu'elle détestât les déménagements perpétuels, elle leur reconnaissait un avantage : en découvrant sans cesse de nouveaux endroits, elle pouvait découvrir aussi leurs traditions et leurs mythes. Elle avait enregistré bien des récits, mais, jusqu'à hier soir, au moment où Cole lui avait demandé en quoi consisterait son rêve, jamais elle n'avait pris ce passe-temps au sérieux. Comment avait-il appelé ça, déjà ? La transmission des traditions... un métier de rêve ! Mais, dans son cas, il y avait bien peu de chance qu'il pût se réaliser.

« Rêve, et ensuite, réalise tes rêves » ?

Elle secoua la tête. Non, pas encore. Quand elle aurait retrouvé son indépendance, elle y réfléchirait. Quand elle pourrait enfin consacrer son énergie à autre chose que la simple survie.

— Bonjour, Tatie Brennie !

Deux petites filles arrivaient en courant. La plus grande, une habituée, avait vite adopté le petit nom que Teddy donnait à sa tante. Brenna lui sourit.

— Bonjour, Lisa ! Je suis contente de te voir. Tu as amené ta petite sœur ? On n'attendait plus que vous.

Elle se tourna vers les enfants rassemblés en demi-cercle autour d'elle, et lança :

— Tout le monde est prêt ?

— Oui ! clamèrent-ils en chœur.

— L'histoire d'aujourd'hui est... « La Petite Locomotive », annonça la jeune femme.

Sans y prêter vraiment attention, elle nota qu'un adulte venait de s'installer sur une chaise derrière les enfants. Un père ? On voyait rarement des papas au Rendez-vous des Conteurs. Machinalement, elle leva les yeux pour le regarder... et elle découvrit le sourire de Cole Cassidy. Sa voix s'éteignit.

Que faisait-il ici ? Elle sentit ses joues s'enflammer et ses mains se glacer. Toutes ses angoisses secrètes se cristallisèrent en un nœud douloureux au creux de son ventre. Aujourd'hui, le long mensonge prendrait fin. Aujourd'hui, on la verrait telle qu'elle était. De tous les jours de sa vie, celui-ci serait sans doute le pire. Elle eut un sursaut, comme pour s'enfuir.

— Brenna ?

La question, posée d'une voix douce, atténua sa panique.

— Ça vous ennuie si je reste ?

« Bien sûr que ça m'ennuie ! », aurait-elle voulu crier.

Néanmoins, tout en essuyant sa main humide de sueur sur son jean, elle répondit calmement :

— Bien sûr que non ! Si ça vous intéresse...

— « La Petite Locomotive » a toujours été une de mes histoires préférées.

Ses yeux brillants lui lançaient un message qu'elle préféra ne pas interpréter. Malgré elle, elle se souvint de la caresse fugace de ses lèvres. Baissant les yeux sur le livre qu'elle serrait de toutes ses forces, elle fit appel à la maîtrise qu'elle avait acquise si laborieusement au fil des années — à défaut d'une véritable confiance en elle. Puisqu'elle ne pouvait pas s'enfuir, elle allait jouer le jeu jusqu'au bout...

Elle ouvrit son livre, sourit aux enfants et prononça la phrase magique :

— Il était une fois...

Il fallait tenir bon, ne penser qu'à l'instant présent, et, bientôt, ce serait terminé. Les enfants étaient déjà emportés par l'histoire, penchés vers elle, les yeux fixés sur les illustrations. Elle tournait les pages au rythme de l'histoire. La lutte courageuse de la Petite Locomotive se jouait en contrepoint de sa propre lutte intérieure. « Tout se passera bien », se répétait-elle. L'illusion fonctionnait depuis des années. Cassidy ne s'apercevrait de rien parce qu'il n'avait aucune raison de la soupçonner, a priori... D'ailleurs, la vérité ne venait jamais à l'esprit de personne. Mais la jeune femme avait beau se répéter ces réalités, au fond d'elle-même, elle attendait l'instant où il allait se lever d'un bond, braquer le doigt vers elle et révéler son imposture. D'un instant à l'autre...

Elle risqua un regard vers lui. Il semblait suivre son récit avec autant de plaisir que les enfants. Une fois de plus, elle avait su tromper son monde. « Oui, répliqua la voix persistante de sa conscience, mais regarde où cela t'a menée de faire semblant. Droit au procès, parce que tu ne t'étais pas fait expliquer tous les termes de ton bail, parce que tu ne pouvais pas lire ton relevé de banque. Parce que tu ne savais pas...

« Ce n'est pas du tout la même chose ! » protesta-t-elle intérieurement. « Pas la même chose, peut-être, riposta la voix impitoyable, mais c'est tout de même un mensonge de plus, le dernier d'une longue série. » À cela, elle ne pouvait rien répliquer.

Pendant ce temps, la Petite Locomotive gravissait la dernière côte, la plus haute, en scandant : « Je peux le faire, je peux le faire ! ». À la dernière page, elle atteignit enfin le sommet de la montagne, toute fière de son courage et de sa détermination. Brenna, quant à elle, ne partageait pas ces sentiments. Une fois de plus, elle se sentait écœurée et soulagée à la fois.

Les enfants se mirent à feuilleter les autres livres, puis discutèrent avec animation, et posèrent quelques questions auxquelles Brenna répondit de son mieux. Puis les parents vinrent les chercher, et chacun salua Brenna en promettant de revenir la semaine suivante. La jeune femme rassembla ses livres, et Cassidy s'approcha doucement d'elle.

— Vous faites ça très bien, dit-il en s'asseyant à son côté.

Aujourd'hui, il portait un complet sombre, impeccablement coupé. Un complet d'homme de pouvoir. Alors qu'elle était vêtue d'un vieux jean. Ils n'appartenaient pas au même monde !

— Merci, dit-elle d'une voix enrouée.

— C'est la meilleure de toutes nos volontaires, déclara Nancy derrière eux. Bonjour ! Ce n'est pas souvent qu'un papa vient nous rendre visite !

— Je ne suis pas un papa mais un ami de Brenna, dit Cole en se relevant pour tendre la main à la jeune femme. Je m'appelle Cole Cassidy.

Un ami. Brenna tressaillit en entendant ce mot, pourtant bien innocent.

— Nancy Jenkins. Je suis contente de vous rencontrer.

Puis, avec un clin d'œil vers son amie, elle ajouta :

— Je vois que tu ne m'as pas tout dit.

Teddy vint s'installer sur les genoux de sa tante, et Cassidy lui sourit.

— Et toi, tu dois être Teddy.

— Oui. C'est bientôt l'heure du déjeuner ? J'ai faim.

— On y va dans une minute, dit Brenna en se levant.

— Tiens, voilà le livre que tu m'as demandé pour la prochaine fois, dit Nancy en tendant à son amie un grand volume illustré.

— Fais voir ! Qu'est-ce que c'est ?

Teddy s'accrocha de tout son poids à son bras pour faire descendre le livre à son niveau.

— « Les Musiciens de Brême », lut Cole. Un conte des Frères Grimm.

— Une histoire très bizarre, à mon avis, dit Nancy. Quatre animaux qui s'échappent d'une ferme et qui font peur à une bande de brigands en chantant pour leur souper... Bref, un truc complètement dément.

Sans façons, Cole prit le livre des mains de Brenna, et se mit à le feuilleter. Elle le regarda parcourir le texte, et nota que son expression changeait légèrement tandis qu'il lisait. Puis il hocha la tête, une seule fois, comme si son idée venait d'être confirmée. Il lança alors un clin d'œil à Brenna, puis se tourna vers Nancy.

— Qu'est-ce qui fait peur aux brigands ? demanda-t-il. Les animaux eux-mêmes ou ce qu'ils croient voir à travers eux ?

— C'est l'idée qu'ils s'en font, répondit Nancy. Mais je ne vois toujours pas...

— Les apparences sont trompeuses, dit Cole. Le plus souvent, on fabrique ses propres peurs.

Il se tut un instant en regardant Brenna, puis demanda :

— C'est bien ça ?

La jeune femme sentit immédiatement le danger.

— Oui, oui, c'est bien ça, confirma-t-elle, la bouche sèche.

— Quelquefois, les apparences recouvrent d'autres apparences, ajouta Cole d'un ton pensif.

Même si elle n'était pas sûre de vouloir comprendre, elle ne put s'empêcher de demander :

— Que voulez-vous dire ?

— Mon métier serait facile si, en perçant à jour un mensonge, on arrivait forcément à la vérité. Ce n'est pas comme ça que ça se passe. En fait, on ne sait jamais ce qu'on va trouver. La réalité, ou encore d'autres mensonges.

6.

« Les apparences sont trompeuses », avait-il dit. Brenna se sentait prise à son propre piège. Tôt ou tard, Cole verrait au-delà des apparences — si ce n'était pas déjà fait. Mais pourquoi, pourquoi se préoccupait-elle de ce qu'il pouvait penser ? Elle était terrifiée par sa propre réaction.

Une fois de plus, elle eut envie de s'enfuir. Avec des gestes maladroits, elle sortit de son portefeuille sa carte de bibliothèque, et la tendit à Teddy en même temps que le livre.

— C'est toi qui le prends ?

— Ouais !

Il partit au trot, très fier de se voir confier cette tâche. Brenna le suivit des yeux pendant un instant, puis elle croisa le regard de Nancy qui souriait et semblait lui dire : « chapeau ! ». Elle rejoignit aussitôt son amie dont le message chaleureux l'avait profondément touchée.

— J'aimerais que tu racontes aux enfants l'histoire des Trois Petits Cochons, comme tu l'avais adaptée pour Teddy, une fois, dit Nancy avec un sourire. Vous auriez adoré, ajouta-t-elle en se tournant vers Cole : ses petits cochons sont partis faire fortune... comme sportifs professionnels. Vous imaginez un petit cochon dans une équipe de base-ball ?

Elle joignit ses deux poings pour mimer des sabots agrippés à une batte. Cole retrouva son sourire, mais son attention resta fixée sur Brenna.

— Encore le base-ball ? Vous devez vraiment aimer ça !

— Elle adore ! affirma Nancy. Je vous préviens : n'essayez

jamais de lui en remontrer sur le sujet, elle vous écraserait. Bon, il faut que j'y aille.

Avec un petit signe de la main, elle se dirigea vers la porte.

— Si on allait voir un match des Rockies ? proposa tout de suite Cole.

— Je travaille, vous le savez bien.

Il éclata de rire en jetant un regard appuyé à sa montre.

— Nous sommes au mois de juin, ce sont les derniers matches de la saison, et vous, vous travaillez !

Elle se sentit rougir violemment.

— Je... croyais que vous vouliez parler de ce soir.

— Ah ! Oui, ce soir, c'est vrai, vous travaillez.

Il se pencha un peu vers elle et lui demanda, les yeux dans les yeux :

— Une autre fois, alors ?

Elle soutint son regard, sans pouvoir dire un seul mot. Il lui donnait encore une chance. Une chance dont elle ne voulait pas, une chance qu'elle ne méritait pas... une chance qu'elle ne pouvait pas laisser passer. Elle approuva de la tête.

— Une autre fois.

— Vous semblez douée pour beaucoup de choses, dit-il. Expert en base-ball. Chef d'entreprise. Conteur. Tatie adorée.

— Ancien chef d'entreprise, corrigea Brenna.

Son malaise la reprenait. Nancy venait de la présenter sous un jour plus que flatteur. Elle était sincère, sans doute, mais cela constituait un mensonge de plus. Elle avait besoin de se retrouver seule pour réfléchir, mais elle ne put s'empêcher de demander :

— Pourquoi n'êtes-vous pas au travail ?

— Vous, au moins, vous ne prenez pas de gants ! répliqua-t-il d'un air amusé.

Comme elle avait envie de se laisser aller, de lui rendre son sourire ! Face à un homme comme lui, quelle femme ne serait pas sous le charme ? Eh bien, elle devait être l'exception. Elle était au purgatoire, et elle ne pouvait pas se permettre ce plaisir.

— Qui vous dit que je ne suis pas au travail ?

— À moins que vous ne fassiez un procès à la bibliothèque,

répliqua la jeune femme, je ne vois pas ce que vous faites dans la salle des enfants à 10 heures du matin.

Son sourire s'élargit encore, et elle comprit que, quoi qu'elle dise, il ne se vexerait pas.

— Il n'est pas 10 heures du matin. Si on allait déjeuner tous les trois ?

— Déjeuner ? répéta-t-elle.

— Oh, oui ! s'écria Teddy. On va chez McDo, tu veux bien ?

Elle prit le livre et la carte de bibliothèque que l'enfant lui tendait, et secoua la tête.

— Non, c'est impossible. Je dois aller travailler.

— Ce n'est pas bon pour vous de travailler tout le temps, murmura Cole en la suivant vers la sortie.

— Peut-être, mais c'est ce qui me permet de payer les factures.

— Je vois...

Il comprenait mieux ce point de vue depuis qu'il était à son compte et qu'il devait faire tourner son cabinet avec un budget minuscule. Cela dit, sa situation aurait pu être bien pire. David Simmons lui envoyait régulièrement des clients, ce qui représentait un coup de pouce appréciable. Lorsqu'il lui avait téléphoné pour le remercier, son ancien patron s'était montré d'une amabilité surprenante.

Brenna, visiblement pressée de s'échapper, se hâtait vers la porte. Il la suivit, afin de rester un peu plus longtemps avec elle. Dans un sens, il comprenait qu'elle eût envie de le fuir, mais tout de même, il était blessé de voir qu'elle lui faisait si peu confiance.

— Brenna, c'est juste une invitation à déjeuner...

— Merci, coupa-t-elle, mais il faut vraiment que j'aille travailler.

Elle fit passer Teddy devant elle, et Cole faillit recevoir la porte dans le nez.

— Tout ce que je peux faire, alors, c'est vous ramener chez vous.

Une fois de plus, elle secoua la tête.

— Le bus va passer dans deux minutes. Inutile de faire un détour.

Sa voix était redevenue celle de l'audience : calme et neutre. Pourtant, sous ce masque, il la sentait troublée. Mais pourquoi ? Il la rattrapa encore une fois à l'arrêt du bus.

— Je passe devant chez vous, justement ! Je vous en prie, dites-moi où est le problème ! Parce qu'il y a bien un problème, n'est-ce pas ?

Elle lui jeta l'un de ses brefs regards de défi. Il recula d'un pas en murmurant :

— Je suppose que j'ai eu tort d'espérer. Dieu sait que vous n'avez aucune raison de me faire confiance, encore moins de m'apprécier.

Comme elle ne le contredisait pas, il décida que le moment était venu de battre en retraite. Il s'accroupit devant Teddy, et lui tendit la main.

— Prends bien soin de ta tante, d'accord ?

Avec une assurance très adulte, le petit garçon serra cette main tendue.

— On pourra peut-être aller au McDo un autre jour ?

— Pas de problème, répondit Cole avec un petit rire.

Il se redressa, et ne put s'empêcher de repousser une mèche de cheveux derrière l'oreille de Brenna.

— D'accord, Tatie Brennie ? Lui demanda-t-il.

Elle ne répondit rien, et il pencha la tête sur le côté avec un brin d'ironie.

— Bon, alors, à bientôt.

Elle hocha la tête sans un mot, en prenant la main de Teddy. Cole les regarda s'éloigner tous les deux. Elle le tenait à distance. Il ne savait pas comment franchir ce rempart dont elle s'entourait, mais il ne se découragerait pas pour autant. Dès ce soir, il la reverrait. Il allait réfléchir à un plan.

« J'aurais dû lui demander clairement de me laisser tranquille », pensa Brenna en s'éloignant.

Et pourtant... elle sentait bien qu'avec Cole, elle pourrait entretenir une relation détendue, très agréable... Non, c'était de la folie ! La prochaine fois qu'elle le verrait, elle lui dirait tout net qu'elle n'avait aucune envie de le fréquenter — même si elle ne cessait de se demander quel effet cela ferait de l'embrasser.

— Pourquoi les mots sont pas les mêmes quand c'est toi qui les lis ? demanda soudain Teddy.

Brenna fronça les sourcils en réalisant que son neveu lui parlait depuis un moment et qu'elle n'avait absolument rien écouté de son discours.

— Les mêmes... ? demanda-t-elle, perplexe.

— Les mêmes mots que papa me lit. Tu connais pas les mots, Tatie Brennie ?

La jeune femme regarda le petit garçon, incapable de lui répondre. Si Teddy avait compris, le monde entier devait être au courant. Autant clamer sur tous les toits qu'elle ne savait pas lire ! Elle se demandait encore comment il avait découvert son secret quand il se mit à sautiller.

— Voilà le bus ! Je peux mettre les tickets ?

L'énorme véhicule s'immobilisa devant eux, et Teddy précéda sa tante à l'intérieur. Il dit poliment bonjour au chauffeur, et composta les billets.

— Regarde le drôle de chien, dans la rue, Tatie ! C'est quoi ?

— Un afghan, je crois, murmura Brenna en s'installant près de lui.

— J'aime bien sa tête. Surtout ses oreilles !

La jeune femme soupira. La curiosité de Teddy était une bénédiction. Il avait déjà oublié sa question précédente. L'intuition de Cole, par contre, était beaucoup plus redoutable. « Les apparences sont trompeuses. ». Ces quelques mots lui revinrent en mémoire, tandis qu'elle regardait défiler les rues. Elle avait fait tant de détours, pris tant de décisions, depuis l'âge de six ans, quand elle avait décidé de ne plus chercher à se mesurer à son frère pour mériter l'amour de leur père ! Si seulement elle avait pu en mesurer les conséquences, à l'époque ! Aujourd'hui, elle était une femme illettrée, obligée de se cacher et de mentir à tout le monde.

— C'est pas là qu'on descend, Tatie ?

Elle sursauta.

— Oui, chéri. Dis donc, tu as l'œil !

Il hocha la tête d'un air très fier.

— Je commence à être grand, hein ?

Elle aurait aimé le prendre dans ses bras en le suppliant de rester un tout petit garçon le plus longtemps possible. Il aurait bien le temps d'affronter les difficultés de la vie ! Mais elle se contenta de lui sourire en lui donnant l'encouragement qu'il demandait :

— Oui. Très grand. Un garçon remarquable.

Ils descendirent et prirent le chemin de la maison.

— Dis, le chauffeur, comment il sait où il doit aller ?

— Il connaît son itinéraire par cœur.

— Et les gens dans les voitures : ceux qui ne prennent pas toujours le même chemin ?

— Il lisent les noms des rues sur les panneaux.

Le petit garçon leva la tête.

— Qu'est-ce qu'il dit, ce panneau-là ?

Brenna jeta un coup d'œil au panneau, puis regarda autour d'elle pour reconnaître ses repères.

— Washington Street.

— Je vais apprendre tous les panneaux par cœur, dit-il. Comme ça, moi aussi, je pourrai conduire.

Il semblait très déterminé. Il ferait ses choix, tout comme elle avait fait les siens. Mais Brenna savait déjà qu'il aurait une vie meilleure que la sienne.

Pendant tout le reste de la journée, elle enchaîna les gestes tel un automate. Tandis qu'elle faisait son ménage, ses doutes familiers revinrent la hanter, comme c'était si souvent le cas depuis le procès. Elle n'avait même pas réussi à gérer une petite entreprise toute simple, alors comment pouvait-elle espérer sortir du pétrin dans lequel elle se trouvait aujourd'hui ?

Pendant un peu plus de deux ans, elle avait osé croire que tout irait bien pour elle. Son affaire ne demandait pas beaucoup de paperasserie, et Nadia, sa secrétaire comptable, gérait parfaitement tout cela. Mais, quand Nadia était partie en congé de maternité, le monde s'était écroulé autour de Brenna. Elle s'était sentie totalement impuissante et découragée. Comme à l'instant présent. Combien de temps encore parviendrait-elle à tromper son monde ?

D'ailleurs, le trompait-elle vraiment ? La façon dont son frère marmonnait tout seul quand ils faisaient des courses ensemble... grâce à quelques mots saisis au vol, elle parvenait à reconnaître les produits. Quant aux numéros de téléphone, elle avait appris à les mémoriser : il lui suffisait de les entendre une seule fois pour se les rappeler.

Au bar, ce soir-là, elle plaisanta avec les clients par habitude, sans avoir réellement conscience de ce qu'elle disait. Quelques jours plus tôt, elle avait le sentiment de regarder sa situation bien en face et d'accepter sa vie telle qu'elle était, mais quand Cole l'avait regardée, elle s'était vue à travers ses yeux. Tout à coup, d'autres désirs étaient montés en elle. Et elle avait rêvé d'être telle qu'il la voyait. Elle voulait retrouver sa liberté d'agir, faire des projets. Elle voulait reprendre le contrôle... sans savoir par où commencer. Car elle avait perdu depuis longtemps confiance dans ses propres capacités.

— Ça va, Brenna? lui demanda Théo. Tu es toute triste, aujourd'hui.

— Ne t'inquiète pas : ça va aller.

Tout en travaillant, ce soir-là, elle sentait un gouffre affreux s'ouvrir sous ses pieds. Deux mois plus tôt, elle croyait pouvoir attendre des années avant d'être libérée de ses dettes. Ces années lui apparaissaient maintenant comme un désert sans fin. Pendant qu'elle le traverserait, elle devrait se contenter de survivre. Et quand elle toucherait au but, elle serait proche de la quarantaine.

Ce n'était plus acceptable. Elle ne pouvait pas supporter ça. Elle devait trouver un moyen de briser ses chaînes.

L'heure de la fermeture arriva, elle alla se changea au vestiaire. Au moment de sortir, elle s'immobilisa sur le seuil, comme elle le faisait toujours, pour jeter un coup d'œil dans la rue. « Si je savais lire, pensa-t-elle, j'aurais mon permis de conduire. Je ne serais pas obligée de prendre le bus à une heure pareille. »

Comme la nuit précédente, l'avenue était quasiment déserte. Le SDF qui dormait sous l'Abribus était de retour. Deux couples sortirent d'un bar voisin, et tournèrent l'angle de la rue. L'unique voiture garée à proximité était une jeep noire. Un homme se tenait appuyé à la portière. Il était grand, avec des épaules larges, et portait un immense sombrero blanc.

Invisible dans le renfoncement de la porte, Brenna l'étudia... et le reconnut bientôt. Pour une raison qu'elle ne s'expliquait pas, Cole était venu la chercher. Le chapeau l'amusa, bien sûr, mais elle ne comprenait pas pourquoi il avait décidé de porter ce monstrueux rebut de carnaval avec des pompons rouges et verts. Était-ce simplement pour la faire rire ? Et pourquoi aurait-il cherché à la faire rire, après la façon dont elle s'était enfuie, ce matin ? Non, c'était trop beau. Cet homme était exactement celui qu'elle aurait choisi si...

Si quoi ?

La petite voix moqueuse dans sa tête lui murmura tout à coup : « Si tu savais lire, ce serait possible ! »

Un petit vertige de frayeur la saisit, et elle fit un pas en avant. Cole leva la tête et s'écarta de la voiture pour venir à sa rencontre. Le chapeau lui glissa sur un œil. Il souriait, amusé et gêné à la fois. Ce sourire dissipa son appréhension. Le cœur léger, tout à coup, elle décida d'oublier toute prudence. Ce soir, elle profiterait de la présence de Cole, et tant pis pour les conséquences !

— Bonsoir, Brenna.

Le son de sa voix la fit frémir.

— Bonsoir vous-même, répondit-elle. Je vois que vous avez un nouveau chapeau !

— Dans les vieux westerns, les « gentils » ont toujours un chapeau blanc.

Il esquissa un mouvement chaloupé des épaules pour imiter les héros du Far West. Oui, elle s'en souvenait, maintenant : la veille, déjà, il avait dit quelque chose au sujet des gentils coiffés d'un chapeau blanc. Leurs regards se croisèrent, et Brenna se sentit parcourue par une sorte de décharge électrique. Cole hocha la tête comme si elle venait de parler, et son couvre-chef ridicule glissa de nouveau.

— Je voulais être sûr que vous me reconnaîtriez...

— Je savais déjà que vous étiez dans le camp des gentils, dit-elle à mi-voix. Pourquoi êtes-vous venu ?

— Au cas où vous auriez besoin d'un chauffeur pour rentrer.

— On risque de se retrouver au poste si vous conduisez dans cette tenue !

Il sourit, enchanté.

— Il vous plaît, hein ?

— Sincèrement, je n'ai jamais rien vu de pareil.

Elle riait aussi, maintenant. L'air très satisfait de lui, Cole fit glisser la grosse perle rouge qui retenait la lanière sous son menton, puis retira son chapeau, et tendit la main à la jeune femme.

— J'ai très envie de boire un café en mangeant un morceau de tarte. Vous m'accompagnez ?

Elle fit un pas vers lui. Plus que tout au monde, elle aurait aimé pouvoir dire « oui », tout simplement. Malgré sa résolution de vivre cette soirée sans penser ni au passé ni à l'avenir, elle hésitait encore.

— Dites-moi pourquoi vous êtes venu. Vraiment.

Il passa un bras autour de ses épaules, et l'entraîna vers sa jeep.

— Parce que j'en avais envie. Vraiment.

— Et ce matin ?

— Je voulais vous voir.

— Mais pourquoi ?

— Ça a de l'importance ?

Elle hocha la tête, et il s'immobilisa, comme pour réfléchir à sa question.

— Je suis curieux de vous. Vous m'attirez beaucoup. Et... après vous avoir vue, hier soir, j'espérais que nous... que nous aurions une autre chance.

— Nous ferions un drôle de couple, vous ne trouvez pas ?

— L'accusée et l'avocat de la partie adverse ?

— Une serveuse de bar et un avocat.

— Nous n'allons pas nous laisser impressionner par ça !

Elle était presque tentée de le croire. Elle étudia son visage ouvert et franc. Il ne cessait de repousser les limites qu'elle s'imposait à elle-même, et elle finissait par avoir, elle aussi, envie de les dépasser. Elle voulait croire aux choix qui s'ouvraient devant elle, mais un sentiment de peur la retenait encore. La peur de le décevoir, surtout.

Il plaqua son sombrero sur son cœur avec une expression suppliante.

— Pour l'instant, je vous invite seulement à déguster une part de tarte : je ne vous demande pas de m'épouser !

Elle eut un grand éclat de rire qui les surprit tous les deux.

— Non ? demanda-elle d'un ton faussement étonné.

Elle lui prit le chapeau des mains, et le lança négligemment sur la banquette arrière. Elle comprenait maintenant qu'il l'avait mis pour la mettre à l'aise, pour changer l'idée qu'elle se faisait de lui, lui faire oublier un peu le redoutable avocat qu'elle avait connu. Cette attention la touchait. Elle ne pouvait plus le tenir à distance.

— Non, dit-il, enfin si. Attendez, je retire tout ce que j'ai dit. Vous êtes très belle quand vous riez, et j'adore vous écouter parler. Voulez-vous m'épouser ?

Une nouvelle décharge électrique la transperça. Tout en grimpant à bord de la jeep, elle répondit d'un ton qu'elle s'efforçait de rendre léger :

— Peut-être. Laissez-moi réfléchir un peu en dégustant une part de tarte.

7.

— Cole, quelle bonne surprise ! Entrez...

La voix de Jane lui parvint par la fenêtre ouverte, tandis qu'il remontait l'allée vers l'agréable maison où habitait Brenna. Il frappa un coup léger à la porte de l'appartement du rez-de-chaussée. S'il passait ainsi sans s'annoncer, c'est parce qu'il savait qu'on l'accueillerait avec plaisir. Il avait rencontré Michael et sa femme deux jours plus tôt, et il s'était tout de suite senti à l'aise avec eux. Michael et Brenna se ressemblaient beaucoup, et Michael plaisait vraiment à Cole. Son doctorat ne lui était pas monté à la tête : il aimait rire, et il avait proposé à Cole une partie de handball dès que leurs horaires très chargés le leur permettraient.

Jane aussi était très chaleureuse. Elle se réjouissait de voir Cole pour la simple raison qu'il appréciait Brenna. Leur attitude lui rappelait celle de sa grand-mère, qui accueillait les gens avec la même ouverture d'esprit et la même simplicité.

Maintenant qu'il connaissait la famille de Brenna, Cole se posait encore plus de questions sur la jeune femme. Son frère et sa belle-sœur étaient tous deux professeurs de fac. Pourquoi Brenna évoluait-elle dans un milieu aussi différent ? Il y avait là un mystère que Cole se promit d'élucider.

Pourtant, ses tentatives pour se rapprocher de Brenna n'étaient guère couronnées de succès. Ce n'était pas facile, évidemment, car leurs horaires étaient loin de correspondre. Cette semaine, il avait accepté deux nouvelles affaires : une femme harcelée par son ex-mari et un homme qui voulait la garde de son fils. Quant aux journées de Brenna, elles étaient aussi chargées que les siennes, mais cela n'expliquait pas tout : Cole la soupçonnait de faire autant d'efforts pour le tenir à distance que lui en faisait pour la voir. Il se demandait encore si cela venait uniquement de son rôle dans l'affaire de Bates. Dans ce cas, il ne voyait qu'une solution : la convaincre qu'il avait, lui aussi, détesté cette affaire. Mais, pour cela, il fallait qu'ils passent un peu de temps tous les deux...

— On se faisait justement des *milk-shakes*, dit Jane avec son accent charmant quand Cole entra dans sa cuisine pimpante. Si vous voulez bien prendre un grand verre dans le placard du haut, vous en aurez un aussi.

Elle lui désigna le placard en question.

— Des *milk-shakes* maison ? répéta Cole en souriant.

Il n'en avait pas dégusté depuis son enfance. Il posa son verre au bout de la rangée, et Jane lui tendit une cuillère et un paquet de crème glacée. Il les prit avec un large sourire. Ça aussi, c'était comme chez sa grand-mère. Personne ne servait personne : tout le monde participait.

— Brenna ! cria Jane en passant la tête par la porte de la cuisine. Cole est là !

Puis elle revint vers lui, et ajouta :

— Elle ne nous avait pas dit que vous sortiez ce soir.

— On ne sort pas...

Brenna voulait bien qu'il passât au bar ou même chez elle, mais elle n'avait encore jamais accepté de sortir avec lui. Elle ne voulait même pas en entendre parler. Cole baissa la voix pour confier à Jane :

— Je finirai bien par la convaincre.

— Vous avez raison : il ne faut pas se décourager, affirma la jeune femme sur le même ton.

Les réticences de Brenna avaient amené Cole à réfléchir à la façon dont il approchait habituellement les femmes. Maintenant qu'il l'examinait, le processus l'écœurait un peu. D'abord, un dîner à deux dans un bon restaurant et, si tout se passait bien, une pièce de théâtre ou un concert. Ensuite, un autre dîner, cette fois dans l'un de ses restaurants préférés et, le lendemain, un envoi de fleurs. En général, la dame ne tardait pas à l'inviter chez elle une première fois. La deuxième fois, il y passait la nuit. La magie était alors terminée, et le charme rompu... Cole s'apercevait, à présent, qu'il n'avait jamais investi assez de lui-même dans ces relations pour leur donner une chance de s'épanouir.

Il en était là de ses réflexions quand le petit Teddy entra en courant dans la cuisine, suivi de Brenna.

— Des shakes ! s'écria-t-il. Chouette ! J'adore ça.

— Bonjour, dit Brenna, sur le seuil de la porte. Je vois qu'on vous a déjà mis au travail ?

Il leva les yeux vers elle.

— Vous aviez dit que vous étiez libre ce soir. J'ai pensé que vous aimeriez peut-être voir un film, ou autre chose.

Elle portait un short de sport et un T-shirt ; ses cheveux sombres étaient relevés dans une queue de cheval. Évitant son regard, elle alla prendre un verre dans le placard, et le remplit au robinet. En la regardant boire, il comprit qu'elle allait refuser son invitation, une fois de plus.

— Si vous préférez, nous pouvons rester tranquillement ici, dit-il vivement.

Il reprit sa cuillère à glace, et se mit à déposer une boule dans chacun des verres alignés devant lui.

— La journée a été rude : je m'endormirais sans doute au milieu du film.

— Ça m'arrive tout le temps, dit gravement Teddy. Je crois que c'est parce qu'il fait noir.

— Peut-être bien, dit Cole en lui souriant avec affection.

Puis, relevant les yeux vers Brenna, il demanda :

— Je peux rester ?

— Bien sûr que vous pouvez ! s'écria Jane.

Cole apprécia cette réaction, mais son regard resta fixé sur Brenna. C'était d'elle que tout dépendait. Enfin, elle approuva de la tête. Dans le silence un peu gêné qui s'ensuivit, Michael entra à son tour dans la cuisine, et eut un large sourire en découvrant Cole.

— Tiens ! Salut, l'ami ! s'écria-t-il chaleureusement.

Puis il déclara en désignant la cravate de son visiteur :

— Vous êtes un peu trop habillé pour une soirée en famille.

Cole baissa les yeux vers sa cravate de soie. Il avait plus ou moins espéré pouvoir la retirer en même temps que son veston.

— Il ne faudrait pas la tacher, dit Brenna.

À sa grande surprise, elle s'approcha de lui, desserra le nœud de cravate d'un geste habile, et le libéra de cette contrainte. Cole resta parfaitement immobile, le paquet de crème glacée à la main. Elle ne s'était plus approchée de lui depuis le premier soir, quand il avait posé ce baiser trop rapide sur ses lèvres. Le parfum de ses cheveux l'étourdit, il la sentit défaire le premier bouton de sa chemise... Elle leva les yeux vers lui en souriant, et il découvrit la bordure très sombre de ses iris gris. Sous son regard, ses yeux s'assombrirent comme si une fumée les envahissait. Il aurait donné tout ce qu'il possédait pour savoir ce qu'elle pensait. Était-elle aussi troublée que lui ? Pourvu, pourvu que oui !

Il résista à l'envie d'incliner la tête pour embrasser la tache de rousseur presque imperceptible près de son œil.

— C'est mieux ? demanda-t-elle.

— Oui, murmura-t-il. Merci.

— De rien.

S'écartant de lui, elle plia la cravate et la posa bien à l'abri sur une étagère. Machinalement, il se remit à l'œuvre, mais il avait une conscience aiguë de sa présence. Ressentait-elle la même chose que lui ?

En vérité, il pensait à elle tout le temps — mis à part les moments où il se concentrait sur une affaire. Ses nuits devenaient pénibles ; il dormait mal, et il lui arrivait de rêver d'elle, allongée entre ses bras. Il mourait d'envie de partager avec elle l'intimité du sommeil. Cette idée le déroutait, car, s'il aimait avoir une femme dans son lit, il n'appréciait guère de dormir avec elle, en temps normal. Même son ancienne fiancée... Brenna n'était pas comme les autres. Il voulait s'endormir avec elle et la retrouver dans ses bras, au réveil.

Teddy poussa une chaise vers le plan de travail et y grimpa.

— Tu mets trop de glace, dit-il à Cole. Il faut laisser de la place pour le lait. Sinon, ça va éclabousser partout quand on voudra le battre.

Conseillé par le petit garçon et par sa mère, Cole acheva la confection des shakes, et ils s'installèrent tous autour de la table de la cuisine qui était jonchée de clichés et de documents divers, notamment deux livrets d'épargne. Cole se pencha vers la photo la plus proche, et reconnut Brenna petite fille.

Voyant qu'il avait l'air surpris, Jane lui expliqua :

— C'est leur père qui a envoyé ces photos. Il déménage une fois de plus, et il voulait s'en débarrasser, selon son propre terme. Un père qui se débarrasse des photos de ses enfants, je trouve ça bizarre, quand même.

Cole étudia le petit visage grave de Brenna. Les deux enfants se tenaient debout, très raides, aux côtés d'un homme en uniforme.

— C'est mon papa et ma Tatie Brennie quand ils étaient petits, dit Teddy en poussant vers lui une autre photo, prise sur la plage.

Puis Michael commenta les autres clichés pour Cole. Celui-ci comprit que le paquet était arrivé au courrier du matin. Il découvrit que la famille avait vécu en Angleterre, en Allemagne, au Japon, et dans différentes régions des États-Unis. Le récit de Michael s'interrompit l'année où son père l'avait envoyé en pension et où il avait cessé de suivre ses déplacements. Brenna n'ajouta pas grand-chose.

L'une des photos avait été prise devant une vieille maison de bois à la peinture écaillée, protégée par de grands arbres, nichée au pied d'une colline et entourée de champs brumeux.

— La ferme de nos grands-parents, expliqua Michael.

Il prit la photo, et l'étudia d'un regard critique.

— Je n'ai jamais compris pourquoi cette maison te plaisait tant, dit-il à sa sœur.

Brenna contempla le cliché à son tour.

— Dans mon souvenir, elle n'était pas aussi miteuse, dit-elle d'une voix douce et nostalgique.

Une dernière photo dépassait des pages d'un des livrets. Cole la prit doucement, et découvrit Brenna adolescente. Elle se tenait debout, près d'une femme qui lui souriait.

— Votre mère ? demanda-t-il.

Le visage de Brenna se figea. Lentement, elle prit la photo et le livret des mains de Cole.

— Oui, dit-elle.

Puis elle tendit les documents à son frère. Il parut beaucoup moins ému qu'elle, et dit simplement :

— Tiens, je ne l'avais jamais vue, celle-là.

Cole suivit Brenna des yeux tandis qu'elle se levait et rinçait méthodiquement son verre dans l'évier.

— Brenna ? fit Michael avec douceur.

Tout en fermant le robinet, elle se tourna vers lui.

— Elle a été prise le jour de son anniversaire, dit-elle d'une voix éteinte. Son dernier anniversaire.

Pour une raison que Cole n'aurait su expliquer, il avait mal pour elle. On venait de toucher à un point sensible, peut-être une ancienne blessure, et la jeune femme s'était réfugiée, une fois de plus, derrière un masque. Il regrettait, maintenant, d'avoir posé ces questions indiscrètes. Dans l'espoir d'effacer l'expression douloureuse qu'il lisait sur le visage de la jeune femme, il proposa en se levant :

— Si on allait faire un tour ?

Sans lui laisser le temps de refuser, il posa son verre dans l'évier et l'entraîna vers la porte.

— À tout à l'heure ! leur lança Michael.

Il faisait encore chaud, et le ciel du couchant était écarlate. Cole entraîna Brenna vers le parc tout proche. Tout en marchant d'un pas vif, il réfléchissait. Il comprenait maintenant que l'enfance de la jeune femme avait été difficile. Ses souvenirs n'étaient pas heureux. La petite fille des photos avait un visage triste, des attitudes empruntées. Sur le dernier cliché, elle semblait avoir quatorze ou quinze ans, l'époque de la « pire année de toute sa vie », comme elle le lui avait confié le premier soir. D'ailleurs, ce qu'elle avait vécu depuis ne semblait guère plus réjouissant.

Pourquoi ces ombres au fond de ses yeux ? Pourquoi avait-elle eu l'air tellement paniqué quand il s'était présenté à la bibliothèque ? Il voulait absolument le savoir. Par-dessus tout, il voulait découvrir pourquoi elle se cantonnait dans des petits boulots à la portée de n'importe qui, alors qu'elle était si intelligente. Comment s'était-elle retrouvée dans cette situation, alors que son frère avait un poste de chercheur à l'École de Médecine ?

Elle marchait près de lui sans rien dire, la tête baissée. Il sentait bien qu'il aurait été inutile de lui poser des questions trop directes. Il fallait avant tout l'arracher à sa tristesse. Il leva la tête, et prit conscience de la splendeur du coucher de soleil, du gazouillis ensommeillé des oiseaux dans les arbres, de l'odeur de l'herbe fraîchement coupée.

— J'aime ça, murmura-t-il. Partager un coucher de soleil avec vous.

Il lui prit la main, l'attira un peu plus près, et ajusta son pas au sien. Bientôt, il sentit qu'elle se détendait un peu.

— Chez nous, dit-il, papa, maman et Grandmom sont probablement assis sous la véranda en train de contempler le ciel.

— Ou est-ce, chez vous ?

— Un ranch, dans l'ouest du Nebraska.

Elle leva vers lui un regard surpris.

— Un ranch ?

— C'est si difficile à croire ? demanda-t-il, amusé.

— Je pensais...

Comme elle ne disait plus rien, il l'encouragea :

— Vous pensiez quoi ?

Un nouveau regard furtif, puis elle avoua :

— Je pensais que vous aviez grandi ici, dans les beaux quartiers.

— Vous vous trompiez.

Elle n'avait aucune peine à l'imaginer dans les grandes prairies de l'arrière-pays. Il y était probablement tout aussi à l'aise que dans une salle d'audience. Pourtant, elle le voyait mal, assis sur des marches de bois, en train de contempler un coucher de soleil. Il y avait en lui trop d'énergie, trop de détermination. Il lui faisait plutôt l'effet d'un bourreau de travail.

Cette idée la fit sourire. Il posa alors l'index sur le coin de sa bouche, et demanda :

— À quoi pensez-vous ?

— Je ne pense pas que vous soyez assez paresseux pour prendre le temps de contempler un coucher de soleil.

— Je peux être aussi paresseux que n'importe qui, affirma-t-il.

Il semblait vexé, ce qui arracha un petit rire à Brenna.

— C'est ce que nous faisions aussi à la ferme de ma grand-mère. On s'asseyait sous la véranda pour regarder le soleil se coucher. Nonna ne s'arrêtait pas pour autant : elle avait toujours des haricots à écosser ou du maïs à déshabiller. C'est comme ça qu'elle disait : déshabiller le maïs.

— Et quand vous étiez avec vos parents ?

Instantanément, il sentit qu'elle se raidissait.

— Je ne me souviens pas, dit-elle d'une voix absolument neutre. Le Colonel... ce n'était pas le genre d'homme à regarder un coucher de soleil.

— À une époque, je pensais la même chose de mon père.

Elle leva les yeux vers lui, et il se sentit encouragé à continuer.

— J'étais censé hériter de la ferme. Papa avait tout prévu. Je devais aller à la fac, décrocher un diplôme d'horticulture ou d'économie agricole...

Il hocha la tête en souriant.

— J'ai compris à temps que je ne voulais pas reprendre la ferme.

— Moi, j'aimais la ferme de mes grands-parents, murmura Brenna. Quand il a fallu la vendre, c'était terrible.

— Je suppose qu'on en arrivera là, nous aussi.

— Ça ne vous dérange pas plus que ça ?

Il soutint son regard.

— Ça me dérange, si. C'est même un vrai crève-cœur.

Il réfléchit un instant, et ajouta :

— Je n'ai trouvé aucun moyen de faire ce que je voulais tout en faisant plaisir à mon père. On a eu des bagarres mémorables.

Il attira Brenna encore plus près de lui. Ils marchaient au hasard dans les allées du parc, et le crépuscule laissait place à la nuit.

— Un jour, je suis même parti en claquant la porte, et je lui ai dit que je ne reviendrais pas.

La main de Brenna se crispa sur la sienne. Sentant qu'il avait touché un point sensible, il demanda :

— Vous vous disputiez avec votre père, vous aussi ?

— Tout le temps, avoua-t-elle avec un bref regard. D'ailleurs, j'ai fait comme vous : je suis partie.

Cole n'eut pas besoin de demander quand — c'était certainement à quinze ans, « la pire année de toute son existence ».

— Qu'il aille au diable avec ses photos, murmura-t-elle.

— Pourquoi, Brenna ?

— Je ne veux pas me souvenir, chuchota-t-elle.

— C'est peut-être la seule façon d'oublier vraiment. Tout sortir, tout exprimer, tout balayer, répondit-il à mi-voix.

Elle se tourna vers lui, et il lut une telle détresse dans ses yeux qu'il ne put se retenir de la prendre dans ses bras. Comme elle semblait fragile et féminine !

— Tu peux tout me dire, murmura-t-il à son oreille.

C'était l'émotion qui l'avait fait parler ainsi, mais il ne s'attendait pas vraiment à ce qu'elle suivît son conseil. Il fut stupéfait et ému quand elle commença à se confier à lui.

— Pour mon père, je n'étais jamais à la hauteur, avoua-t-elle. Je ne réussissais jamais à faire ce qu'il attendait de moi. Le soir où je suis partie, il m'avait fait mille reproches parce que j'étais restée trop tard chez une copine.

— Brenna, viens ici, je te prie !

La voix autoritaire jaillit du salon. Brenna afficha un air totalement indifférent. Plutôt mourir que de lui montrer qu'elle saignait intérieurement chaque fois qu'il prononçait son nom sur ce ton. À pas lents, elle entra dans la pièce et s'appuya négligemment au chambranle de la porte.

— Bonsoir, papa. Où est maman ?

— Elle est couchée.

Il replia son journal, le posa sur une table, puis braqua sur sa fille un regard froid.

— Quant à toi, redresse-toi et viens ici.

Brenna vint lentement se planter devant lui, tout en gardant son attitude désinvolte.

— Où étais-tu, cette fois ? Tu as une heure et vingt-sept minutes de retard.

— J'étais chez Sally Petersen.

Elle croisa son regard, et précisa :

— On révisait.

— Tu révisais ?

Il prit une enveloppe sur la table et en sortit ses notes du trimestre.

— Voilà le résultat de tes révisions. Anglais, Histoire, Algèbre, Sciences... des notes lamentables dans toutes ces matières. Il n'y a qu'en éducation physique que tu te débrouilles à peu près. Je ne veux même pas penser au résultat si tu ne *révisais* pas.

Brenna croisa les bras sur sa poitrine et attendit la fin de la tirade. Le déroulement de ces « discussions » n'avait jamais varié depuis sa première année d'école primaire. Le regard fixé sur le mur derrière lui, elle laissa ses paroles furieuses se déverser sur elle sans les entendre. Elle savait depuis longtemps que Michael avait toute l'estime de leur père, et qu'elle ne comptait pour rien.

Un jour, elle avait surpris une discussion entre ses parents. Sa mère tentait d'expliquer que ces perpétuelles comparaisons ne faisait aucun bien ni à l'un ni à l'autre des enfants.

— Brenna est une enfant comme les autres. Elle n'est pas aussi douée que Michael, voilà tout.

— Mes enfants ne sont pas des enfants « comme les autres », avait riposté le Colonel. Brenna est capable de faire tout, absolument tout ce que fait Michael. Seulement, elle refuse de faire le moindre effort : c'est ça la vérité.

Il n'avait jamais compris qu'elle aurait donné n'importe quoi... Elle repoussa ce souvenir et le pincement de souffrance qui l'accompagnait, et se replongea dans les souvenirs qu'elle évoquait un instant plus tôt...

Tout à coup, son père se leva et la gifla.

— Montre un peu de respect quand je te parle !

Il la saisit par le bras.

— Tiens-toi droite ! Tu m'écoutes ?

— Oui.

— Oui qui ?

Elle resta silencieuse et butée, refusant de lui donner le titre qu'il attendait.

— J'en ai assez de ton attitude ! cria-t-il.

Sans lui lâcher le bras, il défit sa ceinture. À cet instant, sa femme apparut sur le seuil.

— Je t'entends crier de là-haut, dit-elle.

— Explique-lui, ordonna-t-il à Brenna. Vas-y, explique à ta mère pourquoi je crie !

— Je suis paresseuse, récita Brenna en regardant son père dans les yeux. Je suis désobéissante, aussi. Je peux monter, maintenant ?

— Non, tu ne peux pas ! Je n'ai pas terminé avec toi.

Il la poussa vers la cuisine. En temps normal, elle se serait penchée docilement sur la table pour encaisser les coups. Depuis des années, ça se terminait toujours ainsi. Elle ferma les yeux, avança en trébuchant. Plus que quelques minutes et ce serait fini. Plus que quelques minutes... Tout à coup, sous le poids de la tension qui s'accumulait en elle depuis si longtemps, quelque chose se rompit. Son endurance, peut-être ? Elle se retourna d'un bond.

— Non ! Ça suffit !

— Non ? Tu oses me dire non ?

Le visage du Colonel se tordait dans une fureur démente. Derrière lui, sa femme cria quelque chose. La ceinture siffla, Brenna leva les bras pour se protéger, mais trop tard. Dans un claquement, l'extrémité de la lanière lui cingla la joue. Sans savoir ce qu'elle faisait, elle arracha la ceinture des mains de son père, et la lança à travers la pièce. Il voulut se jeter sur elle, mais elle lui échappa et s'enfuit vers sa chambre. La voix de son père la poursuivait encore :

— Je n'ai jamais voulu de toi !

— John !

— C'est la vérité. Depuis le jour où tu m'as dit que tu étais enceinte.

— Tu ne penses pas ce que tu dis. Ce n'est pas possible.

— Nous serons mieux sans elle. Michael ne nous crée jamais le moindre souci.

Mieux sans elle... Les mots se répercutaient dans sa tête tandis qu'elle claquait la porte de sa chambre. *Jamais voulu de toi.* Sans avoir vraiment pris de décision, elle tira une valise de sous son lit. *Mieux sans elle.* Aveuglée par les larmes, elle ouvrit la valise et y jeta ses vêtements et ses trésors.

La porte s'ouvrit, et elle se tassa sur elle-même. La chambre était petite : il lui serait plus difficile de s'échapper. De toute façon, elle n'encaisserait plus les coups. Plus jamais. Puis elle vit que ce n'était pas le Colonel qui entrait, mais sa mère.

— Oh, Brenna ! Oh, mon bébé, non !

Brenna essuya ses larmes d'un revers de main.

— Je ne reste plus ici, maman.

— Tu ne peux pas partir comme ça. Où irais-tu ?

— Chez Nonna.

L'idée venait juste de s'imposer à elle. Elle irait dans le seul endroit où elle s'était toujours sentie heureuse. Sa mère regarda dans le vide, puis hocha la tête.

— C'est peut-être mieux ainsi...

Sur ces mots, elle disparut. Abasourdie, Brenna contempla la porte qui s'était refermée derrière elle. Elle s'attendait à devoir affronter ses deux parents... Allait-on vraiment la laisser partir ? Elle baissa les yeux sur le contenu de sa valise, puis se mit à plier ses affaires avec plus de soin. Un quart d'heure plus tard, sa mère revenait.

— Nonna t'attend, dit-elle. J'ai téléphoné à la gare routière : il y a un bus pour Philadelphie dans une heure. Tu auras la correspondance demain matin.

Elle tendit la main, toucha la joue de sa fille.

— Tu es sûre que c'est ce que tu veux ?

Brenna se contenta de hocher la tête.

Sa mère l'aida à terminer ses bagages. Elles pleuraient toutes les deux. Au dernier moment, à la gare routière, sa mère voulut lui donner un livret d'épargne.

— C'était pour tes... tes études. Tu vas en avoir besoin, maintenant.

Les yeux brouillés de larmes, Brenna contempla le livret. Ses études ? C'était lui rappeler encore une fois son échec. Elle avait autant de chances d'aller à l'université que Michael de redoubler une classe. Jamais elle ne s'était approchée du niveau d'excellence qu'exigeait le Colonel, jamais elle n'avait cherché à le faire. Pour la première fois depuis bien longtemps, elle le regretta. Réprimant ses sanglots, elle secoua la tête.

— Je ne peux pas, maman. Papa dirait...

Les yeux de sa mère se remplirent de larmes.

— Je voudrais tellement pouvoir faire quelque chose ! Ce livret est à toi. Si jamais tu décides de t'en servir, appelle-moi tout de suite.

Elle serra sa fille dans ses bras.

— J'ai commis tant d'erreurs, j'ai laissé faire tant de choses ! Si seulement...

De toutes ses forces, Brenna lui rendit son étreinte.

— Ne t'en fais pas pour moi, maman.

— C'est la dernière fois que je l'ai vue, conclut Brenna, les yeux brûlant de larmes rentrées. Deux mois après mon départ, elle est morte dans un accident de voiture.

Elle serra les dents, s'agrippa à la main de Cole, et acheva :

— Six mois plus tard, en rentrant de l'école, j'ai trouvé Nonna endormie. Ça ne m'a pas étonnée parce qu'elle faisait toujours une petite sieste, l'après-midi. Seulement, ce jour-là, elle ne s'est pas réveillée.

Il faisait tout à fait nuit. Cole l'avait entraînée vers un banc sous un énorme érable argenté. Il avait passé un bras autour d'elle et la serrait fort tout en l'écoutant parler. Jamais elle ne s'était sentie aussi vulnérable... ni aussi bien protégée.

Elle osa lever les yeux vers lui un bref instant, et vit qu'il regardait dans le vide, le visage pensif. Elle retint son souffle sans savoir ce qu'elle attendait. Il finit par la regarder, sourit tristement, et murmura :

— Mon propre père me fait l'effet d'un saint, maintenant. Je pense qu'il te plairait.

Un soulagement infini envahit la jeune femme. Elle ne savait pas très bien ce qu'elle attendait de Cole, mais elle n'aurait pas supporté sa pitié.

— Merci, chuchota-t-elle en appuyant sa joue contre la sienne.

— De quoi ?

— D'être là.

— C'est ce que je désire, tout simplement.

Il faisait un effort énorme pour parler d'une voix détendue. Si elle devait lui faire confiance — et il avait absolument besoin qu'elle lui fît confiance —, il devait lui prouver que jamais il ne dirigerait contre elle sa force ou sa colère. Il la tint dans ses bras avec précaution, et s'efforça de contenir la rage qui bouillonnait en lui.

Sans rien dire, il lui donna un baiser rapide. Ses lèvres l'invitaient, si douces, irrésistibles. Il revint y poser les siennes, sans insister, leur montrant à tous deux combien cela pouvait être doux, ce simple contact de leurs bouches. Elle ne le repoussa pas. Il sentit même qu'elle était prête à aller plus loin... Oh, lui aussi ! Mais, pour l'instant, mieux valait en rester là.

Deux heures plus tard, Brenna ne dormait toujours pas. Quelqu'un — Michael, sans doute — avait déposé les photos et les documents sur sa commode. De son lit, elle ne distinguait rien de plus que des formes rectangulaires dans le noir. Comme elle détestait remuer le passé ! Comme cela faisait mal !

Dans la pénombre, elle revoyait le contour du cristal que sa grand-mère avait accroché à la fenêtre de sa chambre, le soir de son arrivée à la ferme.

— C'est joli à regarder, avait-elle dit. Si tu te tiens au bon endroit quand le soleil le frappe, tu verras un arc-en-ciel. Quelquefois, pour trouver les bonnes choses de la vie, il suffit de se placer au bon endroit. D'autres fois, on est déjà au bon endroit et il suffit d'ouvrir les yeux.

Brenna était au bon endroit pour voir les qualités de Cole. Elle ne pouvait plus nier l'étincelle d'espoir qui s'allumait dans son cœur quand il la regardait d'une certaine façon. Il était parfait pour elle.

Elle n'était pas parfaite pour lui.

Lorsqu'il téléphona, le lendemain matin, pour l'inviter à une sortie en voilier le dimanche suivant, elle eut la conviction qu'elle devait le maintenir à distance. Elle devait refuser, c'était l'évidence même. Elle accepta.

8.

— Il y a de meilleurs endroits pour faire de la voile, expliqua Cole, alors que la jeep filait sur la voie rapide. La prochaine fois, on partira plus tôt et on ira plus loin.

Il sourit à sa compagne, lui pressa sa main et précisa :

— Au Lac Dillon, on a les montagnes tout autour, et il y a des anses bien cachées à explorer.

Elle lui rendit son sourire. La prochaine fois, disait-il ? Même si cette promesse lui réchauffait le cœur, elle n'osait pas espérer cette prochaine fois. Dès qu'elle parviendrait à reprendre ses esprits, elle ferait en sorte qu'il ne lui proposât plus jamais de faire de la voile ou de sortir avec lui. Et pourtant, quand ils étaient ensemble, leurs mondes ne lui paraissaient pas si différents ! Ou plutôt, leurs différences perdaient toute importance. Dieu sait qu'elle ne l'avait pas cherché... mais il lui plaisait infiniment.

« Ce n'est pas encore assez, se dit-elle. Avoue plutôt que tu aimes être avec lui, que tu aimes la façon dont il te regarde, et aussi la façon dont il t'écoute, comme si ton avis était toujours important pour lui. ». D'ailleurs, en écoutant son récit, l'autre soir, il l'avait serrée contre lui, et elle avait senti que sa détresse lui faisait mal. Comment résister à tout cela ?

Puis elle songea aussitôt qu'elle avait tort, que c'était une folie de se fermer les yeux, et elle décida de s'en tenir, momentanément au moins, au point de vue de sa belle-sœur. « Laisse faire, Brenna. Ne cherche pas les ennuis alors qu'il n'y en a aucun pour l'instant. »

Le trajet jusqu'à la marina fut bref. Brenna n'avait jamais vu Cole aussi détendu. Il était tout heureux de sortir le bateau qu'il avait tracté à l'arrière de la jeep, et il révélait un côté exubérant qu'elle trouvait irrésistible. En dix minutes, le bateau fut à l'eau. Cole se déplaçait à bord avec aisance. Quant à Brenna, comme elle ne connaissait rien à la manœuvre, elle resta tranquillement sur le quai à le regarder faire. Quand tout fut prêt, il lui tendit la main en murmurant : « Bienvenue à bord ». Elle s'assit sur le banc étroit, et Cole hissa la voile, qui se remplit instantanément de vent. Le voilier pivota et s'élança vers le large.

La jeune femme laissa pendre une main dans l'eau, et savoura le contraste avec la chaleur du soleil. Ils entrèrent bientôt dans des eaux moins peuplées, et Cole donna au bateau une allure plus rapide. Le voilier s'inclina sous la grande poussée de l'air, et Brenna sentit monter en elle une exaltation due à la vitesse, au vent, au paysage splendide, à la chaleur du soleil. « Comme la vie peut être belle ! », songea-t-elle soudain en souriant et en ouvrant grand les bras.

Derrière elle, Cole souriait, lui aussi, de la voir aussi heureuse, et il faisait des comparaisons qu'il s'était juré de ne pas faire. Avec Susan, notamment, qui consentait si rarement à l'accompagner dans ses sorties en mer.

— J'adore ça ! s'écria Brenna en offrant son visage au vent. Comment s'appelle votre bateau ?

— Il n'a pas la taille requise pour avoir un nom, répondit Cole, très pince-sans-rire.

— C'est ridicule ! s'écria la jeune femme. Vous voulez dire qu'il y a un règlement qui vous empêche...

Cole éclata de rire, et elle l'imita.

— Ce n'est pas juste de me faire marcher alors que je n'y connais rien ! déclara-t-elle. Allez, dites-moi pourquoi il n'a pas de nom !

— Je n'en ai jamais trouvé aucun qui sonne bien.

— Pas d'amours perdues ?

— Aucun qui compte.

— Pas d'idoles ?

— Je ne me voyais pas baptiser mon spi *Mickey Mouse*. Quant à L'Honorable Juge John Marshall, ç'aurait été un peu prétentieux.

— Je vois, c'est un vrai problème. Qui est John Marshall ?

— Il était le chef de la Cour Suprême, au début des années 1800.

— L'un de vos modèles ?

Cole passa doucement la main dans les cheveux de la jeune femme.

— Alors, Maître ? lui demanda-t-elle avec insistance.

— John Marshall est l'auteur de *La Vie de George Washington* en cinq volumes. C'est lui qui a établi le droit de la Cour Suprême à déterminer si les lois sont conformes à la Constitution. Cette explication vous suffit-elle ?

— Largement. Vous comptez me faire passer un contrôle des connaissances, un de ces jours ?

— Je n'oserais pas. Vous réussiriez tous les examens que je pourrais inventer.

« S'il savait ! », pensa-t-elle avec un frisson d'angoisse. Et sa promesse, qu'en faisait-elle ? Sa promesse de tout lui dire ou de prendre ses distances avant que les choses ne soient allées trop loin...

— Vous voulez aussi des renseignements sur Mickey ?

Elle éclata de rire. C'était une réaction à sa propre tension, et aussi l'effet que Cole lui faisait avec son expression de petit garçon qui meurt d'envie de faire bonne impression.

— Son chien s'appelle Pluto ! dit-il fièrement.

— Je ne savais pas ça.

— Je vous jure que c'est vrai.

— Je suis surprise de voir qu'il vous reste de la place là-haut pour les choses amusantes, fit-elle en lui tapotant la tempe.

— Ma grand-mère disait toujours : « Un cerveau, c'est une drôle de chose. On n'arrive jamais à le remplir. »

— Le mien est rempli de détails inutiles.

— Comme la grande et la petite Histoire du base-ball ?

— L'Histoire du base-ball est loin d'être inutile.

— Oh, pardon !

Ils éclatèrent de rire ensemble. Puis Cole tendit la main, et caressa la joue de la jeune femme avec tendresse. Son expression était redevenue sérieuse.

— À quoi pensez-vous ? lui demanda-t-elle.

— C'est la première fois que je vous entends rire tout à fait librement. C'est merveilleux.

Elle sentit sa gorge se nouer. Le contact de sa main lui coupait le souffle. Il la retira, et le silence se prolongea. Jamais elle n'avait eu à ce point conscience de la proximité d'un homme.

— Alors, quel genre de choses avez-vous dans la tête ? demanda-t-il.

Sa voix enrouée démentait la légèreté de sa question.

— Le base-ball reste mon sujet préféré, mais j'aime aussi les sciences naturelles.

— Voilà ce que j'aime : une femme qui s'intéresse à tout.

« Si seulement... », pensa-t-elle.

Une brusque rafale s'abattit sur eux, et le bateau s'inclina. Cole se détourna de sa compagne, et fit quelques ajustements rapides qui rétablirent l'équilibre. Brenna le regarda faire, fascinée par l'assurance de ses gestes et par la facilité avec laquelle il maintenait le cap.

— Je ferais bien de me concentrer sur ce que je fais, sinon on va finir par se retourner. C'est votre faute, tout ça : vous me troublez.

— C'est vrai ?

— C'est vrai.

Le silence retomba — un silence confortable et détendu, cette fois. Avec plaisir, Brenna contemplait le spectacle grandiose qui les entourait. Les montagnes, le ciel et l'eau. Plus près, des voix se répondaient de bateau en bateau, la circulation grondait au sommet du barrage, et un avion descendait vers l'aéroport international de Denver. Qu'allait-elle ressentir, seule avec lui dans un endroit où ils n'entendraient que la coque fendant l'eau et le chant des oiseaux ?

Fermant les yeux, elle offrit son visage au vent et aux gouttelettes volantes. Elle sentait bien qu'elle baissait sa garde, mais... c'était si merveilleux de filer, comme ça, sur l'eau bleue !

— Vous pourriez peut-être m'apprendre à naviguer? suggéra-t-elle sans ouvrir les yeux.

— Quand vous voudrez, répondit-il. Parée à virer?

— Oui, mon capitaine.

En riant, elle se baissa quand la bôme se rabattit. Le voilier fila vers un nouveau coin du lac. Des voiles aux couleurs vives se dressaient un peu partout sur l'eau, et le profil des grandes tours qui abritaient les bureaux, sur la lointaine berge nord-ouest, se découpait sur le ciel. Cole aimait cette ambiance, mais, aujourd'hui, il avait mieux à contempler. Brenna. Les éclairs acajou dans ses cheveux dénoués. Les mèches fines qui lui cinglaient les joues. Dans son short en jean délavé, ses jambes semblaient encore plus longues que dans l'absurde petite robe qu'elle portait au bar. Elle était vêtue d'un chemisier bleu pâle très ample, noué à la taille, et d'un débardeur marine. Le vent gonflait l'étoffe, cachant ce corps auquel il rêvait toutes les nuits.

— Si on déjeunait? proposa-t-il.

— Je meurs de faim, mais je n'ai pas envie qu'on s'arrête. Pas encore. C'est trop bon!

— Oui, dit-il à mi-voix, les yeux fixés sur elle.

Il l'imaginait s'approchant de lui avec ce sourire de plaisir, secret et sensuel...

Brenna laissait, elle aussi, vagabonder ses pensées. Elle se sentait légère comme une bulle. Le vent semblait avoir emporté tous ses soucis. Les yeux mi-clos, elle regardait Cole qui tenait la barre. Le bateau allait et venait comme une hirondelle, sillonnant le lac en tous sens. Leurs regards se croisèrent, et ils se sourirent.

Jamais elle ne l'avait trouvé aussi séduisant. Dans son short de coton beige et son vieux T-shirt, il n'avait plus rien d'un avocat sévère et froid. Juste à l'instant où elle pensait cela, il retira son T-shirt, révélant une poitrine bronzée et musclée. Infiniment troublée, la jeune femme s'empressa de lui tourner le dos.

— Vous avez faim, cette fois? demanda-t-il en lançant le bateau vers un secteur boisé de la grève.

— Oh, oui ! répondit Brenna spontanément.

— Vous aimez les sandwichs italiens ?

— Je les adore.

— Oh, c'est dommage : je n'en ai apporté qu'un. Je vous voyais plutôt comme une fanatique du saucisson ! ajouta-t-il, les yeux brillants, avec un sourire taquin.

— Moi ?

Il abattit la voile, et le bateau glissa sans bruit vers la berge. Une corde à la main, il se laissa glisser par-dessus bord, alla amarrer le voilier à un rocher, et revint, de l'eau à mi-cuisses. Brenna se mit sur pied... et se rassit bien vite car le bateau se balançait dangereusement.

— Ça avait l'air facile, pourtant ! dit-elle en regardant l'eau d'un air méfiant.

— Mais ça l'est ! dit Cole en la saisissant dans ses bras pour la déposer sur la berge.

— Je...

Serrée contre la poitrine de Cole, elle se noyait dans les odeurs qui s'élevaient de sa peau — savon, eau de toilette, et un parfum discret qui était son essence à lui. La tête lui tournait en sentant contre la sienne sa peau brûlante de soleil. L'une de ses mains tenait sa cuisse nue, l'autre froissait le coton de son chemisier. Sans savoir ce qu'elle faisait, elle noua les bras autour de son cou, et se pressa encore un peu plus contre lui.

Il cessa d'avancer, plongea son regard dans le sien. Engourdie de désir, elle leva les yeux vers sa bouche, puis vers ses yeux. Dans une sorte de grondement douloureux, il inclina la tête vers elle.

Dès qu'il posa sa bouche sur la sienne, elle se tendit vers lui de tout son être. Elle n'était plus que sensation. Elle sentait monter en elle comme un feu d'artifice. L'autre soir déjà, il lui avait appris ce qu'était le désir. Cette fois, ce n'était plus un simple désir, mais une véritable folie.

Tout près, un canot à moteur rugit, une bande d'adolescents lança des cris moqueurs, et les vagues qu'ils soulevèrent sur leur sillage claquèrent sèchement contre les jambes de Brenna. Elle sursauta, égarée. Cole plongea son regard dans le sien, puis respira profondément, et déclara :

— On a laissé le déjeuner sur le bateau.

— Il faut dire que tu n'avais pas les mains libres ! lui rappela-t-elle en remuant les orteils.

Il sourit, la serra contre lui, et parcourut prudemment les quelques mètres qui les séparaient encore de la berge. En posant la jeune femme sur la terre ferme, il la soutint un instant, comme s'il devinait que ses jambes auraient quelque peine à la porter. Elle jeta un coup d'œil à l'anse bien abritée dans laquelle ils se trouvaient. Il n'y avait personne pour l'instant, mais cette plage était publique... Apparemment, Cole pensait à la même chose qu'elle.

— Malheur, marmonna-t-il avec un soupir.

— Malheur ? répéta-t-elle.

Il lui sourit une nouvelle fois, lui releva le menton du bout du doigt, et l'embrassa encore.

— Oui, malheur. J'ai envie de toi, et je ne t'aurais pas emmenée ici si j'avais su. Je t'aurais entraînée chez moi, loin des regards... dans mon lit.

Elle se sentit envahie par une nouvelle vague de chaleur. Ces mots si simples évoquaient une image si vivante ! Il frotta son nez contre le sien, et posa un dernier baiser sur le coin de sa bouche.

— Je reviens tout de suite.

Une fois de plus, il s'avança dans l'eau claire.

« Calme-toi, se dit-il à lui-même. Tu as tout ton temps. Elle commence à se sentir en confiance, et à s'avouer qu'elle aussi est attirée par toi. Elle ne te repousse plus. »

Il jeta un coup d'œil le long de la grève. Un pêcheur accompagné de deux enfants s'était installé à moins de cent mètres. De l'autre côté, un peu plus loin, une famille entière pique-niquait. Brenna n'avait pas besoin de le repousser : il y avait suffisamment de témoins pour qu'elle se sente en sécurité.

La jeune femme contemplait le dos musclé de Cole. Elle le vit saisir le rebord du bateau et pencher la tête, comme s'il méditait. Un instant plus tard, il se baissa pour ramasser son T-shirt, l'enfila, puis souleva la glacière, et revint vers elle. Quand il mit le pied sur les cailloux de la petite plage, il semblait avoir retrouvé son self-control. Elle-même en était encore loin ! Elle n'avait qu'une envie : retourner dans ses bras.

Pourtant, la promesse qu'elle s'était faite s'élevait entre eux comme une barrière infranchissable. « Cesse de le voir, ou dis-lui la vérité tout de suite ! ». Mais comment faire ? Elle ne voulait pas cesser de le voir — et c'était bien ce qui arriverait si elle lui disait tout. Comme elle aurait aimé être le genre de femme en qui il pourrait s'intéresser sans arrière-pensées ! Son égale sur le plan intellectuel, quelqu'un qui sache le comprendre comme lui semblait la comprendre.

Il s'immobilisa devant elle, s'accroupit et agita une main devant ses yeux. Elle sursauta, et ils échangèrent un sourire.

— Tu redescends sur terre ? C'est une insolation ? Non, il ne fait pas assez chaud.

— J'ai chaud, moi, murmura-t-elle.

Il éclata de rire en s'asseyant à son côté.

— Toi, tu cherches à me provoquer, dit-il.

— Non, juste à te convaincre que le sandwich italien est pour moi.

— Tu as faim, alors ? C'est ça, le problème ? demanda-t-il d'un ton équivoque.

Elle lui jeta un regard noir, et il sourit, enchanté. Tendant le bras devant elle, il sortit de la glacière deux sandwichs enveloppés de papier blanc, et lui en tendit un. Elle le déballa et respira son arôme avant de mordre dedans.

— Le paradis, murmura-t-elle.

Il attaqua son propre sandwich, et s'écria, la bouche pleine :

— Je pourrais ne manger que ça toute ma vie !

— Tu disais la même chose pour la tarte aux pommes, l'autre soir.

— Que dit le proverbe ? Si on n'a pas la nourriture que l'on aime, il faut aimer la nourriture que l'on a.

— Ça vaut aussi pour les filles ?

— Non, répondit-il sans la regarder. Pour ça, je suis nettement plus difficile.

Le cœur beaucoup plus léger, tout à coup, elle prit une autre bouchée, et décida d'aider son compagnon à détendre l'atmosphère.

— Comment t'es-tu intéressé à John Marshall ?

C'était une technique que lui avait appris sa mère : remplir les silences, faire parler l'autre.

— C'était un devoir imposé. Littéralement, je t'assure. J'avais un cours d'Histoire des États-Unis, avec un vieux croûton qui ressemblait comme un frère à Ebenezer Scrooge. Il nous a demandé dix pages sur un personnage du XVIIIe ou XIXe siècle dont l'influence se ressentait encore de nos jours. Je n'ai trouvé personne, alors il m'a collé John Marshall.

Les yeux brillants, il contemplait le lac, tout en faisant des gestes avec son sandwich.

— C'était fabuleux, Brenna. Voilà un type qui n'était qu'un nom dans les livres d'histoire — même pas un nom très connu —, mais dont les idées influençaient la vie du pays depuis plus d'un siècle. Il a été l'un des premiers à voir la Constitution comme un outil dynamique, capable de contribuer à l'efficacité du gouvernement. C'est tout aussi valable aujourd'hui qu'en 1820. À un moment, j'ai même pensé à me lancer dans la politique. Ensuite, je me suis intéressé au Droit.

Il jeta un coup d'œil à Brenna, et ajouta :

— C'est à ce moment-là que j'ai compris, pour la première fois, à quoi servait l'université.

— Comment ça ? demanda Brenna.

Elle ne cherchait plus simplement à faire la conversation, elle voulait vraiment savoir ce qui comptait pour lui.

— Je pensais que les études servaient uniquement à acquérir des compétences pour pouvoir ensuite gagner sa vie le mieux possible. Ce n'est pas faux, mais ce n'est pas l'essentiel. On n'apprend vraiment son métier qu'en l'exerçant. Ce qui compte, en fac, ce sont les idées. Des milliers d'idées dont je n'avais jamais entendu parler, auxquelles je n'aurais jamais pensé tout seul. Voilà ce qui est important : ouvrir un livre et découvrir ce que l'auteur pensait, comment il voyait le monde, et ce qu'il a fait de ses convictions. Tu vois ce que je veux dire ?

La jeune femme avala sa salive avec difficulté.

— Je vois, oui. J'ai la même impression chaque fois que j'entends une personne âgée transmettre une histoire à un enfant.

Elle détourna la tête, contempla le lac à son tour.

— Tu as beaucoup de chance d'avoir une vision aussi claire de ce que tu veux.

— C'est pour ça que tu travailles au Score ? demanda-t-il. Pour te donner le temps de réfléchir à ce que tu souhaites vraiment faire par la suite ?

— Je ne sais pas faire grand-chose, en fait.

Sa gorge se serra. Elle avait l'habitude de mentir, mais c'était si difficile de mentir à Cole...

— Laisse-toi du temps. Il en faut pour que ça prenne forme, dit-il en passant le bras autour de ses épaules. Tu es passée par un tel enfer, cette année ! Je comprends que tu aies besoin d'un break, que tu te contentes d'un boulot simple, et même abrutissant, pendant quelque temps. J'aurais sans doute réagi de la même façon, à ta place.

Son explication lui fournissait une porte de sortie. Elle la saisit comme on s'accroche à une bouée de sauvetage.

9.

— Ainsi, les Musiciens de Brême décidèrent de rester dans la maison. Quant aux brigands, ils s'étaient enfuis, et on n'entendit plus jamais parler d'eux. Les quatre animaux s'installèrent, et...

Brenna referma le livre, et tourna un regard interrogateur vers les enfants rassemblés autour d'elle dans le coin de lecture.

— Ils vécurent heureux pour toujours ! s'exclamèrent-ils en chœur, d'un air ravi.

— C'est ça.

— C'était une bonne histoire, Tatie Brennie, déclara Teddy.

Une petite fille vint s'appuyer contre le genou de la conteuse.

— Ça finit toujours trop vite, dit-elle d'un air de léger reproche.

Brenna eut un petit rire. Cette gamine se mettait généralement à bâiller dès qu'on ouvrait le livre, et semblait se préoccuper de tout sauf de l'histoire.

— Bravo, c'était très bien, dit Nancy en venant s'asseoir près de Brenna. Comme toujours d'ailleurs.

— Merci.

— Tu nous as manqué, l'autre jour.

— Pourquoi ?

— Une nouvelle conteuse faisait ses débuts. Elle avait un tel trac qu'elle arrivait à peine à aligner deux mots. Je me suis demandé si elle parviendrait au bout de son histoire. C'était n'importe quoi. J'ai eu l'impression qu'elle n'avait jamais lu un livre de sa vie.

— Elle a dû se sentir déroutée en se retrouvant devant les enfants, répondit Brenna, mal à l'aise.

— Oui, peut-être. Mais je te jure, on aurait dit qu'elle ne savait même pas tenir le livre dans le bon sens.

— Qu'est-ce qu'elle devait avoir peur !

Brenna connaissait si bien la peur et la honte qu'elle se sentait totalement solidaire avec la jeune femme dont lui parlait Nancy.

— Quand on en est là, dit-elle, il n'y a qu'une solution.

— Laquelle ?

— Faire semblant. Faire comme si on savait, quoi qu'il arrive.

— C'est ça ! dit Nancy en éclatant de rire. Comme toi !

— Exactement.

Ainsi va le monde. Quand on dit la vérité, les autres ne s'en aperçoivent même pas.

— On va au cinéma, pendant le week-end ? proposa Nancy.

— Je ne peux pas. Je travaille toute la journée, dimanche. J'ai un nouveau client : tout un immeuble de bureaux. Quand je me serai organisée, ça ne me prendra sans doute qu'une demi-journée, mais je préfère prévoir davantage de temps, les premières fois.

— Tu es un bourreau de travail, dit Nancy en soupirant. Je te signale quand même que le nouveau Tom Cruise est sorti.

— J'aimerais bien...

À force d'accumuler les heures de travail, ses efforts commençaient à porter leurs fruits. Incapable de garder son enthousiasme pour elle, elle posa la main sur le bras de son amie, et s'écria :

— Tu sais, si tout se passe bien, je pourrai louer un appartement d'ici à deux mois !

— Fantastique !

Teddy vint les rejoindre.

— Viens m'aider, demanda-t-il à sa tante en la tirant par la main. Je cherche un livre sur les canards. Je l'avais vu, la dernière fois, mais maintenant, j'arrive pas à le retrouver.

Brenna se laissa entraîner vers les rayonnages.

— À quoi ressemble-t-il ?

— Il est rouge.

Il sortit un livre à la couverture rouge, lui jeta un regard désabusé, et le remit à sa place.

— Je trouve pas.

— Mais si, attends.

Brenna se pencha et fit mine de regarder les titres. C'était uniquement pour encourager Teddy. Se mordillant la lèvre, elle sortit un autre livre rouge, et l'ouvrit. Les pages étaient pleines d'illustrations d'éléphants. Elle le remit à sa place, et en chercha un autre.

Comme c'était frustrant ! Comme elle s'en voulait ! Canard, ça commençait par la lettre « c ». Elle fit un gros effort pour séparer mentalement les sons, comme on le lui avait appris, autrefois. Ce ne devrait pas être si difficile d'identifier une lettre, mais les titres formaient des blocs de symboles indéchiffrables, et elle commençait à avoir envie de hurler. Dire qu'elle n'était même pas capable de trouver un livre pour un enfant de quatre ans ! Elle allait remettre un nouveau livre sur le rayon quand Teddy le lui prit des mains et l'ouvrit avec un soupir de bonheur.

— Le voilà ! « Bébé Col-Vert part en voyage ».

Il tourna une page, puis une autre, et son sourire s'élargit encore.

— Je vais demander à papa de me le lire.

Une fois, une fois seulement, elle aimerait entendre Teddy lui demander : « Tatie, s'il te plaît, lis-moi ce livre ! ». Il avait déjà compris qu'elle savait raconter des histoires mais pas les lire.

— Tu as la carte, Tatie ?

Elle la lui tendit, et il partit en courant voir Nancy au comptoir.

Les yeux fixés sur les livres, Brenna réfléchissait aux paroles de Cole. « Des idées auxquelles je n'aurais jamais pensé... ». Comme Cole et comme Michael, Teddy découvrait qu'il pouvait explorer toutes sortes de mondes à travers les livres. De nouvelles idées, des mondes qu'elle-même ne connaîtrait jamais si elle n'apprenait pas à lire. Si elle n'apprenait pas très vite.

La dernière tentative s'était soldée par une énorme humiliation. Elle refusait, désormais, de se retrouver face à un enseignant qui la traitait comme une enfant attardée et lui faisait déchiffrer des textes conçus pour des gamins de cinq ans.

— Rêve, et réalise ton rêve, chuchota-t-elle.

Cette fois, elle trouverait un moyen.

Cole parcourut une dernière fois ses notes avant de recevoir Zach MacKenzie. Il y avait dans cette affaire beaucoup de détails qui le troublaient et l'intéressaient à la fois. Voilà exactement le genre de client qu'il espérait représenter en quittant Jones, Markham et Simmons.

À première vue, MacKenzie était le suspect type pour une accusation de conduite en état d'ivresse. Beau gosse, célibataire, il conduisait une voiture de sport, aimait s'amuser, et s'était déjà fait interpeller au volant avec un taux d'alcool supérieur à la norme. Un soir de mai, quelques semaines plus tôt, il s'était trouvé au mauvais carrefour au mauvais moment.

Cole sentait pourtant que son client disait la vérité. Il lui avait déjà fait son discours habituel : « Vous pouvez mentir à votre mère, au monde entier si vous voulez, mais vous n'avez pas intérêt à me mentir, à moi. Je vous garantis que, si vous le faites, nous nous ridiculiserons tous les deux, et je ne tolère pas qu'un client me ridiculise ». Il était aussi prêt qu'il pouvait l'être. Se penchant en avant, il pressa un bouton et demanda à Myra de faire entrer MacKenzie.

— C'est comme si c'était fait, patron, répondit-elle tout de suite.

Il faillit se mettre à rire. Depuis qu'ils avaient quitté Jones, Markham et Simmons, il ne cessait de lui demander de l'appeler par son prénom. Elle ne le faisait que lorsqu'elle était inquiète. Tant qu'elle l'appelait « patron », il savait que tout allait bien.

Il se leva, alla ouvrir la porte, serra la main de son client et le fit asseoir, tout en notant l'inquiétude qui assombrissait ses yeux.

— Le bureau du procureur a fini par me fournir des informations, dit-il.

— Ils ont pris leur temps ! Ça veut peut-être dire qu'ils n'ont pas beaucoup d'éléments ?

— N'y comptez pas trop, dit Cole en soupirant.

MacKenzie contempla ses mains un instant, puis demanda :

— Alors ? Qu'est-ce qu'ils ont ?

— Certains points sont en notre faveur, d'autres pas.

Cole prit le dossier sur son bureau, et l'ouvrit.

— Comme le test d'alcoolémie a été fait plus d'une heure après la collision, il y a de fortes chances pour que le procureur le conteste.

— Ça, c'est plutôt bon.

— Oui. En revanche, le policier affirme que vous sentiez l'alcool quand il vous a arrêté.

— Il ment.

— Ou il se trompe. Il y avait une bouteille ouverte dans l'autre voiture.

Cole feuilleta ses papiers et tendit un feuillet à son client.

— Qu'est-ce que c'est ?

— Le rapport de l'équipe chargée de la reconstitution de l'accident. D'après eux, les deux voitures sont arrivées au carrefour à une fraction de seconde l'une de l'autre.

Il s'interrompit et attendit que MacKenzie levât les yeux vers lui avant de continuer :

— Vous étiez tous les deux en excès de vitesse. S'il y a un élément en notre faveur, c'est le fait que vous ayez freiné en premier.

Cole sortit une autre feuille et la tendit à son client, qui lut la première ligne et réagit aussitôt.

— Ils peuvent se servir de ça ?

Cole hocha la tête.

— Votre casier est l'élément le plus solide dont dispose le procureur.

— Mais je croyais que le tribunal devait se concentrer exclusivement sur les faits se rapportant à l'affaire. On entend ça tout le temps !

— Sans doute, mais votre palmarès de conduite en état d'ivresse appartient au domaine public, et le procureur s'en servira. Ça nous pose un problème de crédibilité.

— Mais j'ai suivi le programme de réhabilitation, l'an dernier. Ça ne compte pas ?

— Tout dépend, répondit Cole. Si nous nous présentons devant le tribunal en disant que vous n'avez pas bu un seul verre, depuis, ce sera un mensonge.

— Je ne me suis plus soûlé.

— Vous avez déjà conduit en état d'ivresse, néanmoins, et votre copain Théo a reconnu que vous veniez régulièrement au Score boire une bière ou deux.

— Jamais plus de deux. Ensuite, je passe au Canada Dry, et j'attends au moins une heure avant de prendre le volant.

— Je sais ça, mais je ne veux pas de surprises. Pas de caissier qui vienne témoigner que vous achetez une caisse de vodka par mois dans son magasin. Pas de copains qui vous aient vu conduire éméché, aucune anecdote de beuverie rapportée par quelque membre de votre famille.

— Personne ne viendra rien dire parce qu'il n'y a rien à dire, affirma Zach. J'ai fait des bêtises, j'en ai même fait beaucoup. Mais cet accident n'en fait pas partie.

— Vous aviez pourtant bu deux bières au bar, un moment plus tôt.

Zach se leva et regarda son avocat droit dans les yeux.

— C'est vrai, et je vous l'ai dit. Pourquoi revenir là-dessus ?

— Parce que j'ai besoin de certitudes, répondit Cole.

Ce soir-là, au lieu de rester dehors, Cole entra au Score pour attendre Brenna. La jeune femme lui sourit, derrière le bar où elle remplaçait momentanément Théo, et il commanda une bière à une autre serveuse. Jetant un regard critique à la ronde, il pensa à tous les arguments négatifs que le procureur pourrait tirer de cet endroit. Son plus gros problème serait de convaincre un jury que Zach MacKenzie était quelqu'un de bien, malgré l'image déplorable qu'on allait donner de lui.

— Tu as des soucis ? demanda Brenna, quelques minutes plus tard, tandis qu'ils sortaient ensemble.

— Je pensais à l'affaire de Zach MacKenzie.

Il lui prit la main, et ils se dirigèrent vers la voiture à pas tranquilles.

— Il y a des problèmes ?

— Pas plus que d'habitude. J'essaie juste de deviner quelles surprises le procureur nous réserve.

— Je croyais qu'ils devaient te communiquer toutes leurs conclusions à l'avance.

— Ils le font. Mais ça n'exclut pas la possibilité d'une surprise.

— Et tu n'aimes pas les surprises ?

— Seulement les bonnes.

— Tu veux venir dîner à la maison, dimanche ?

Ce brusque changement de sujet fit rire Cole.

— C'est une surprise ?

— Pas vraiment. C'est l'anniversaire de mariage de Michael et Jane : ils vont sortir et je garde Teddy.

— Alors, c'est un rendez-vous.

— Ce n'est pas un rendez-vous non plus puisque je fais du baby-sitting.

— Et si je t'invite à manger une part de tarte, là, tout de suite ?

— Je n'appellerais toujours pas ça un rendez-vous.

Cole rit, et passa un bras autour de ses épaules.

— Ce n'est pas si affreux d'avoir des rendez-vous, tu sais ?

— Ça implique toutes sortes de choses que je ne suis pas prête à affronter. Un petit ami, des engagements, des projets d'avenir...

— Oh, doucement ! fit-il en levant les mains au ciel. Je ne cherche pas à être ton petit ami.

Elle s'arrêta et se tourna vers lui.

— Non ?

— Non. Je préfère être ton ami.

— Ça me plaît, ça.

Elle retrouva son sourire et se remit à marcher, plus lentement cette fois.

— Je ne te demande aucun engagement. Je ne te demande rien du tout, dit-il.

— Ce serait bien la première fois....

Il vint se placer devant elle et la regarda bien en face.

— Peut-être, mais c'est la réalité. Tu ne veux pas t'engager, et moi, de mon côté, je ne peux pas. Ma vie est trop confuse, en ce moment.

— Alors, je ne risque rien.

Il posa sur ses lèvres un baiser rapide.

— Rien du tout, dit-il. Tant que les amis ont le droit de s'embrasser.

Brenna aurait dû se sentir rassurée. Si Cole ne devait être qu'un ami, elle ne souffrirait pas. Il venait de lui offrir sur un plateau tout ce qu'elle demandait : non pas un engagement sentimental, mais une amitié — du moment que les baisers étaient permis. Pas de rendez-vous, mais du temps passé ensemble. Un fatras charmant de contradictions, tout à fait à l'image de Cole — car son attitude décontractée cachait une émotivité intense, et sa gentillesse un féroce besoin de la protéger.

Elle pensa souvent à ce dîner, au cours des journées qui suivirent, et se fit un souci tout à fait démesuré au sujet du menu.

Le matin du grand jour, elle emmena Teddy faire les courses. Face à toutes ces étiquettes incompréhensibles, elle eut une subite crise d'angoisse. Et si elle allait confondre la levure et l'amidon de maïs? Ou commettre une autre erreur tout aussi grotesque? Elle se débrouillait depuis des années, mais comment être sûre de ne pas faire de bêtise? Et puis, elle aurait aimé s'offrir quelque chose de spécial, et son budget ne le lui permettait pas.

— Tante Brennie, c'est juste un dîner! lui rappela Teddy quand ils eurent sillonné le supermarché entier sans rien acheter. On n'a qu'à prendre une pizza.

— Pas de pizza, dit la jeune femme fermement, comme si elle se réprimandait elle-même.

Le gamin avait raison : ce n'était qu'un dîner comme les autres. Brenna décida finalement de servir des crevettes avec un assortiment de crudités.

— C'est quoi, un anniversaire de mariage? demanda Teddy en la suivant dans la chambre quand elle alla se changer.

— Comme tes anniversaires à toi, répondit-elle en s'installant devant son miroir, sauf qu'on compte les années depuis le mariage.

— Quand est-ce qu'ils vont rentrer, papa et maman ?

— Tard dans la soirée. Tu seras sûrement au lit.

Appuyé à la commode, il la regarda se passer de la crème sur le visage.

— Tu vas te marier, toi ?

— Un jour, oui. En tout cas, j'espère.

Elle reboucha son flacon, et prit le fard à paupières. La sonnette de l'entrée retentit, et Teddy se précipita vers la porte.

— Je parie que c'est Cole !

— Pose quand même la question avant d'ouvrir la porte.

— D'accord ! Qui c'est ?

Brenna n'entendit pas la réponse, mais, un instant plus tard, la porte s'ouvrit. Elle finit d'appliquer son fard à paupières, et prit le mascara.

— Cole ! Je savais que c'était toi ! s'exclamait Teddy. Tatie Brennie dit qu'elle va se marier. Et toi ?

Brenna entendit le rire de Cole.

— Elle va se marier ? Alors, je vais peut-être le faire aussi. Où est-elle ?

Elle s'immobilisa, le tube de mascara en l'air, et contempla sans le voir son reflet dans le miroir. Elle s'entendait dire à cet homme qu'elle voulait seulement être son amie et, en même temps, un tourbillon d'images passionnées défilait dans son esprit.

Elle soupira. Oserait-elle tendre la main vers cet avenir qu'elle voyait si clairement ? Elle pouvait compter sur l'amitié de Cole, au moins pendant un certain temps. Mais comment aurait-elle pu espérer passer sa vie avec un homme comme lui ?

— Tatie se met des trucs sur la figure, dit Teddy dans le couloir. On aura des crevettes pour le dîner. J'ai fait les courses avec elle.

Vite, Brenna acheva de se préparer, contempla son reflet dans le miroir, et sortit de sa chambre.

— Bonsoir, dit-elle, sur le seuil du living.

— Bonsoir.

Cole se leva, la regarda d'un regard très concentré, puis sourit.

— Tu es belle.

Elle prit la bouteille de vin qu'il lui tendait, et l'examina.

— Du blanc ? C'est parfait pour notre dîner, merci.

Il la suivit dans la cuisine, et n'eut aucun mal à trouver le tire-bouchon.

— Je pourrai aussi avoir du vin ? demanda Teddy en voyant sa tante sortir trois verres à pieds.

— Non, mais je vais te donner du jus de fruits pour l'apéritif, dans un verre comme les nôtres. Si tu promets de faire bien attention.

— Je promets. Je pourrai faire un toast ?

— Bien sûr !

Cole déboucha la bouteille, versa du vin dans leurs deux verres, et attendit que Brenna eût servi le petit garçon. Accroupi devant lui, il lui demanda :

— À quoi veux-tu boire ?

Teddy fit une grimace en réfléchissant.

— À ta tante ? proposa Cole.

Le gamin hocha vigoureusement la tête.

— Alors, vas-y, dis-le.

Le petit garçon leva son verre, projetant quelques gouttes par dessus le rebord.

— J'aimerais que ma Tatie ait une maison à elle. Et j'aimerais... qu'elle ait... un papa.

— J'ai un papa, Teddy : c'est ton grand-père James.

— Oui, mais... Je veux dire un papa. Tu sais bien, comme maman et papa.

— Tu veux dire un mari ? demanda Cole.

Le visage du petit s'éclaira.

— C'est ça !

Sentant ses joues virer au rouge brique, Brenna jeta à Cole un coup d'œil furtif qu'il ne sembla pas remarquer. Il trinqua, et dit :

— À Brenna. Puisses-tu avoir toutes les choses que tu désires et qui te rendront heureuse.

10.

— Je vous remercie. Merci à tous les deux.

Brenna but une gorgée de vin, les yeux dans les yeux de Cole. Il se pencha doucement pour embrasser l'un après l'autre chacun de ses doigts, puis sa paume. Longuement. C'était le geste le plus sensuel que Brenna eût jamais vécu.

— Ça fait aussi parti du toast? demanda la petite voix de Teddy.

— Parfois, répondit Cole.

Tout en retenant la main que la jeune femme cherchait à lui reprendre, il but une autre gorgée de vin, puis tendit son verre à sa compagne.

— Parfois, on partage aussi le même verre.

Teddy brandit le sien qui était presque vide.

— Je suis d'accord pour partager!

Devant ce jus épais et sucré, Brenna hésita. Tout de suite, Cole vola à son secours.

— Il ne faut jamais mélanger les apéritifs, dit-il gravement.

Tout au long du dîner, Cole se demanda si la présence de Teddy ne représentait pas, en fait, un avantage. Bien sûr, il aurait préféré être seul avec Brenna, mais, grâce au petit garçon, ils pouvaient enfin passer ensemble cette soirée qu'elle avait si longtemps refusé de lui accorder. La situation lui demandait pourtant un énorme effort de contrôle. Il sentait encore en lui le choc de cet instant où elle avait retenu son souffle et levé vers lui de grands yeux lumineux dans lesquels il lisait un désir aussi intense que le sien. Le bavardage d'un petit garçon, aussi charmant fût-il, représentait une diversion dont il se serait bien passé.

Il y pensait plus que jamais en aidant Brenna à le mettre au lit. Lui qui savait si bien gagner du temps devant un tribunal, il dut reconnaître que Teddy le surpassait largement en la matière. En dernier recours, après avoir épuisé toutes les stratégies habituelles visant à reculer le moment d'éteindre la lumière, il supplia Cole de lui raconter une dernière histoire. Celui-ci refusa catégoriquement : Brenna venait déjà de lui en raconter deux ! Par chance, la jeune femme décréta, fermement mais gentiment, qu'il était l'heure de dormir.

— J'avais oublié à quel point les gosses sont épuisants, dit Cole en soupirant, quand ils se retrouvèrent tête-à-tête.

Il se rendit dans la cuisine, versa le fond de la bouteille dans un verre, et rejoignit la jeune femme au salon.

— Et encore, il n'y en a qu'un, ici ! répondit Brenna.

— Ça ne veut pas dire que ce soit plus facile ! Ma sœur a deux petites filles : elles peuvent jouer ensemble et laisser respirer leur mère.

— Tu les vois souvent ?

Elle alluma la chaîne, et un concerto de Vivaldi s'éleva dans la pièce. Cole s'était laissé tomber sur le canapé ; elle s'installa à l'autre bout en repliant ses jambes sous elle.

— Pas assez souvent : trois ou quatre fois dans l'année. Ils habitent à Cheyenne. Le dîner était délicieux.

— Je parie que tu dis ça chaque fois qu'on t'invite !

Il but une gorgée de vin, et lui tendit le verre. Elle accepta, et but à son tour.

— C'est un vin merveilleux.

— Maintenant que nous avons échangé toutes ces politesses, tu veux savoir ce que je pense vraiment ? demanda Cole avec un sourire plein de tendresse.

Elle leva les yeux vers lui.

— Je pense que tu es une femme extraordinaire. J'ai passé une soirée merveilleuse. J'aime être ici avec toi.

Surpris, il vit son regard vaciller. Loin de s'adoucir, son expression était presque... douloureuse. Il aurait aimé lui demander à quoi elle pensait, mais il sentait que, cette fois, elle ne le lui dirait pas.

— Ça te gêne que je dise ça ? lui demanda-t-il, cherchant à comprendre pourquoi elle semblait si mal à l'aise.

Elle secoua la tête, et il insista doucement, penché vers elle :

— Mais ?

Cette fois, elle accepta de croiser son regard.

— J'aurais dû répondre « merci », c'est ça ?

— C'est ça, dit-il en souriant.

Le problème ne devait pas être bien grave puisqu'elle plaisantait. Pour l'instant, il voulait bien revenir aux sujets neutres si cela devait la détendre.

— En plus, tu as deviné que j'adorais les crevettes.

— Parfait !

Elle était trop adorable, il ne pouvait plus garder ses distances. Il prit sa main avec douceur, voulut l'attirer vers lui. Comme elle résistait, il glissa lui-même le long de la banquette pour s'approcher d'elle.

— Je suis content de voir que nous avons les mêmes goûts.

— J'avoue que les tâches domestiques ne me passionnent pas, dit-elle en renversant la tête en arrière pour lui sourire. Le repas de ce soir ne m'a donné aucun mal, comme tu dois t'en douter !

— C'est très bien comme ça, répliqua-t-il. Pour ma part, je sais merveilleusement cuire les steaks. Entre ton plat et le mien, on mangerait comme des rois.

— Ça reviendrait cher !

— Je n'aurais qu'à trouver quelques clients de plus. Des gros clients, bien sûr !

— Je croyais que tu voulais justement leur échapper en quittant ton ancienne firme.

— Non : seulement échapper aux affaires qui ne me plaisaient pas.

Il reprit le verre et le lui offrit. Ses lèvres laissèrent une trace légère sur le rebord de cristal. Incapable de résister, il caressa sa joue du bout des doigts.

— Tu es si belle, chuchota-t-il.

Elle secoua légèrement la tête.

— Si. Depuis le premier jour, j'ai envie de faire ça.

Glissant la main derrière sa tête, il plongea les doigts dans ses cheveux et posa un instant ses lèvres sur les siennes. Il eut alors l'impression qu'elle laissait sa marque sur lui. Il effleura à peine sa bouche, puis s'écarta de quelques millimètres, revint la toucher, la quitta de nouveau.

Quelle torture! Elle allait mourir s'il la faisait attendre un instant de plus... Elle ouvrit les yeux et plongea son regard dans celui de Cole. Les paillettes dorées dans ses yeux bleus l'aveuglèrent.

— Brenna, ma belle, chuchota-t-il contre ses lèvres.

Elle ferma les yeux, soupira et se laissa aller contre lui, offerte. La pression de sa bouche s'intensifia; il noua ses bras autour d'elle et l'attira sur ses genoux. Elle plongea les mains dans ses cheveux, savourant leur texture, savourant cet instant qui la touchait comme aucun baiser ne l'avait touchée jusqu'ici.

Le désir coulait en elle telle de la lave. Elle ne pensait plus; elle ne pouvait plus que ressentir. Ressentir jusqu'au fond d'elle le bonheur d'être dans ses bras, et d'attiser le feu avec cette lente caresse de leurs bouches.

Cole frissonna violemment. Il adorait embrasser Brenna — cela, il le savait déjà, mais il ne s'attendait pas à ressentir pour elle une telle tendresse, une telle envie de prendre soin d'elle. Si le désir n'était pas nouveau, cette sensation l'était. D'autres femmes l'avaient désiré, mais aucune n'avait tremblé ainsi dans ses bras.

Il aimait faire l'amour; il aimait passionnément la douceur incomparable d'un corps de femme, mais ce qui se passait cette fois était différent. Ce qu'il ressentait pour Brenna était d'une intensité presque douloureuse. En comparaison, le simple désir était accessoire.

Il leva la tête pour la regarder. Les yeux fermés, le souffle aussi tourmenté que le sien, elle déposait des baisers le long de sa mâchoire, en soupirant avec un sourire de bonheur. Ce sourire le transperça. Aucun contact, même la façon dont elle l'avait embrassé à l'instant, ne lui avait jamais semblé aussi chargé d'érotisme.

Il pressa sa bouche contre sa joue. Il voulait explorer le satin de sa peau, la voir allongée sous lui, vêtue uniquement de la chaîne d'or qu'elle portait au cou. De toutes ses forces, il repoussa la pensée de Teddy, qui pourrait les interrompre à n'importe quel moment ; de Michael et Jane, qui allaient rentrer ; du long trajet vers sa maison vide où il affronterait encore une nuit agitée, à imaginer toutes les façons dont le corps souple de Brenna pourrait bouger sous le sien...

Un dernier baiser puis il s'écarta lentement d'elle.

— Assez. Tu vas me tuer.

Elle lui lança un sourire incroyablement sensuel. Dans ses yeux dansaient des étincelles espiègles. Il adorait cette expression.

— Quelle mort atroce !

Le bout de sa langue toucha ses propres lèvres gonflées, et il éclata de rire.

— Tu ferais craquer un saint ! Et moi, je ne suis pas un saint.

Il effleura ses lèvres des siennes, un baiser chaste malgré son désir furieux, puis il se leva et parcourut la pièce du regard, à la recherche d'une diversion. N'importe quelle diversion ferait l'affaire. Sur une étagère, près de la chaîne stéréo, il repéra plusieurs jeux de société, y compris son préféré.

— On fait un Scrabble ? proposa-t-il.

L'euphorie de Brenna retomba d'un seul coup. Pourquoi pas une partie d'échecs, de backgammon, ou même de Monopoly ? — cela faisait longtemps qu'elle avait mémorisé les cartes. Pourquoi fallait-il qu'il choisît le Scrabble ?

Cette fois, quand son cœur s'emballa, elle sut que ce n'était plus par passion mais à cause de la panique. Au fond, ils n'avaient rien de commun. Elle savait embraser le corps de Cole et le sien, mais elle ne pourrait rien partager d'autre avec lui. Rien de ce qui compte vraiment.

— Un backgammon, plutôt, suggéra-t-elle tristement.

— Je joue mieux au Scrabble.

Pitié, non, pas ce soir ! Quand, alors ? Quand leur histoire serait allée trop loin ? Le cœur lourd, elle comprit qu'ils avaient atteint le point de non-retour. Comme c'était difficile de sourire !

— Raison de plus pour jouer au backgammon !

— Tu ne veux pas jouer au Scrabble parce que tu as peur de moi, dit-il d'un air malicieux. D'ailleurs, tu n'as pas tort.

Peur de lui ? Bien sûr ! Elle serra ses mains moites l'une contre l'autre et attendit la suite.

— Tu sais pourquoi ? demanda-t-il.

Muette, elle secoua la tête. Le moment fatidique était arrivé. Il allait se servir du Scrabble pour lui dire, avec toute la gentillesse possible — car il était profondément gentil — qu'il avait compris, depuis le début, qu'elle ne savait pas lire.

— Je suis le champion des mots qui comptent triple ! annonça-t-il avec un sourire triomphant. Ma sœur a fini par refuser de jouer avec moi, ma mère aussi. Il est temps que je trouve un nouvel adversaire.

— Moi ?

— Toi, dit-il avec un clin d'œil.

— Oh, pas question ! s'écria-t-elle dans un vertige de soulagement. Si l'un des deux doit avoir un avantage, autant que ce soit moi !

Relevant le menton, elle lui lança un sourire un peu tremblant.

— Après tout, tu devrais te montrer plus galant...

Souriant, il alla chercher le backgammon et revint vers elle en disant :

— Il faudra que tu m'apprennes. J'y ai joué quand j'étais petit, mais je ne me souviens plus.

Il posa la boîte sur la table basse et l'ouvrit. Brenna s'assit en tailleur sur le plancher.

— Oh, c'est facile ! Tu veux les blancs ou les noirs ?

Cole choisit les pions noirs. Elle lui montra comment les aligner, et lui expliqua la façon dont on les déplaçait. Il comprit très vite, et apprécia comme elle le mélange de chance, d'habileté et d'opportunisme nécessaire pour gagner. Elle remporta la première partie, de justesse. Il gagna les deux suivantes. À la quatrième, elle était déterminée à ne plus se laisser battre, mais les dés étaient contre elle et, quand Cole eut lancé son troisième doublé — des six, bien entendu — elle leva les mains au ciel avec une exclamation exaspérée.

— J'aime bien ce jeu, dit-il en se penchant par-dessus la table pour l'embrasser avec fougue.

— Ce n'est pas juste ! gémit-elle en posant son menton sur ses mains. Je t'apprends mon jeu préféré et tu en profites bassement.

Il lui lança un sourire et revint prendre un autre baiser.

— Ah bon ? C'est ton jeu préféré ?

Son dernier doublé l'autorisait à jouer encore une fois. Il lança les dés et récolta les points nécessaires pour terminer la partie. Cette fois, quand il se pencha vers elle, il s'empara de sa bouche avec une sensualité qui lui coupa le souffle.

— Tu me rends fou, souffla-t-il contre sa bouche.

— Toi aussi, avoua-t-elle d'une voix enrouée.

— Une dernière partie ? proposa-t-il.

— Bien sûr ! répondit-elle en retrouvant son sourire. Si tu crois que je vais me laisser battre une fois de plus ! Je suis à genoux mais pas encore à terre.

— Je n'avais pas l'intention de te battre, la première fois.

Entendait-elle ce qu'il cherchait à lui dire ? Car il ne parlait plus du jeu mais du procès. Depuis le premier soir, ils n'y avaient plus fait aucune allusion.

— Ha ! s'écria-t-elle en alignant ses pions. Tu t'es jeté sur moi comme un fauve assoiffé de sang.

Il savait qu'elle ne parlait que du jeu, mais il eut mal tout de même. Ces paroles décrivaient trop bien le verdict et l'accord qui avait suivi.

— Je ne voulais pas que tu en souffres...

Quelque chose dans sa voix incita la jeune femme à lever la tête pour le regarder. Il la contemplait avec une telle intensité qu'elle tendit la main pour lui toucher la joue.

— De quoi parles-tu ?

Il prit sa main, la pressa contre son visage, et la retourna pour en embrasser la paume.

— Ce procès t'a tant coûté, et pas seulement en termes d'argent. Si je pouvais revenir en arrière...

Elle ne pouvait pas détourner son regard du sien. Il regrettait donc à ce point le rôle qu'il avait joué dans sa débâcle ?

— Tu n'as aucune raison de te sentir coupable. J'ai eu exactement ce que je méritais.

Il secoua la tête, et elle voulut le rassurer :

— J'étais stup...

Elle se tut tout à coup. « Pas si vite, pensa-t-elle. Il vient de te donner l'occasion idéale d'expliquer les causes réelles de ce procès. De tout expliquer. »

— Je me suis mise dans le pétrin toute seule, reprit-elle lentement. Je ne peux m'en prendre à personne d'autre qu'à moi. Si tu n'avais pas représenté Bates, quelqu'un d'autre l'aurait fait. Je sais maintenant que tu as fait tout ce que tu pouvais pour moi, le dernier jour, quand je suis venue signer l'accord.

Elle baissa la tête un instant, puis le regarda bien en face.

— Cole, quand as-tu quitté la firme pour laquelle tu travaillais ?

— Il y a plusieurs mois.

— Quand exactement ? C'était juste après mon affaire, n'est-ce pas ?

— Oui.

Il n'en éprouvait aucun regret, aucun désir de revenir en arrière.

— Le temps d'en finir avec Bates, j'avais déjà compris ce que je voulais faire. Tôt ou tard, de toute façon, je serais parti.

Elle lui saisit la main, la serra de toutes ses forces.

— Ce serait terrible pour moi de penser que le fait de t'être opposé à Bates ait pu...

— Bates a obtenu bien plus qu'il ne méritait, déclara Cole en retrouvant sa colère intacte. John Miller aurait pu faire beaucoup pour limiter les dégâts.

Elle lui sourit avec tristesse.

— John Miller n'a fait que confirmer le vieux proverbe : quand on paie pour des pommes de terre, on ne reçoit pas des fraises.

— Ça ne veut pas dire...

— Et puis, je savais que je devrais rembourser Bates, quoi qu'il arrive.

Cole secoua la tête.

— Il n'a strictement rien fait pour te défendre. Tu aurais assez d'éléments pour l'attaquer en justice, tu sais ?

— Avec quoi ? Au cas où tu ne l'aurais pas remarqué, je suis fauchée.

— Je sais, murmura-t-il en écartant une mèche de sa joue. C'est drôle : Bates était persuadé que tu avais de l'argent. J'ai eu beau lui répéter que tu n'avais pas un centime, il disait que tu pouvais trouver les fonds.

Le visage figé de Brenna ressemblait au masque qu'elle portait lors de leur première rencontre. Elle se tut un long instant, puis dit :

— C'est drôle, comme certaines choses reviennent vous hanter. Je me suis toujours demandé pourquoi Bates refusait d'accepter des versements partiels.

— Il pense que ton père est riche.

— Il l'est. Je ne sais pas comment il a pu le savoir.

— Ton père ne te prêterait pas...

— Je ne le lui demanderai pas. Jamais ! lança-t-elle d'une voix basse et furieuse.

Il lui saisit les mains. Il venait de se souvenir des rapports qu'elle avait avec son père.

— Je ne voulais pas te faire de peine.

— Tu ne m'as pas... fait de peine.

Elle avala sa salive, puis baissa la tête.

— Je suis désolé.

Oui, il était désolé qu'elle n'eût pas eu un père comme le sien. Désolé que son père ne l'eût pas acceptée telle qu'elle était, désolé qu'après tout ce temps, elle en souffrît encore.

— Je ne t'en veux pas. Je t'assure, murmura-t-elle.

— Tu devrais.

— Ça changerait quelque chose ?

Il la contempla, très ému. Une foule d'images d'elle se bousculait dans son esprit. Brenna au travail, accomplissant consciencieusement des tâches ne faisant appel qu'à une toute petite partie de ses capacités — sans jamais se plaindre. Brenna avec Teddy, tendre et joyeuse. Brenna avec lui, confiante malgré tout ce qui aurait pu l'amener à se méfier de lui. Dans chaque situation, elle s'offrait tout entière, sans conditions.

— Je donnerais mon bras droit pour te faciliter les choses, dit-il. Tu es quelqu'un d'exceptionnel. Tu ne rejettes rien sur le dos des autres, même quand tu aurais de bonnes raisons de le faire. Tu fais ce que tu as à faire, sans jamais chercher de raccourcis. Je t'admire.

— Je ne suis pas comme ça, chuchota-t-elle. Si tu savais...

— Je n'ai jamais vu quelqu'un travailler aussi dur. Il y a une quinzaine de jours, tu m'as dit combien d'heures de ménage tu devrais faire pour pouvoir louer un appartement. Et tu es sur le point de toucher au but ! Je suis content pour toi.

Posant la main sur sa joue, il se pencha vers elle.

— J'adore aussi la façon dont tu m'as appris à jouer au backgammon. Avec toi, tout est clair : chaque étape mène à la suivante. Et j'adore te regarder quand tu lis des histoires aux gosses. Ton visage est si expressif, si vivant...

Sans l'avoir décidé, il chuchota :

— Je suis déjà à moitié amoureux de toi...

Il vit des larmes dans ses beaux yeux.

— Chut, murmura-t-il. On ira aussi lentement que tu voudras. Mais un jour, ma belle, je comprendrai ce qui t'a blessée à ce point.

Doucement, il effleura ses lèvres des siennes.

— Un jour, répéta-t-il avant de s'emparer de sa bouche dans un baiser passionné.

Un jour, pensa-t-elle, elle aurait le courage de tout lui dire.

11.

Le lendemain matin, Cole arriva le premier au cabinet. Il traversa les locaux en allumant les lumières et se dirigea vers la petite pièce du fond où se trouvait la machine à café. Il venait juste de remplir le réservoir d'eau quand il entendit la porte d'entrée s'ouvrir, puis se refermer.

Surpris, il revint vers la réception... et trouva Zach MacKenzie adossé contre le battant, la tête rejetée en arrière, les yeux fermés. Sa chemise et son blouson étaient sales et fripés, sa cravate déchirée. Il semblait ne pas s'être rasé depuis au moins deux jours.

Et ce n'était pas tout : il puait l'alcool à dix pas ! L'inquiétude de Cole se transforma en une incrédulité horrifiée.

— Zach ?

L'autre ouvrit les yeux.

— Faut qu'on parle, bredouilla-t-il.

— Vous avez bu !

Ce n'était pas la première fois qu'un client lui mentait, et ce ne serait sans doute pas la dernière, mais, cette fois, il était tellement sûr que Zach jouait cartes sur table !

MacKenzie leva mollement la main.

— Si j'ai besoin qu'on me fasse la morale, j'irai voir ma mère.

— Avec tout ce qui est en jeu, comment avez-vous pu...

— Ne commencez pas, Maître !

S'écartant du mur avec effort, il se dirigea vers le bureau de Cole.

— Ce qu'il me faudrait en ce moment, c'est un ami.

— Alors, vous n'êtes pas venu au bon endroit. Je suis votre avocat.

Et, tout en disant cela, il se rendit compte avec stupeur qu'il aurait aimé devenir l'ami de MacKenzie.

— Vous m'aviez dit que vous ne buviez plus !

— J'ai recommencé. Si vous tenez tant à m'enguirlander, proposez-moi au moins une tasse de café.

— Du café ?

Zach se retourna et lui offrit un sourire triste et brouillé.

— Ouais. Aussi noir que le cœur d'une femme volage.

— Avec ou sans pousse-café ?

MacKenzie haussa les sourcils.

— Ça, je le méritais probablement, mais... ne me tentez pas. La réponse ne vous plairait pas.

Cole contempla son client tandis qu'il se laissait tomber sur un siège et se prenait la tête à deux mains.

— Et un cachet d'aspirine avec le café, marmonna-t-il sans relever la tête. J'ai une de ces casquettes !

Cole tourna les talons et se dirigea sans un mot vers la salle du fond. Il sentait venir le mal de tête, lui aussi.

Pendant que le café passait, il patienta en luttant contre sa colère. Mais ce fut elle qui l'emporta, et il abattit sa main sur la table dans un geste rageur.

— Pauvre crétin ! Imbécile ! marmonna-t-il.

— C'est l'alcool, dit la voix de Myra derrière lui.

Cole sursauta et se retourna d'un bond vers sa secrétaire.

— Désolée, dit-elle avec un léger sourire d'excuse. Je croyais que vous m'aviez entendue entrer. Vous avez l'air prêt à étrangler quelqu'un.

— C'est à peu près ça.

Il servit deux tasses de café bien fort. Elle vint les lui prendre des mains et se dirigea vers la porte en disant :

— Ça ne sert à rien de lui parler tant que vous êtes furieux. Vous devriez prendre cinq minutes, aller faire le tour du pâté de maisons jusqu'à ce que vous vous sentiez...

— Plus calme ?

Elle approuva de la tête.

Il la contempla un instant. Dès le début de leur collaboration à la firme, il lui avait demandé de l'aider à contrôler ses sautes d'humeur. Myra savait juger les gens, et il attachait beaucoup d'importance à ce talent, mais, en ce moment, il lui en voulait un peu de voir si clair en lui. Il hocha la tête et elle sortit. Un instant plus tard, il entendit sa voix, puis celle de MacKenzie.

Il but à son tour une tasse de café, en prenant tout son temps, puis retourna dans le bureau en emportant la cafetière.

Myra s'était installée près de Zach, et Cole sentit tout de suite qu'elle avait su calmer le jeu. Elle avait ce don : les gens s'ouvraient à elle. Lorsque son patron se montra sur le seuil, elle tapota la main de Zach et se leva. Cole croisa son regard, y lut un avertissement, et vint remplir la tasse de son client. Myra quitta alors le bureau en refermant doucement la porte derrière elle.

En fourrageant dans un tiroir, Cole trouva un flacon d'aspirine et le passa à MacKenzie sans un mot. Celui-ci ouvrit la capsule sécurité avec plus d'aisance qu'il ne s'y attendait, versa deux cachets dans le creux de sa paume et les avala avec une longue gorgée de café.

Cole se laissa tomber derrière son bureau et contempla son client. L'angoisse se glissait en lui comme une marée de plomb.

— Mon père ne me croit pas, dit tout à coup MacKenzie.

— Une grande nouvelle !

— Il dit que j'ai fait mes choix et que je n'ai plus qu'à les assumer. Comme si je ne le savais pas !

Il respira à fond et reprit :

— Il m'a dit... qu'il s'attendait depuis des années à ce que je tue quelqu'un. Et je l'ai fait. On peut formuler ça comme on voudra, ça ne change rien aux faits.

— Mettez-vous à parler comme ça à l'audience et ce ne sera même pas la peine que je plaide ! Écoutez, il faut arriver devant le juge...

— Ce n'est pas du juge qu'il s'agit ! C'est de...

Il chercha ses mots, puis fit un grand geste de désespoir.

— Il y a l'aspect légal, et il y a l'aspect juste. Vous comprenez ça ?

Cole préféra ne pas répondre.

— Qu'est-ce qui vous a poussé à boire, cette nuit ?

L'autre sortit une bague de la poche de son blouson et l'envoya valser à travers le bureau. Le bijou s'immobilisa dans un éclair de diamants.

— Pamela est d'accord avec mon père. Elle pense que je suis un vaurien, et même un salaud.

Il leva vers Cole des yeux de vieil homme, fatigués, résignés.

— Je n'ai pas menti pour la nuit de l'accident, dit-il.

Cole se sentit alors envahi par un mauvais pressentiment. MacKenzie poursuivit en soutenant son regard :

— Cette nuit-là... la nuit de l'accident... en sortant du Score, je suis allé chez Pamela. On a bu un verre. Enfin, on en a bu plusieurs. Je comptais passer la nuit chez elle mais on s'est disputés.

Il sauta sur ses pieds et enchaîna, le souffle court :

— Et je suis parti. Je n'étais pas soûl, je jure que je ne l'étais pas. Juste bouleversé. Conduire sous l'influence de la colère, c'est peut-être légal, mais ce n'est pas mieux que de conduire en état d'ivresse. Je savais que je n'aurais pas dû prendre le volant. Alors, je suis entré dans un Denny's, j'ai commandé une omelette et des pancakes, et j'ai lu un bon litre de café. J'y suis resté plus d'une heure.

Il se retourna vers Cole en répétant :

— Je le jure. Je n'étais pas soûl quand je suis reparti.

— L'adresse de ce Denny's ?

Zach cita les rues qui formaient le carrefour où se trouvait le snack.

— Je suppose que vous ne vous souvenez pas de la serveuse ?

— Non.

Cole tira vers lui un bloc de papier.

— Ce n'est pas grave, dit-il en griffonnant quelques mots. On peut la retrouver et lui montrer votre photo... Elle se souviendra peut-être de vous.

Levant les yeux, il demanda :

— Vous avez payé comment ? En liquide ? Par carte ?

— Aucune idée !

— C'est important. Si c'est par carte, nous aurons une trace.

Zach jaillit encore une fois de son siège, comme s'il ne supportait pas de rester en place.

— Je ne me souviens pas, je vous dis ! La note ne devait pas dépasser dix dollars : j'ai dû payer en liquide. Qu'est-ce que ça peut faire ?

— Ça peut nous aider à prouver que vous n'étiez pas soûl au moment de l'accident. Combien de temps entre votre départ du Denny's et le moment où...

— Le moment où j'ai tué quelqu'un ?

Cole leva la tête de ses notes et posa son crayon.

— Si c'est comme ça que vous voulez formuler les choses, libre à vous.

— Dix minutes, un quart d'heure, répondit Zac en haussant les épaules. Moins d'une demi-heure, en tout cas.

— Pourquoi ne pas m'avoir dit tout ça plus tôt ?

— Je pensais que vous ne me croiriez pas.

— Vous seriez stupéfait de ce que je suis prêt à croire, répliqua Cole.

Zach le regarda droit dans les yeux.

— Je ne vous ai pas menti.

— Vous ne m'avez pas non plus dit toute la vérité.

Il repoussa en arrière son siège à roulettes. La colère couvait de nouveau en lui, volatile, difficile à contrôler. Il saisit alors les tasses vides et disparut dans l'autre pièce. Là, il resta un long moment immobile, irrité contre Zach, furieux contre lui-même. Sa conviction intime quant à la culpabilité ou l'innocence d'un client n'entrait pas en ligne de compte. Il était là pour s'assurer que la partie adverse jouerait le jeu selon les règles, et aussi pour trouver des indices capables d'étayer sa version des faits. Et pourtant, l'innocence de MacKenzie comptait pour lui. Au fond, il se sentait trahi. Tout en marmonnant un juron, il retourna dans son bureau.

Zach se tenait plus droit, maintenant. Cole posa devant lui une tasse fraîchement remplie et alla se planter devant la grande vitre. Le supermarché d'en face, le flot ininterrompu de la circulation créaient un environnement très différent de celui qu'il avait connu à la firme, avec sa vue splendide sur le Réservoir de Cherry Creek. Ses clients n'étaient pas les mêmes non plus. L'affaire MacKenzie risquait de tourner très mal, mais elle valait tout de même mieux que celle de Bates.

Zach s'éclaircit la gorge.

— Elle va témoigner contre moi, dit-il.

— Pamela ?

C'était donc ça qui l'avait poussé à bout ! Il hocha la tête et demanda :

— C'est grave ?

— Ça ne va pas nous faciliter la tâche.

Cole avala une gorgée de café, et sentit sa colère diminuer. Ce soir, le pauvre Zach n'était pas retombé dans l'alcool simplement par faiblesse : il avait une raison de taille.

— Il y a encore autre chose.

Encore ? Cole n'avait pas très envie d'entendre la suite : cette « autre chose » lui faisait déjà froid dans le dos.

— En sortant d'ici, j'entre à la clinique Maizer.

Cet hôpital était le meilleur de la région pour traiter les problèmes d'alcool ou de drogue. À n'importe quel autre moment, Cole aurait applaudi des deux mains, mais on n'était qu'à six semaines de la première audience ! Si le procureur apprenait cela, il s'en servirait pour appuyer sa thèse. C'était le pire moment pour...

— Vous faites le programme de trente jours ?

— Ouais.

— Ça ne peut pas attendre la fin du procès ?

Zach releva la tête, tendit la main et prit sa tasse de café.

— C'est ce que je comptais faire, mais je vois bien que je ne tiens pas le coup. Je m'étais juré de ne plus boire une goutte d'alcool avant l'audience.

Un bref instant, il croisa le regard de Cole.

— Je ne peux pas m'en empêcher.

— Ça ne va pas plaire au jury.

Zach eut un rire sans joie.

— Vous croyez que ça me plaît, à moi ? Vous croyez que

j'ai le choix ? Je ne peux me présenter à l'audience avec cette tête-là.

Tout à coup, Cole se rappela d'un centre de désintoxication, très cher mais aussi très discret, dont il avait entendu parler quand il travaillait encore à la firme.

— Je connais un endroit...

— Merci, mais non.

— Et si vous alliez suivre le traitement à la clinique tous les jours et que vous rentriez chez vous le soir ?

— Si je dois le faire, je veux le faire bien. En sortant d'ici, je n'aurai qu'une envie : me précipiter dans le premier bar venu. Si vous saviez ! Seulement, je ne veux pas me réveiller un jour et m'apercevoir que je ne suis qu'un sale ivrogne ruiné. Comme mon père me voit déjà. Quant à Pamela...

Il tendit la main, reprit la bague et la fourra dans sa poche.

— Encore une chose...

— Encore ?

Zach sourit.

— Oui, Maître. Encore une chose.

Cole secoua la tête, désemparé.

— Allez-y. Au point où nous en sommes...

— Le Score... Vous savez, le bar ? Théo dit qu'on va le fermer. À cause de mon histoire, leur compagnie d'assurances vient d'augmenter sévèrement le montant des cotisations.

— Vous êtes sûr ?

— Théo m'a dit ça hier soir. Le grand patron passera aujourd'hui prévenir toute l'équipe. Vous voyez, ce n'est plus seulement moi que je détruis. Si j'avais su ça...

Zach sortit une carte de sa poche et y nota un numéro de téléphone.

— Je ne pourrai pas vous parler avant plusieurs jours, mais si vous avez besoin de me laisser un message, vous pourrez me joindre à ce numéro.

Il se leva, et tendit la main à son avocat.

— À dans trente jours, dit-il. Je serai propre, sobre et frais comme un gardon.

Après le départ de Zach, Cole s'enfonça dans son fauteuil et se mit à réfléchir. Lui qui savait si bien discipliner ses pensées en temps ordinaire ne parvenait pas à laisser de côté ce problème, auquel il ne pouvait rien faire, pour se concentrer sur les autres affaires dont il avait à s'occuper.

Une partie de lui en voulait à Zach. Il dut retourner longuement la question dans son esprit avant de s'avouer qu'une autre partie de lui admirait le courage qu'il avait dû puiser en lui pour faire ce choix. Zach n'était pas coupable, mais il n'était pas non plus tout à fait innocent. Au début, Cole s'était senti sûr de gagner cette affaire — tout en sachant que ce serait difficile. À présent, il n'était plus sûr de rien.

MacKenzie méritait toute l'aide qu'il pourrait lui apporter, simplement parce qu'il était prêt à affronter ses problèmes de front. Cole espérait seulement que son aide suffirait à le tirer d'affaire. Dans un sens, Zach lui rappelait Brenna : il ne rejetait pas la faute sur les autres, et ne restait pas là à se tordre les mains en espérant qu'on viendrait le sauver. Même catastrophé à l'idée de voir son client commencer un programme de désintoxication juste avant son procès, Cole sentait bien que c'était la meilleure chose à faire.

Il voulut appeler Brenna pour la prévenir que le bar allait fermer, mais personne ne répondit. Puis ses rendez-vous s'enchaînèrent, et les heures passèrent sans qu'il eût la possibilité de rappeler. Il essaya encore une fois en fin d'après-midi, toujours en vain. Ses dossiers le retinrent au bureau jusqu'à plus de 8 heures du soir, mais, dès qu'il fut libre, il fonça droit chez les James.

Pendant le trajet, il décida qu'il avait besoin d'une coupure — et Brenna aussi. Ils devraient prendre quelques jours de vacances, histoire de paresser un peu et de changer de décor. Brenna avait aimé la ferme de ses grands-parents, elle aimerait sûrement le ranch. Quant à lui, il n'y avait pas mis les pieds de tout l'été, et il ressentait le besoin de rentrer à la maison.

À la maison ? Le ranch n'était plus sa maison, mais il pouvait toujours se ressourcer là-bas, dans ce lieu où il se sentait si bien — et au sujet duquel il se disputait avec Susan chaque fois qu'ils avaient quelques jours de liberté. Toute sa vie, elle avait passé ses vacances dans des lieux exotiques. Le Noël qu'il avait passé avec elle à Hawaii aurait dû être inoubliable, mais il était resté sur sa faim. Un paradis au lieu d'un blizzard, une femme passionnée dans son lit mais pas de nièces ou de neveux à border la veille de Noël...

Oui, il inviterait Brenna au ranch, pour le long week-end du 4 juillet. Même s'il devinait comment ses parents et sa grand-mère allaient interpréter sa présence — car il n'avait amené aucune femme là-bas avant Susan, et aucune depuis.

Il gara la voiture devant chez les James, et alla sonner à la porte. Michael lui ouvrit, l'air un peu soucieux.

— Elle est allée courir, dit-il en réponse à ses questions.

— Elle vous a dit que le bar fermait ?

— Ouais... Elle nous a fait la surprise de rentrer pendant qu'on dînait.

— Elle va bien ?

— Je le croyais jusqu'à ce que notre père téléphone. Ils ont parlé deux minutes et elle est sortie tout de suite après.

Il se gratta la mâchoire et ajouta sans emphase :

— En général, elle sort toujours après lui avoir parlé. Entrez, installez-vous.

Cole le suivit à l'intérieur en demandant :

— Leurs rapports ne se sont pas améliorés ?

— Elle vous a parlé de lui ? demanda Michael, très surpris.

— Seulement pour me dire qu'elle était partie de la maison à quinze ans, et que votre mère et votre grand-mère étaient mortes peu après.

Il savait aussi que leur père la battait, mais cela, il décida de ne pas en parler.

— Où va-t-elle pour courir ? Au Washington Park ?

— Oui.

— Je vais faire un tour là-bas. Si elle rentre, dites-lui de m'attendre.

Il repartit à pied et la trouva quatre rues plus loin, en train de marcher vers lui, la tête basse, les épaules voûtées. Comme si elle avait senti son regard sur elle, elle leva les yeux, et il pressa le pas pour la rejoindre.

— Bonsoir, dit-il en passant un bras autour de ses épaules et en posant un baiser sur son front. Je suis content de te voir.

Brenna aurait préféré se débrouiller toute seule, mais... oh, comme cela faisait du bien ! Sans un mot, elle noua les bras autour de sa taille, bouleversée par le soulagement qu'elle ressentait. Elle ne s'était pas doutée à quel point elle avait besoin de lui avant de se retrouver dans le cercle de ses bras.

— Le bar a fermé, dit-elle.

Il posa un baiser dans ses cheveux.

— J'ai appris, oui. Les coups durs continuent de pleuvoir, alors ?

— Comment as-tu su ?

— C'est Zach MacKenzie qui me l'a dit. Je suis là, ma belle. Je ferai tout ce que je pourrai pour t'aider.

— C'est vrai ? demanda-t-elle machinalement en levant les yeux vers lui.

— C'est vrai, répondit-il avec tendresse. À quoi servent les amis s'ils ne sont pas là quand on a besoin d'eux ?

— Es-tu mon ami, Cole ? chuchota-t-elle.

— Si tu me permets de m'approcher de toi, oui.

— J'essaie..., dit-elle, plus pour elle-même que pour lui.

Il l'attira dans ses bras, écarta du bout du nez les cheveux de son oreille. Elle s'appuya contre lui, frémissante, sentit ses lèvres sur sa joue et tourna la tête, prête à recevoir son baiser. Il ne le lui donna pas tout de suite, mais resta là à la contempler, les yeux mi-clos. Nouant les bras autour de son cou, elle se dressa sur la pointe des pieds pour atteindre sa bouche. Comme si cette fusion de leurs lèvres pouvait lui rendre son intégrité.

Il poussa une plainte sourde en la pressant contre lui. Une vague de chaleur déferla en elle, et elle se blottit encore plus fort dans ses bras. C'était meilleur que toutes les paroles de réconfort.

Cole tremblait, son corps hurlait de désir. Il fallait absolument reculer : c'était un endroit public, et il n'était plus un adolescent capable d'endurer un élan insoutenable sans pouvoir l'assouvir. Il rassembla ses forces et s'arracha à leur étreinte.

— Ça suffit, dit-il d'une voix sourde.

Mais, sans tenir compte de sa propre décision, il pressa ses lèvres sur son visage, son front, avant de reprendre sa bouche. Elle lui rendait baiser pour baiser.

— Je pourrais presque t'allonger là sur le trottoir, et au diable les conséquences ! avoua-t-il en haletant.

— Emmène-moi chez toi, souffla-t-elle, le visage pressé contre son cou.

Il chercha à reprendre son souffle, encadra son visage de ses mains.

— Tu es sûre ?

— Oui.

— Tout de suite ?

Elle hocha la tête. Il lui saisit la main, et ils marchèrent en silence vers l'appartement. Elle luttait pour calmer ses émotions, pour réfléchir — pour se retenir de se jeter de nouveau dans ses bras. Ses jambes tremblaient tant qu'elle trébuchait en marchant. Jamais elle n'avait désiré un homme à ce point.

Au prix d'un effort, elle tourna ses pensées vers des sujets plus ordinaires.

— Il faut que je passe dire à Michael où je vais. Je ne veux pas qu'il s'inquiète.

Cole eut un petit rire.

— Tu me donnes l'impression d'être une lycéenne qui fait le mur avec son petit ami.

— Ça ne risque pas, répliqua-t-elle. Je ne suis jamais allée au lycée.

— De toute façon, Michael n'est pas...

Il se tut tout à coup, puis s'arrêta de marcher et se tourna vers elle.

— Qu'est-ce que tu as dit ?

— Quand ça ?

Mais elle savait parfaitement de quoi il parlait, et se maudissait en silence, sachant qu'elle venait de commettre le pire de tous les faux pas. Elle venait de tout gâcher, au moment où elle allait enfin se retrouver dans ses bras.

[illegible]

— Tout de suite ?

[illegible]

12.

Cole fronçait les sourcils, perplexe.

— Tu n'es pas allée au lycée ?

— Non. Jamais.

Elle lui tenait tête, le menton levé dans une attitude de défi qu'il reconnaissait bien.

— J'ai laissé tomber l'école quand j'étais encore en troisième.

Il semblait complètement abasourdi.

— Mais tu es tellement intelligente, tellement...

Obéissant à un mécanisme si ancien qu'elle ne le reconnaissait pas comme tel, elle passa à l'offensive. Elle avait si souvent eu à se défendre !

— Les études n'étaient pas vraiment une priorité, tu sais. J'essayais de survivre.

Elle se frappa la poitrine avec son poing.

— Regarde-moi bien. Voilà qui je suis : une serveuse de bar, une femme de ménage. Je me débrouille toute seule depuis l'âge de quinze ans.

Il restait planté devant elle sur le trottoir, les bras ballants. Elle insista :

— Ce n'est pas exactement ce que tu imaginais, n'est-ce pas ?

Involontairement, il secoua la tête, et elle se sentit mourir un peu.

— Qui pensions-nous pouvoir tromper, Cole ? Je me doutais bien que ça ne marcherait jamais. Ton monde est ici, et le mien... Ils ne vont pas ensemble, pas du tout. Malgré le courant qui peut passer entre nous.

Il tendit la main vers elle en protestant :

— Il me semble que c'est plus...

— Au revoir, Cole.

Sans attendre sa réaction — sans attendre qu'il l'eût rejetée —, elle partit à grands pas, courut presque le long de l'année, ouvrit la porte à la volée et la claqua derrière elle.

L'estomac noué, le souffle coupé, Cole la regarda partir. Il aurait dû comprendre. Il suffisait de tirer des conclusions logiques de ce qu'il savait d'elle. Elle avait quitté la maison, puis sa mère et sa grand-mère étaient mortes. Elle n'allait pas retourner vivre avec son père, et Michael ne devait avoir que seize ou dix-sept ans : il était trop jeune pour l'aider, même si son père l'avait autorisé à le faire.

Oui, une fille qui a « laissé tomber l'école » travaille à des petits boulots non qualifiés : femme de ménage... ou serveuse de bar. Comme Brenna.

Il secoua la tête, choqué par ses propres pensées. Ce n'était pas comme ça qu'il la voyait, pas du tout ! Lorsqu'il était près d'elle, ces détails n'avaient aucune importance. Il aimait être avec elle. Elle était intelligente, drôle ; elle avait des rêves, et elle les avait partagés avec lui. Tout de même, une femme qui n'a pas terminé la troisième...

Il aurait aimé croire qu'elle avait pris des cours par la suite, peut-être par correspondance, mais, instinctivement, il savait que c'était faux. S'il savait une chose à son sujet, c'était qu'elle ne mentait pas. Si elle disait qu'elle s'était arrêtée en troisième...

Si seulement cette idée ne le dérangeait pas autant !

Un commentaire moqueur de Susan, l'un des derniers qu'elle lui eût jamais lancés, lui revint à l'esprit. Garçon de ferme ! Elle avait dit cela avec mépris. Et pourtant, ses racines rurales faisaient partie de lui ; elles représentaient une part importante de lui...

Il fit deux pas dans l'allée, s'immobilisa de nouveau. Brenna s'attendait à ce qu'il la méprisât, qu'il la reniât, qu'il la blessât. Et il l'avait fait.

Avec une petite exclamation excédée, il rejoignit sa jeep. Il allait devoir réfléchir sérieusement, et décider de la manière dont il devait aborder cette nouvelle facette de la femme complexe dont il se sentait devenir amoureux.

Brenna se retournait dans son lit depuis des heures sans pouvoir trouver le sommeil. Elle ressassait ses erreurs et sa stupidité.

Voilà le problème, se dit-elle, quand on est amoureux : cela transforme le cerveau en une masse amorphe, à la merci de toutes les pulsions. Deux fois déjà, elle s'était précipitée d'elle-même dans le puits sans fond de ses propres terreurs. Si seulement elle avait su se taire, elle serait maintenant dans les bras d'un homme qui lui plaisait infiniment au lieu de se morfondre, seule dans son lit. Une vague de chagrin la submergea. Si seulement...

Si seulement. Cette phrase rythmait les occasions ratées de sa vie.

« Et si tu n'avais rien à cacher ? » demanda une petite voix au fond de sa conscience.

« Mais j'ai quelque chose à cacher. »

« Et si tu lui avais tout dit ? »

« Il serait parti tout de suite. »

« Ce n'est pas lui qui est parti, ce soir. C'est toi qui t'es sauvée. »

« Je ne me suis pas sauvée. »

« Tu crois ? »

Elle laissa retomber sa tête sur l'oreiller, et renonça à lutter contre ses larmes. Quand elle fut un peu calmée, elle prit son courage à deux mains et examina ses souvenirs. Elle revit le visage de Cole au moment où elle le plantait là. Elle y lisait une profonde perplexité, mais aucun reproche. Il était abasourdi, troublé, inquiet peut-être, mais il ne la jugeait pas. Et elle s'était sauvée, comme elle l'avait toujours fait, parce qu'elle n'attendait aucune compréhension de sa part.

Elle sombra dans un sommeil agité, secoué par le rythme de ses propres pas qui fuyaient.

Cinq heures plus tard, elle se réveilla avec un affreux mal de tête. Tous les événements de la veille se bousculaient dans son cerveau douloureux. Elle n'avait pas envie de penser au fait qu'elle se retrouvait au chômage, qu'elle allait devoir chercher un autre emploi. Pas plus qu'elle ne voulait penser à Cole qu'elle avait rejeté parce qu'elle le jugeait plus sévèrement encore qu'elle ne pensait être jugée par lui.

Elle lui devait des excuses. Confusément, elle chercha ce qu'elle pourrait lui dire. « Je regrette, je n'aurais pas dû... ». Quoi ? Quitter l'école à quinze ans ? Te raconter que j'étais partie de chez mes parents ? Me sauver, hier soir ? Te mentir ?

« Je n'aurais pas dû », c'était une phrase qu'elle détestait presque autant que l'expression « si seulement ». Elle sortit du lit, enfila une robe de chambre. Une tasse de café l'aiderait peut-être à s'éclaircir les idées.

Son frère était dans la cuisine quand elle y entra.

— Bonjour, Brenna, dit-il en posant son journal.

Elle lui répondit en marmonnant, et se mit à la recherche du tube d'aspirine. Puis elle remplit un verre d'eau, avala deux comprimés, se versa une tasse de café et vérifia que celle de Michael était encore pleine. Quand elle s'assit en face de lui, il croisa son regard et fronça les sourcils.

— Tu as mal à la tête ?

— Mm.

Elle avala une longue gorgée de café trop chaud.

— Tu veux qu'on parle ?

— Non, dit-elle en sautant sur ses pieds. Je vais aller courir. Ça me fera du bien.

— Peut-être...

Quelques minutes plus tard, elle achevait son échauffement et se dirigeait vers le parc. Elle avait choisi un rythme assez lent car elle comptait courir longtemps — assez longtemps pour engourdir son corps et son cerveau, assez longtemps pour ne plus sentir d'autre douleur que celle de ses jambes. Assez longtemps pour ne plus réfléchir.

Le temps de boucler un premier circuit de Washington Park, elle avait trouvé un rythme confortable et détendu. Son cerveau ne désarmait pas encore, et continuait à passer en revue tous les désastres de sa vie. Au quatrième circuit, elle commença à se demander si elle parviendrait réellement à se calmer.

— Brenna ! Attends-moi ! cria une voix de femme derrière elle.

Elle se retourna, reconnut Nancy et se mit à courir sur place en attendant que son amie l'eût rattrapée. Plus petite et beaucoup plus ronde que Brenna, la pauvre Nancy courait comme si chaque foulée la mettait à la torture.

— Il me semblait bien que c'était toi, dit-elle en faisant un vaillant effort pour sourire, le visage ruisselant de sueur. Je ne savais pas que tu faisais ton footing aussi tôt.

— C'est exceptionnel.

— Oh, gémit Nancy en se tenant le flanc, c'est trop dur...

— Moi aussi, je trouvais ça dur, au début, dit Brenna en ralentissant encore la cadence. Tu n'es pas à la bibliothèque, aujourd'hui ?

— Non, on a de nouveaux horaires... un jour sur deux... Tu n'es même pas essoufflée ! Tu viens juste de commencer ?

— J'attaque mon quatrième tour.

— Le quatrième !

— Et toi, depuis quand fais-tu du jogging ?

— Depuis hier.

— Tu t'es échauffée avant de commencer ?

— Échauffée ?

— Oui, étirer tes muscles, marcher quelques centaines de mètres...

Nancy secoua la tête, et Brenna s'arrêta.

— On va marcher un petit moment.

— Bonne idée ! déclara Nancy, soulagée. Alors, il faut s'échauffer ?

— Oui. Tu devrais commencer par marcher quelques minutes pour accélérer ta circulation avant de courir. Et il faut surtout faire des assouplissements.

— D'accord, chef ! Je me demandais aussi comment tu faisais pour avoir une ligne pareille.

Elle se laissa tomber sur un banc en soupirant :

— Moi, ce que j'aimerais, c'est que la science découvre que la clé du bien-être et de la santé est de manger douze cookies par jour.

Brenna eut un petit rire. En attendant que son amie fût prête à repartir, elle se servit du banc pour faire une série d'exercices de stretching, de manière à empêcher ses muscles de se refroidir après cet arrêt subit de l'effort.

— Alors, comment va la vie ? demanda Nancy. Je ne te vois plus beaucoup ! Qu'est-ce que tu deviens ?

— Je travaille, dit Brenna. Enfin, je travaillais jusqu'à hier.

Elle raconta à son amie la façon dont le bar avait été fermé.

— Cole doit être content, dit Nancy. À mon avis, il a envie de passer plus de temps avec toi.

Brenna soupira. Dire qu'elle avait réussi à ne pas penser à lui pendant cinq bonnes minutes !

— Allez, dis-moi tout ! reprit Nancy. Tu le vois toujours, n'est-ce pas ?

— Oui.

— Voilà une réponse pour le moins laconique.

— Cole est fantastique, avoua Brenna tout à coup.

Le fond du problème était là, elle venait seulement de le comprendre. Ce qui se passait en elle n'était pas une simple question de désir : elle voulait Cole tout entier. Elle ferma les yeux et soupira.

— Dis... tu vas bien ? lui demanda son amie en posant la main sur son bras.

Brenna ouvrit les yeux, faillit répondre automatiquement que oui, bien sûr, tout allait bien. Presque malgré elle, elle secoua la tête.

— Allez, laisse-toi aller, lui dit Nancy. Je suis ton amie, non ?

Brenna la regarda, un peu surprise. Nancy semblait sincèrement inquiète pour elle... Son cœur se serra brutalement ; elle laissa tomber le masque et s'écria, le souffle court :

— Oh, Nancy, tout va de travers ! Je viens de perdre mon travail et je ne pouvais pas me le permettre. Je n'ai même pas d'appartement, je vis chez mon frère, et je suis en train de tomber amoureuse d'un avocat. Un avocat, pour l'amour du ciel ! Je devrais pourtant savoir...

— Pourquoi pas un avocat ?

— Je ne sais pas lire.

Les mots étaient sortis tout seuls, comme le torrent qui les avait précédés. Cette fois, elle ne le regretta pas. Soutenant le regard choqué de Nancy, elle répéta plus bas :

— Je ne sais pas lire.

— Bien sûr que si ! Tu lis un conte aux enfants chaque semaine.

Brenna secoua la tête.

— Je leur raconte des histoires que je connais déjà.

— Mais...

— Ce n'est pas si difficile. Ma grand-mère me racontait beaucoup d'histoires, quand j'étais petite, et ma mère m'en lisait une chaque soir. Je t'assure, je ne lis pas celles que je raconte à la bibliothèque.

— Mais pourquoi ?

— Parce que je ne peux pas faire autrement.

— Ce n'est pas ce que je voulais dire.

— Ah ! Tu veux dire : pourquoi je n'ai jamais appris à lire ?

Nancy hocha la tête en silence. Brenna se mit à contempler ses pieds.

— Au début...

Sa voix s'éteignit. Elle ne savait tout simplement pas comment s'expliquer.

— J'ai du mal à comprendre, Brenna. Je ne connais personne qui soit aussi déterminé que toi. Quand tu m'as raconté ce qui t'était arrivé avec le procès, j'ai tout de suite pensé : « Moi, je n'aurais pas pu supporter ça. » Mais toi, tu ne t'es pas laissée abattre. Tu es intelligente, l'une des plus intelligentes...

— Mais non !

Nancy lui offrit un grand sourire.

— Mais si ! Et tu es fantastique avec les enfants. Une pédagogue-née !

À la stupéfaction de Brenna, son sourire se transforma en éclat de rire.

— Et moi qui espérais te recruter pour enseigner dans le programme contre l'illettrisme à la bibliothèque !

Brenna demeura bouche bée. Nancy riait toujours.

— Au lieu de cela, il va falloir qu'on te trouve un professeur. Et je sais exactement lequel il te faut.

— Qui est-ce ?

— Moi.

Brenna contempla son amie, le cerveau en ébullition. Nancy ? Mais ce serait parfait !

— Quand est-ce qu'on commence ? demanda-t-elle, le souffle court. Qu'est-ce qu'il faut faire ?

— Je ne sais pas très bien. C'est une grande première pour moi. Je sais qu'il faut te faire passer des tests pour savoir...

— Des tests ?

L'euphorie de Brenna se transformait en méfiance. Elle avait toujours détesté les examens, les contrôles.

— Juste pour situer ton niveau de lecture.

— Mais je n'en ai aucun ! Je t'ai dit que je ne sais pas lire ! Pas du tout.

— C'est ce que tu crois, mais comment fais-tu, par exemple, pour distinguer les toilettes des femmes de celles des hommes ?

— Je fais attention.

— Moi aussi, fit Nancy, très amusée. Écoute, je vais parler au chef du programme dès ce matin, et lui demander ce qu'il faut faire pour t'inscrire. Dès que j'ai les renseignements, je t'appelle. D'accord ?

Spontanément, Brenna serra son amie dans ses bras.

— D'accord !

Elles achevèrent le circuit du parc en marchant et trottant tour à tour. Quand elles se séparèrent, Brenna avait l'impression de flotter sur un petit nuage. Elle allait apprendre à lire. Elle allait apprendre à lire !

Elle décrocherait son permis de conduire. Elle apprendrait le traitement de texte. Elle achèterait des livres de recettes. Elle lirait des contes à Teddy. Au restaurant, elle pourrait lire le menu au lieu de demander le plat du jour. Elle pourrait jouer au Scrabble et lire les articles du *National Geographic* au lieu de se contenter de regarder les photos.

Quand elle rentra, Michael et Teddy jouaient au ballon sur la pelouse, devant la maison. Dès qu'il la vit, Teddy cria :

— Tatie Brennie ! Attrape !

Elle bondit pour attraper la balle, et la lui renvoya.

— J'ai l'impression que ça va mieux ? demanda Michael.

— Beaucoup mieux ! Excuse-moi d'avoir été si grognon ce matin.

— Cole a téléphoné. À l'entendre, il était à peu près dans le même état que toi : grognon.

— Merci pour le message.

Cette fois, elle ne remettrait pas ses excuses à plus tard. Elle eut une grimace douloureuse en se souvenant de la façon dont Cole lui avait tendu la main, juste avant qu'elle ne prît la fuite. Dans le salon, elle prit une profonde inspiration, puis composa son numéro d'une main tremblante.

— Bonjour, Cole.

— Est-ce que tu vas bien ?

— Je vais mieux, dit-elle en enroulant le fil du téléphone autour de son doigt. Je regrette beaucoup, pour hier soir.

— Pas de problème. Je...

— Je ne sais pas pourquoi je suis comme ça. Je me suis montrée injuste avec toi, et...

— Brenna, attends. Tout va bien. Je regrette aussi. Je ne voulais pas te faire parler de choses qui te font de la peine.

— Je sais, murmura-t-elle.

— Un jour...

Un long silence s'installa entre eux avant qu'il ne terminât sa phrase :

— Un jour, tu vas devoir décider si tu me fais confiance ou non.

— Je te fais confiance.

— Il y a un bon spectacle au Denver Center Theater. Tu veux que nous y allions demain soir ? Allez, dis oui. On a tous les deux besoin d'une folle nuit en ville.

— Ce serait...

Sa voix s'éteignit. Le silence se prolongea.

— Ce serait quoi ? Effroyable ? Une très mauvaise idée ?

finit-il par demander. Non : je pense à un mot qui rime avec « joyeux », « fabuleux »...

— Merveilleux ? demanda-t-elle en riant.

— Notre candidate vient de gagner une soirée au restaurant et au théâtre avec un homme charmant, excitant...

— Tu ne crois pas que tu en fais un peu trop ?

— Beaucoup trop, reconnut-il joyeusement. Je viendrai te chercher vers 7 heures.

— D'accord.

Moins d'une demi-heure plus tard, alors qu'elle sortait de sa douche, Nancy téléphona.

— J'ai des bonnes nouvelles et des bonnes nouvelles, déclara-t-elle. C'est d'accord : je peux être ton professeur. Si tu as le temps, viens faire ton test dès cet après-midi. Je serai à la bibliothèque. Je vais sacrifier mon jour de congé pour toi. J'espère que tu apprécies mon effort !

— J'apprécie énormément. Midi et demi, ça va ?

— Disons plutôt 2 heures.

— 2 heures, alors.

Pouvoir ouvrir un livre, découvrir de nouvelles idées, savoir comment les autres voient le monde.... L'enthousiasme de Cole pour les livres lui revint en mémoire. À pas lents, elle retourna dans sa chambre. Le cristal accroché à la vitre étincelait au soleil et jetait des points de couleur sur les murs de la pièce. Éblouie, elle s'immobilisa pour contempler ces étincelles couleur d'arc-en-ciel. « Je trouverai un autre travail, se dit-elle. Je l'ai déjà fait souvent. Je continuerai à gagner ma vie. »

Pour la première fois, elle oserait aller plus loin que la simple survie, vers les possibilités merveilleuses qu'elle entrevoyait.

Lorsque Cole vint la chercher, le lendemain soir, son univers s'était déjà métamorphosé. La veille, le directeur du programme lui avait dit qu'elle possédait déjà de bonnes bases. Pendant tout le trajet jusqu'au centre-ville, elle guetta sur les enseignes, les panneaux et les publicités les mots qu'elle connaissait.

La séance de tests avait été très rude pour elle, malgré la patience et les encouragements du directeur. Ses pauvres efforts lui semblaient lamentables. La vraie lecture, c'était autre chose que de reconnaître quelques mots comme « sortie » ou « stop ». Ce soir, pourtant, elle était heureuse de pouvoir identifier des mots sur des panneaux publicitaires auxquels, jusqu'ici, elle avait à peine accordé un regard.

— Tu es superbe, ce soir, lui dit Cole au moment où ils se retrouvèrent.

Le compliment lui fit plaisir, après tout le mal qu'elle s'était donné pour trouver une tenue qui convînt à une sortie dans les beaux quartiers. Quant à sa coiffure... ne sachant que faire, elle avait fini par nouer ses cheveux dans un chignon lâche sur la nuque.

— Merci, dit-elle. Tu n'es pas mal non plus.

— Pas mal ?

— Je ne voudrais pas te donner la grosse tête en te disant que tu es à tomber par terre, répliqua-t-elle d'un air taquin.

Comment dit-on à un homme qu'on le trouve beau sans paraître ridicule ? Elle avait toujours apprécié sa façon de s'habiller — en short ou en complet gris clair comme ce soir, il était toujours élégant.

— On ne m'avait jamais dit que j'étais à tomber par terre, dit-il en riant, enchanté.

— Une grande première, Maître ?

— Oui.

— Les grandes premières, c'est toujours mémorable.

Tout en se concentrant sur la conduite de la voiture, il lui prit la main et y posa ses lèvres.

— J'y compte bien.

Elle sut qu'avec cet échange de promesses sensuelles, ils venaient de faire un grand pas en avant. Un pas qu'elle redoutait déjà beaucoup moins que la veille.

— C'est ce que tout le monde dit, murmura-t-elle, en le faisant sourire de nouveau.

13.

Pour sa part, Cole était très soulagé d'entendre Brenna le taquiner. Jusque-là, et malgré le baiser rapide qu'elle lui avait donné en montant dans la voiture, il ne se sentait pas très sûr que tout se passerait bien entre eux. Son inquiétude diminua d'autant. Sans qu'il sût pourquoi, elle lui semblait tout à coup beaucoup plus heureuse.

Il se gara près du théâtre, et ils se rendirent à pied dans un restaurant japonais, à quelques rues de là. Brenna apprécia l'atmosphère du restaurant, le décor très simple et dépouillé qui lui rappelait l'architecture japonaise. De tous les endroits où les avaient entraînés les affectations de son père, c'était le Japon qu'elle avait préféré.

Une serveuse en kimono leur apporta à chacun un menu. Brenna parcourut le sien à la recherche d'un mot familier. Les lettres en italique la déconcertaient : elle avait beau les fixer, elles formaient des amas de symboles aussi étranges que les idéogrammes japonais de la colonne voisine. La serveuse revint avec un flacon de saké tiède, et Brenna en profita pour mettre son menu de côté.

— Tu viens souvent ici ? demanda-t-elle à Cole.

— Pas assez à mon goût. J'adore la cuisine japonaise.

— J'ai fini par apprendre à l'aimer, dit-elle. Quand je vivais au Japon, je détestais ça. J'aurais donné n'importe quoi pour un bon hamburger.

Il se mit à rire.

— Je suis passé par cette phase, moi aussi. À quelle époque vivais-tu là-bas ?

— Quand j'avais treize ans. C'était le dernier poste à l'étranger de mon père avant...

« Avant que je ne quitte la maison. » Elle s'était tue, mais Cole n'eut aucune difficulté à compléter mentalement la phrase. Chaque fois qu'il pensait à ce départ affreux, il avait mal pour elle. Elle se redressa très vite, tandis que toute trace d'émotion s'effaçait de son visage.

— C'était intéressant, là-bas, dit-elle en goûtant au saké. Très étrange, très différent. J'ai aimé.

— Qu'est-ce qui te plaisait le plus ? demanda-t-il, avide de tout ce qui pourrait l'aider à mieux la comprendre.

À sa grande surprise, elle répondit instantanément :

— Le théâtre Kabuki. Tu as déjà vu une pièce Kabuki ?

Il secoua la tête, médusé.

— J'en ai entendu parler, mais je ne saurais pas faire la différence avec un spectacle de Guignol.

— Tu n'es pas si loin du compte ! s'exclama-t-elle, très amusée. Le Guignol, ce sont des marionnettes, et le Kabuki, ce sont des mimes. Au bord de la scène, il y a un narrateur qui raconte l'histoire.

— Un interprète à la place des sous-titres.

— Exactement !

Ses yeux brillaient, et il la contempla avec délice.

— Ce n'était pas grave de ne pas comprendre la langue. Les pièces sont si visuelles : on comprend tout rien qu'en regardant les mimes.

Elle lui raconta rapidement deux scénarios de pièces : l'une était un drame historique du Moyen Age et l'autre une pièce moderne mettant en scène la famille d'un commerçant.

— J'aurais cru que tu t'intéressais plus à tes camarades de classe qu'au Kabuki.

— Oh, non ! Je n'avais pas grand-chose à leur dire. J'étais toujours dans mon coin.

Elle avait dit ça d'un ton léger, mais ses yeux s'assombrirent de nouveau. Pressé de changer de sujet, il se concentra sur le menu, puis jeta à sa compagne un bref regard.

— J'ai toujours eu envie de goûter le *yosenabe.*

— Ce sera parfait, répondit-elle.

La commande arriva très vite : un assortiment de poulet, de crabe, de coquilles Saint-Jacques, de crevettes et de légumes, accompagnés de différentes sauces, toutes plus délicieuses les unes que les autres.

Brenna avait retrouvé toute sa bonne humeur. Cole se sentait littéralement ensorcelé. Tour à tour timide et effrontée, grave et pleine d'humour, elle était toujours originale, toujours sincère. Quoi qu'elle ressentît, elle s'exprimait si bien ! Rien dans ses paroles ne laissait soupçonner une éducation ratée.

Elle le fascinait. Il voulait tout savoir d'elle. Au cours du dîner, il apprit qu'en suivant son père aux quatre coins du globe, elle s'était passionnée pour les contes transmis par les personnes âgées aux petits enfants, et cela dans chaque pays. Elle aurait pu en faire des choses avec ce matériau brut, si seulement elle avait eu les outils nécessaires ! Il comprenait mieux, maintenant, le plaisir qu'elle prenait à jouer les conteuses volontaires à la bibliothèque. Elle devait avoir l'impression de participer à la transmission orale d'une génération à l'autre.

— Ma grand-mère aussi connaissait plein d'histoires, dit-il.

— Raconte-m'en une.

Il secoua la tête, un peu gêné.

— À l'époque, je n'écoutais pas beaucoup...

— Ah ! fit-elle avec un petit rire. Moi aussi, il y a des jours où je regrette de n'avoir pas mieux écouté ma grand-mère...

— J'étais trop occupé à lui expliquer tout ce que je ferais d'extraordinaire quand je serais grand, avoua-t-il.

Elle le regarda d'un air interrogateur, la tête inclinée sur le côté. Encouragé, il poursuivit :

— Toutes les semaines, je m'enflammais pour une nouvelle carrière, un nouveau projet. Je pouvais lui annoncer que je serais plongeur ou ingénieur, elle écoutait chaque fois comme si elle me croyait vraiment.

— Ma grand-mère aussi.

— Elle savait quand même me bousculer de temps en temps, ou me faire tomber de mon piédestal quand j'en avais besoin.

J'étais le premier de la famille à décrocher un diplôme universitaire, et j'ai un peu roulé des mécaniques. Je me souviens, l'été suivant, je suis rentré pour aider mon père à faire les foins. Je critiquais tout ce qu'il faisait. Grandmom m'a fait asseoir en face d'elle et m'a envoyé une bonne claque.

Il se mit à rire.

— Ensuite, reprit-il, elle m'a dit que j'avais peut-être appris quelque chose dans les livres, mais que ça ne pesait pas lourd face à l'expérience, l'huile de coude et le bon sens.

Il retrouva son sérieux, et plongea son regard dans celui de Brenna.

— Elle avait raison, conclut-il.

— L'éducation, c'est important...

— Oui, mais ma grand-mère m'a montré que d'autres choses le sont tout autant. Elle était l'aînée de sept enfants. Après la mort de sa mère, son père a voulu qu'elle quitte l'école pour s'occuper de ses frères et sœurs plus jeunes.

— Pourquoi me dis-tu ça ?

— Parce qu'elle m'aurait encore giflé si elle avait entendu notre conversation de l'autre soir. Je t'admire. Je te respecte.

Les yeux de Brenna s'embuèrent de larmes, et elle secoua la tête.

— Ne dis pas des choses que tu ne penses pas.

— Je pense ce que je dis.

Il aurait voulu lui déclarer tout net que ses failles en matière de culture n'avaient aucune importance pour lui, et pourtant, ce n'était pas tout à fait vrai. Il se demandait tout de même pourquoi elle n'avait jamais repris ses études, ne fût-ce que par l'intermédiaire des cours du soir...

Et comment pouvait-elle sembler aussi cultivée, étant donné la situation ? Cela restait un grand mystère pour lui. L'impression tenait sans doute en partie à sa façon d'être totalement présente à la conversation : elle écoutait avec toute son attention, prenait le temps de réfléchir à ce qui venait d'être dit, et répondait toujours judicieusement. Sans doute lisait-elle beaucoup. Sans doute s'était-elle instruite toute seule, à sa manière, en véritable autodidacte. D'ailleurs, l'appartement était rempli de livres...

— Je ne te juge pas, dit-il en lui prenant la main.

— Moi, je me juge.

Il lui sourit, posa la main sur sa joue.

— Alors, il serait peut-être temps d'arrêter.

Après le dîner, ils marchèrent main dans la main jusqu'au théâtre, s'attardant en chemin pour admirer les vitrines. Brenna aurait été incapable de dire ce qu'ils avaient vu, de quoi ils avaient parlé, mais, si elle l'avait pu, elle aurait prolongé ces instants pour l'éternité.

Dès qu'ils furent assis dans la salle, l'angoisse la saisit de nouveau. Le programme était aussi frustrant que le menu de tout à l'heure. Elle le parcourut fiévreusement à la recherche de mots connus, faisant des efforts désespérés pour lire. *Le. Un. Vers. Ou. Son. Premier. Pour. Et. Maison. Femme.* Elle mit longtemps à reconnaître ces quelques mots, et secoua la tête, à la fois furieuse et inquiète. La pièce se révéla être une comédie musicale charmante, et elle se détendit un peu. Puis, à l'entracte, tandis qu'ils se laissaient emporter par la foule vers le foyer, quelqu'un cria le nom de Cole. Quelques instants plus tard, une femme sèche et élégante leur tendait la main.

— Cole, bonsoir !

Elle était d'une élégance glacée dans son strict tailleur blanc. Elle lui rappelait les thés du dimanche après-midi sur des pelouses exquises, quand les femmes des officiers semblaient faire des concours d'élégance. Il était alors strictement interdit aux enfants de faire du bruit, et on ignorait les problèmes comme on ignorait les assiettes sales que les serveurs en veste blanche faisaient disparaître si prestement...

— Bonsoir, Sandra, Frank.

Cole serrait la main à un homme en veston de lin clair et pantalon de gros tweed. « Quel couple curieux ! », pensa Brenna.

— Vous vous amusez ? leur demanda Cole.

Il venait juste de prendre conscience que c'était la première fois qu'il se trouvait avec des collègues en compagnie de Brenna.

— C'est un peu puéril, répondit Sandra, mais c'est amusant. Je crois que j'aurais tout de même préféré une pièce sérieuse.

Cole posa la main sur le bras de sa compagne.

— Je vous présente mon amie, Brenna James. Sandra et Frank Wilson.

Sandra se contenta d'incliner la tête, mais Frank saisit les mains de Brenna entre les siennes tandis qu'un sourire illuminait son visage bronzé.

— Nous sommes enchantés de vous rencontrer. Ma femme préfère les pièces sérieuses, mais moi, je m'amuse beaucoup.

— Moi aussi, répondit Brenna en lui souriant.

Elle sentait bien que, malgré son expression cordiale, Sandra cachait ses sentiments derrière sa façade élégante. Frank, en revanche, était aussi détendu, aussi chaleureux qu'elle était distante.

— Vous vous connaissez depuis longtemps ? demanda Sandra à Cole.

— Suffisamment longtemps, répondit Cole.

Puis il se tourna vers sa compagne, lui prit la main, et ajouta pour elle avec un sourire tendre :

— Sandra va toujours droit au but. C'est pareil quand nous sommes au tribunal.

Sandra eut alors un sourire plein de gentillesse qui surprit Brenna.

— Devinez qui a bien pu m'influencer dans ce domaine !

C'était le genre de bavardage auquel Brenna savait très bien se prêter, même si cela ne lui plaisait guère.

— Je suppose que c'est Cole. Je l'ai déjà vu à l'œuvre.

— Vous êtes avocate, vous aussi ? demanda Frank avec une grimace de douleur.

Brenna éclata de rire.

— Moi ? Mais non !

— Sauvé ! s'écria-t-il avec ferveur. Mettez trois avocats ensemble et ça devient tout de suite un congrès.

Il but une gorgée de champagne, et demanda :

— Alors, dites-moi, Brenna, que faites-vous quand vous n'empêchez pas Cole de commettre des bêtises ?

« Et voilà la question à mille points ! », pensa Brenna. Pourquoi les gens confondaient-ils si souvent profession et personnalité ? Elle prit la main de Cole, et leva vers lui un regard adorateur.

— Qui vous dit que je l'empêche de faire des bêtises ?

Frank éclata de rire.

— Il vous a emmenée faire de la voile ?

— Oui. Et nous irons bientôt au Lac Dillon.

Elle jaugea son interlocuteur un instant, et ajouta :

— Si ça continue, il va vouloir m'apprendre à jouer au golf.

Cole lui jeta un regard perplexe. Jamais il n'avait été question de golf, c'était un jeu qu'il n'appréciait pas du tout — mais Frank se pencha en avant, très intéressé.

— Si vous voulez un bon professeur, laissez tomber ce type : je suis votre homme.

Et il se lança dans une longue dissertation. Chez Cole, la surprise fit place à l'admiration. Brenna avait su juger son interlocuteur, assez finement pour le lancer sur son sujet préféré tout en détournant l'attention d'elle-même. La conversation revint sur la voile, puis sur les vacances d'été. Jamais Brenna ne parlait d'elle, mais elle relevait systématiquement dans les paroles de Frank ou de Sandra le détail qui les inciterait à parler d'eux...

En fait, elle se débrouillait bien mieux que lui dans ce genre de situation. Chaleureuse, pleine d'esprit, elle était en train de séduire les Wilson : ils s'en iraient sans s'apercevoir qu'ils n'avaient strictement rien appris sur elle. En fait, elle semblait tout aussi cultivée que Sandra et, à certains moments, elle s'exprimait encore mieux que Frank.

Les lumières du foyer clignotèrent, indiquant la fin de l'entracte. Cole prit la main de sa compagne.

— On y retourne ?

— Très content de vous avoir rencontrée ! dit Frank à la jeune femme.

Le couple se fondit dans la foule.

— Ce sont des amis proches ? demanda Brenna.

Cole secoua la tête.

— Plutôt des connaissances. Je n'avais jamais remarqué à quel point Sandra est curieuse.

— C'est un couple drôlement assorti !

— Elle travaille au bureau du procureur, et lui, il touche une fortune en droits d'auteur pour des logiciels qu'il a développés il y a quelques années.

Brenna leva les yeux vers Cole un instant.

— Ça me dit ce qu'ils font, mais pas qui ils sont.

Ils s'engagèrent entre deux rangées de sièges pour regagner leurs places.

— Je ne comprends pas.

— Toi, par exemple, tu te définis uniquement à partir de ton métier d'avocat ?

— Disons que c'est un aspect très important de ma personnalité.

— Le plus important ?

Il secoua la tête.

— J'espère bien que non.

— Voilà ce que je voulais t'entendre dire ! C'est quoi, la facette la plus importante de Sandra Wilson ? Je parie que ce n'est pas son boulot.

Cole lança à Brenna un sourire en coin, et glissa sa main dans la sienne.

— En ce qui la concerne, je ne suis sûr de rien. Mais si tu essaies de me dire que tu es beaucoup plus intéressante que les petits boulots que tu exerces, je ne te contredirai pas, ma belle. D'ailleurs, j'aime toutes les parties de toi.

— Quelle magnifique intuition !

Elle mêla ses doigts aux siens, juste au moment où le rideau se levait pour le deuxième acte. La scène s'anima, mais Brenna ne parvint pas à se laisser emporter par la gaieté communicative du spectacle. Elle regardait Cole du coin de l'œil, et pensait : « Ce soir, j'ai commis une imposture pire que toutes les autres. J'ai fait semblant d'être comme lui. »

C'était agréable de lui raconter son enfance exotique, de sentir son approbation, son admiration même. Elle adorait être avec lui, mais, quand il lui avait offert l'occasion de tout dire, elle s'était tue. Elle ne supportait pas l'idée de faire éclater sa bulle de savon, de voir son visage stupéfait devant la vérité sans fard.

À la fin du spectacle, Cole lui prit la main pour rejoindre la voiture, et lui vola un baiser en ouvrant la portière.

— Je n'arrive pas à croire que la fête de l'Indépendance soit déjà là, dit-il.

— C'est vrai. Quand arrive le 4 juillet, on a l'impression que l'été est à moitié passé.

— Tu sais ce que j'aimerais faire pour ce long week-end ? J'aimerais t'emmener au ranch.

— Tu me proposes...

— D'aller dans le Nebraska avec moi, dit-il.

Puis il lui sourit en ajoutant :

— Une ou deux fois dans l'année, la famille commence à me manquer. Je retourne passer quelques jours au ranch : je me repose, je prends un peu de recul, et tout va bien. Tu comprends ?

— Je comprends, oui.

— Alors, c'est d'accord ? On fait ça ensemble ?

Il parlait d'un ton léger, mais elle devinait sa tension. Bien qu'elle eût très envie de dire oui, elle sentait qu'elle devait, pour elle-même autant que pour lui, réfléchir un peu avant de répondre. Car il lui proposait, en fait, de la présenter à ses parents...

À ce moment, et comme s'il lisait dans ses pensées, il reprit :

— J'aimerais te faire connaître ma famille. Tu vas adorer ma grand-mère.

Elle ne répondit pas tout de suite. Un peu inquiet, il lança la voiture dans la circulation, et se dirigea vers le quartier plus calme où elle habitait. Il se sentait pris de court. Evidemment, il ne s'attendait pas à un joyeux « Oui, bien sûr ! », mais pas non plus à ce regard sombre et scrutateur qui semblait vouloir percer à jour des motivations cachées.

Ils achevèrent le court trajet sans rien dire. En se garant devant la maison, Cole répéta :

— Tu vas adorer ma grand-mère. Elle est incroyable. Elle a plus de quatre-vingts ans, et elle se moque de nous quand on lui dit qu'elle devrait ralentir un peu. Je t'ai dit qu'elle était arrivée au Nebraska dans l'un de ces grands chariots de pionniers ?

— Elle a dû en voir, des choses.

Cole se mit à lui parler de ce voyage du Kentucky au Nebraska, quand sa grand-mère était une petite fille, puis il lui raconta comment elle avait rencontré son grand-père. Brenna l'écouta, fascinée comme toujours par tout ce qui touchait aux générations passées. Elle comprenait si bien ce que cela avait dû représenter, de traverser l'immensité de la prairie vers un lieu inconnu. Du coup, elle eut très envie de rencontrer cette femme qui comptait tant pour Cole et qu'elle avait déjà l'impression de connaître. En même temps, l'idée qu'elle-même pût compter suffisamment pour qu'il la présentât à sa famille la terrifiait.

— Ce sera bien, dit-il après avoir achevé son histoire.

— Tu invites au ranch toutes les filles avec qui tu sors ? lui demanda-t-elle d'un air taquin.

Elle attendit la réponse avec anxiété. Dans un sens, la pression serait moins forte s'il lui avouait qu'il emmenait fréquemment des amies là-bas — mais, d'un autre côté, elle ne voulait pas être une « amie » parmi toutes les autres.

— Je n'en ai amené qu'une seule, jusqu'ici, répondit-il avec gravité. Et c'était il y a longtemps.

Le sourire de Brenna s'effaça. Pour lui non plus, cette invitation n'était pas un détail sans importance. Tout en sachant qu'elle ferait mieux de refuser, elle demanda :

— Quand voudrais-tu partir ?

— Disons mercredi. J'aimerais passer le week-end là-bas et revenir dimanche soir ou lundi. Ça nous laisserait pas mal de temps à passer ensemble, tranquillement.

— Sans avoir constamment un gamin dans les jambes ! murmura-t-elle avec un sourire.

— Si tu tiens à ce que quelqu'un nous ait à l'œil, ma grand-mère peut remplir cette tâche tout aussi bien que Teddy.

— Elle fait des siestes moins longues ?

Il partit d'un grand éclat de rire.

— Ah, Brenna, je t'adore !

Puis, se glissant plus près d'elle, il posa ses lèvres sur sa tempe, et murmura :

— Je connais quelques endroits, au ranch, où je pourrai t'avoir tout à moi.

Alors, tu m'invites pour...

— Mes intentions sont tout à fait honorables, murmura-t-il en l'embrassant sur la joue, tout près de l'oreille, là où quelques mèches de cheveux s'échappaient de son chignon. Je veux seulement te toucher, te regarder, te bercer...

— Oh, Cole ! murmura-t-elle dans un soupir, en nouant ses bras autour de lui. Ma réponse est oui.

— J'ai envie de toi.

— Je sais...

— Ça nous fera du bien à tous les deux de nous échapper un peu.

— C'est vrai, souffla-t-elle dans son cou. Je vais devoir réorganiser mon planning, et aussi m'assurer que Jane aura quelqu'un pour s'occuper de Teddy. Il y a une voisine qui pourra le prendre pendant un jour ou deux.

— Parfait, murmura Cole.

Puis il s'empara de sa bouche, aussi passionnément qu'il voulait s'emparer de son corps. Il aurait voulu l'emmener chez lui, tout de suite — et, en même temps, il avait envie que cette tension grandisse jusqu'à la consumer comme elle le consumait, lui. À contrecœur, il s'écarta.

Quand ils feraient l'amour pour la première fois, il voulait avoir le temps de savourer chaque instant, d'être tout à elle, sans aucune pensée parasite. L'idéal, ce serait près du petit étang, pensa-t-il. Ils feraient l'amour sous les arbres-à-coton, puis ils iraient se baigner, tout nus. Jamais il n'avait emmené une femme de ce côté-là. Jamais il n'avait fait l'amour en plein air.

L'image qui se présenta à lui faillit lui faire perdre toute retenue. « Plus que quelques jours », se dit-il. Enfin, il réussit à lâcher Brenna, et l'accompagna jusqu'à sa porte.

— Je passerai demain soir. Où aimerais-tu aller ?

— Demain soir ? Je ne peux pas ! s'écria Brenna en rougissant violemment. Nancy et moi, on doit...

— Aller au cinéma, je parie. Vous allez voir Tom Cruise ? Ou le dernier Spielberg ?

— Tu es jaloux ? demanda-t-elle en l'entourant de ses bras, le visage illuminé par un sourire.

— Seulement si tu envisages d'embrasser quelqu'un d'autre, répondit-il en posant sa bouche sur la sienne.

De longues secondes s'écoulèrent. Quand il la lâcha enfin, elle s'accrocha à lui et murmura :

— Personne. Sauf si Tom Cruise me fait des avances...

— Tom..., marmonna Cole d'un air faussement dédaigneux. Non, ne dis rien, je ne veux même pas le savoir.

Puis il s'écarta d'elle en riant.

— Amusez-vous bien toutes les deux ! Je t'appellerai du bureau, demain.

— D'accord.

Elle se détourna pour ouvrir la porte de la maison, et il ajouta à mi-voix :

— Sois sage...

Un clin d'œil par-dessus son épaule, et elle répliqua :

— Bien sûr que je serai sage. Puisque tu ne seras pas là...

14.

Le lendemain soir, Brenna retrouva Nancy devant les grandes portes de la bibliothèque. Maintenant que le moment était venu, elle regrettait presque sa démarche. Après l'euphorie, la peur reprenait le dessus. Elle connaissait si bien le goût de l'échec !

Tout le monde sait que les enfants apprennent plus facilement que les adultes. Si elle n'avait pas su maîtriser la lecture quand elle était petite... Et sa dernière tentative lui laissait un souvenir épouvantable : elle avait détesté son professeur. Un peu effrayée, elle regarda Nancy. Et si elle allait se mettre à la détester, elle aussi ?

— Je viens de m'apercevoir de quelque chose, souffla Nancy, tandis qu'elles poussaient les portes et s'engageaient dans le couloir menant aux salles d'étude.

— Quoi donc ?

— J'ai une de ces frousses !

Brenna s'arrêta net, le cœur battant. Elle s'attendait à tout sauf à cela. Son amie ouvrit la porte d'une petite salle et se retourna pour l'attendre. Lentement, elle s'approcha.

— De quoi as-tu peur ?

Différentes hypothèses lui venaient à l'esprit. Elle n'était peut-être pas assez intelligente pour apprendre, et Nancy le savait déjà. Ou peut-être la jeune femme avait-elle changé d'avis...

— C'est la première fois que je fais ça, expliqua Nancy en

refermant la porte derrière elle. Quand je me suis inscrite, je pensais que ce serait facile. Ensuite, pendant la formation...

Elle poussa un soupir explosif, et leva les yeux au ciel.

— On a fait des exercices pour comprendre comment vivent les personnes qui ne savent pas lire. Du coup, j'ai compris que ce n'était pas pour rire ni pour nourrir mon ego. C'était dur et très important.

— Mais tu as décidé de continuer. Et tu as encore peur ?

Nancy détourna un instant les yeux, puis regarda Brenna gravement.

— Je ne m'étais jamais demandé qui serait mon premier élève. Et voilà que c'est toi : mon amie. Tu te rends compte, si je m'y prends de travers, si je ne suis pas à la hauteur...

Cette peur-là, Brenna pouvait la comprendre. Elle se détendit un peu.

— Pas de « si », coupa-t-elle. On va y arriver.

C'était presque un soulagement de découvrir que Nancy était aussi paniquée qu'elle. Dans un sens, elles étaient à égalité : elles allaient faire de leur mieux, l'une et l'autre, et c'était très bien ainsi.

— On va se jeter à l'eau, dit-elle. Et si ça ne marche pas, je ne t'en voudrai pas.

— Ça va marcher. J'ai vu les résultats de la méthode.

— Tu m'apprends à lire, je t'apprends à courir, d'accord ?

— D'accord.

Retrouvant son sourire, Nancy se laissa tomber sur une chaise devant la petite table, puis elle ouvrit un dossier et en sortit plusieurs feuilles de papier, tandis que Brenna prenait place en face d'elle.

— Quand Brian t'a fait passer tes épreuves, samedi dernier, il s'est contenté de déterminer ton niveau actuel. La prochaine étape consiste à s'assurer que tu as tous les éléments nécessaires pour entamer l'apprentissage.

— Quels éléments ?

— Déjà, savoir si tu connais toutes les lettres et les sons correspondants. En progressant, on tombera sûrement sur des choses que tu sais déjà. On passera très vite dessus, et on s'attardera sur d'autres points.

— Bon. Et ensuite ?

— Nous choisirons comme base de travail des sujets qui t'intéressent. Pour ça, il faut que je te pose quelques questions.

Elle prit la première feuille de papier et commença :

— Tu as lu un journal au cours des six derniers mois ?

Brenna secoua la tête.

— Tu as parcouru des livres au cours des six derniers mois ?

Voyant que son amie répétait son geste négatif, elle protesta :

— Et les livres que tu choisis avec Teddy, alors ?

— Oh, tu as raison ! Il y a aussi les livres de photos ou de reproductions de tableaux qui sont à la maison. J'aime les feuilleter.

— Bien ! s'écria Nancy en prenant quelques notes. Et des magazines ?

— J'aime le *National Geographic*. Et Jane reçoit des revues avec des recettes.

— Je connais le genre. On peut prendre des kilos rien qu'en regardant les photos.

— Mais non : ils prennent du papier allégé.

Nancy éclata de rire, puis revint à son questionnaire.

— Tu lis des lettres d'affaires ?

Brenna secoua la tête.

— Des publicités ?

— J'en reconnais certaines, au passage. Je ne sais pas si on peut vraiment appeler ça lire.

— Des petites annonces pour des emplois ?

— Le moins souvent possible, répondit Brenna avec un sourire.

— Je te comprends ! dit Nancy en mettant de côté sa première feuille. Bon, le premier exercice, ça va être une histoire basée sur ta propre expérience. Juste trois ou quatre phrases pour commencer. Raconte-moi ta journée.

— Eh bien, je me suis occupée de Teddy, comme d'habitude.

Elle s'interrompit en voyant que Nancy se mettait à écrire.

— Tu vas noter tout ce que je dis ?

Nancy releva la tête.

— Non, pas tout. Il nous faut juste quelques phrases. Dis-moi ce que tu as fait avec Teddy.

— Nous sommes allés au parc. Teddy a donné du pain aux canards. Il a un nouveau cerf-volant : on l'a fait voler. Et puis, il a voulu faire un tour de balançoire.

Elle se tut en voyant Nancy retranscrire ses paroles en grosses lettres d'imprimerie. La jeune femme leva enfin la tête, et lut ce qu'elle venait de noter :

— « Aujourd'hui, nous sommes allés au parc. Teddy a donné du pain aux canards du lac. Nous avons fait voler son nouveau cerf-volant. » Tout cela est-il exact ?

— Oui. C'est ce que j'ai dit, en gros, répondit Brenna d'un air interloqué.

— Est-ce que tu reconnais quelques mots ? demanda Nancy en lui tendant ses notes.

Brenna étudia la feuille quelques instants.

— « Teddy », dit-elle. « Au parc », « lac », et puis « nous ».

La peur qui la tenaillait depuis qu'elle avait décidé de se lancer dans cette aventure s'était un peu apaisée. Avec Nancy, tout semblait si simple ! Elle lui montra « la » dans le mot lac », puis passa à des mots comme « sac », « bac », « fac ». Chaque fois, elle revenait à des mots ou à des phrases déjà connues, en se montrant si patiente, si encourageante, que Brenna acquit peu à peu une certaine confiance en elle. Pendant deux heures, elles travaillèrent sur le petit récit, en choisissant des mots ou des parties de mots qui leur servaient à en étudier d'autres similaires.

Au fur et à mesure, Nancy inscrivait chaque mot sur une petite carte. Bientôt, la pile de cartes grossit, et elles se mirent à les aligner pour former des groupes de mots, puis de courtes phrases. Cela ressemblait à un jeu de piste, et, à sa grande surprise, Brenna trouva l'exercice passionnant. Quand Nancy annonça la fin de la séance, elle se rendit compte qu'elle n'avait pas vu le temps passer. Mis à part un point douloureux dans le dos, à force de se pencher au-dessus de la table, elle se sentait débordante d'énergie.

— Tu auras aussi des devoirs à faire, déclara Nancy.

Brenna se leva et s'étira.

— Tu m'inquiètes. Tu vas me donner des punitions si je ne les fais pas ?

— Ne me tente pas ! répondit Nancy en riant. Remarque, il faut que je me méfie : tu vas être mon entraîneur sportif, alors ce serait trop facile de te venger.

— Exactement. Alors, qu'est-ce que je dois faire ?

— Juste lire la première page du journal une ou deux fois cette semaine. En soulignant tous les mots que tu reconnais.

— Oh, ça, je peux le faire. La liste ne sera pas bien longue.

— Je n'en suis pas si sûre.

Nancy rangea ses papiers dans son dossier, et tendit à Brenna la pile de cartes.

— Elles sont à toi. Tu peux t'en servir pour t'entraîner.

— Merci, dit Brenna en rangeant précieusement les cartes dans son sac.

— Si je comprends bien, tu n'as pas parlé à ta famille de ce que nous faisons ?

— Teddy a déjà compris mon problème. Et s'il est au courant...

— Ton frère aussi.

Brenna hocha la tête, le cœur serré.

— On continue lundi prochain ?

— Oui.

Tout en tripotant la bandoulière de son sac, Nancy demanda encore :

— Et Cole, il est au courant ?

Brenna secoua la tête. Tôt ou tard, inévitablement, Cole découvrirait qu'elle ne savait pas lire. À moins que... Si elle apprenait une douzaine de mots chaque jour, elle finirait bien par pouvoir se débrouiller. Et, avec un peu de chance, elle ne serait peut-être jamais obligée de lui avouer son secret.

— Je pense qu'il pourra accepter ça, dit Nancy.

— J'aimerais le croire.

— Il faudra bien choisir ton moment pour le lui dire. Fais-le quand tu le sentiras tout à fait ouvert et réceptif.

— C'est ce que je compte faire.

— Brenna ?

Nancy hésita un instant, puis continua bravement :

— Quand on apprend à lire, il y a des hauts et des bas. Ne sois pas trop déçue si ça ne se passe pas aussi bien la prochaine fois.

Spontanément, Brenna la serra dans ses bras.

— Tu as bien fait de me le dire. Et merci pour ton aide. Cette fois, je crois vraiment que je vais y arriver.

— Tu es bien joyeuse, en ce moment, dit Michael à sa sœur, deux jours plus tard, tandis qu'ils préparaient le dîner en attendant le retour de Jane.

— Oui, répondit Brenna sans autre commentaire.

— Et tes raisons d'être joyeuse auraient-elles quelque chose à voir avec un certain garçon bien sous tous rapports qui traîne dans le secteur depuis quelque temps ?

— Mm.

Elle ne pouvait nier qu'une partie de son bonheur était dû à la présence de Cole. Une grande partie, même.

— Je ne t'ai jamais vue autant attachée à un homme.

— Je ne suis pas attachée, répondit-elle automatiquement.

— Lui, en tout cas, il l'est.

Brenna secoua la tête en évitant le regard de son frère.

— Enfin, Brenna ! Il veut te présenter à ses parents.

— Tu tires des conclusions...

— Autrement dit : mêle-toi de tes affaires.

— Je savais que tu comprendrais.

Elle acheva d'assaisonner la salade pendant que Michael jetait un coup d'œil au gratin et éteignait le four. D'un ton léger, sans emphase, il reprit :

— Teddy m'a dit que tu étudiais avec Nancy.

Elle aurait dû se douter que le gamin vendrait la mèche !

— Ah oui ? Et c'est tout ce qu'il t'a dit ?

Michael eut la grâce de rougir un peu.

— Ne va pas t'imaginer que je le paie pour t'espionner !

Elle ne put s'empêcher de rire, et il enchaîna :

— Il m'a dit aussi que tu avais une pile de petits cartons sur lesquels des mots étaient inscrits, et que tu aimerais en avoir encore plus. Il a même ajouté qu'il t'aidait.

— Ça, c'est vrai, même s'il est incapable de garder un secret.

— Il n'a que cinq ans ! Tu sais, j'aurais aimé...

Sa voix s'éteignit. Intriguée, elle lui jeta un regard de biais. La tête penchée, il étudiait le carrelage de la cuisine. Et, fait exceptionnel, il semblait hésiter, chercher ses mots.

— Quoi donc ? demanda-t-elle.

Il releva la tête.

— Je savais, avant que Teddy ne m'en informe, que quelque chose avait changé. J'attendais que tu te décides à m'en parler. J'espérais que tu aurais envie de le faire.

— Il n'y a pas grand-chose à dire. J'apprends à lire. Sans garantie de réussite.

Elle lui tourna le dos. Le grand sujet, l'unique sujet dont ils n'eussent jamais parlé venait d'être abordé. Brenda se sentait curieusement sûre d'elle, mais... d'où venait cet écho de tristesse qu'elle percevait dans la voix de son frère ? Ce n'était pas la pitié, mais... de la peine. Elle était bien loin de s'attendre à une telle réaction. Pourquoi se sentait-il blessé, face à ses problèmes à elle ?

Depuis longtemps déjà, elle pensait que son frère devait connaître son secret. Il était le seul être au monde dont elle n'eût jamais douté de l'amour. Au-delà de cette certitude, elle ne s'était jamais interrogée sur son éventuelle réaction. Michael était un chercheur, un scientifique, toujours premier en classe, au lycée comme à l'université. Et cet homme brillant ne lui avait jamais fait sentir qu'il existait un décalage entre eux. Pour lui, manifestement, cet aspect n'avait aucune importance...

Lentement, elle se tourna pour lui faire face. Il lui sourit avec tendresse, et toute sa méfiance se volatilisa. Elle se sentit entourée par une grande bulle de bonheur, et se jeta dans les bras de son frère en s'écriant :

— Oh, Michael, tu ne vas pas le croire ! Ce n'est pas du tout comme la dernière fois, quand j'avais l'impression de me retrouver à la maternelle. Ce n'est pas une institutrice à la retraite qui me parle comme si j'étais une enfant attardée. C'est...

Elle se tut, cherchant le mot juste.

— Facile ? proposa-t-il.

— Non, pas facile, répondit-elle en secouant vigoureusement la tête. Mais, cette fois, je crois... non, je sais que je peux y arriver.

Elle vit son sourire s'effacer, et il déclara avec beaucoup de gravité :

— Je suis sûr que ça va marcher, mais...

— Mais ?

— Tu as dit à Cole que tu ne savais pas lire ?

— J'ai essayé de lui dire. Je te jure, j'ai vraiment essayé ! Mais, chaque fois que je suis sur le point de prononcer les mots, quelque chose m'en empêche.

— Je ne veux pas te voir souffrir.

Si sa relation avec Cole tournait court, elle ne pourrait pas éviter de souffrir, elle le savait bien. Le cœur serré, elle murmura :

— Je n'arrête pas de me dire que, peut-être...

— Que si tu ignores le problème, il s'en ira tout seul ?

— Quelque chose comme ça.

— Mauvaise idée, Brennie.

— Je sais bien ! Cole pense que Nancy et moi, on se retrouve pour aller au cinéma.

— Je ne mentirai pas pour toi, frangine, dit-il.

Puis il se remit à sourire en précisant :

— Mais je ne te trahirai pas non plus.

La porte d'entrée s'ouvrit, Jane était de retour. Ils se mirent à table, et entamèrent une soirée comme beaucoup d'autres. Brenna avait encore un peu de peine à s'y faire. Tant qu'elle travaillait le soir, elle ne participait pas à ces dîners tranquilles où l'on bavardait en racontant sa journée. Jane demandait à son fils d'apprendre quelque chose de nouveau tous les jours, et elle l'interrogeait chaque soir : c'était un moment qu'il attendait toujours avec impatience.

Ce soir, en les écoutant bavarder, Brenna se demanda ce qui se serait passé pour elle si le Colonel s'était montré moins exigeant, plus encourageant. Lui aussi s'attendait à ce que ses enfants apprennent quelque chose de nouveau chaque jour. Elle n'avait jamais su lui donner satisfaction car ses faiblesses étaient examinées au microscope et ses points forts jugés sans intérêt.

Avec une lucidité toute neuve, elle comprit que, si elle redoutait tant d'avouer aux autres — même à son frère — qu'elle ne savait pas lire, c'était davantage pour se protéger des torrents de sarcasmes qu'elle redoutait encore que par honte de son incompétence. Ce réflexe de défense avait fini par la couper du monde.

Après le dîner, elle emporta le journal dans sa chambre et, suivant les instructions de Nancy, se mit à souligner les mots qu'elle connaissait. C'était décourageant : il y en avait si peu ! Elle s'acquitta pourtant consciencieusement de l'exercice, puis sortit sa pile de cartes, les révisa toutes, et les aligna pour former des phrases. *Teddy a nourri les canards. Teddy range sa chambre...*

Michael frappa un coup léger à la porte, et entra en tendant le téléphone à sa sœur.

— Le Colonel, dit-il.

Leur père téléphonait une fois par semaine, à 9 heures précises. Tant que Brenna travaillait le soir, elle avait pu éviter ces coups de fil. Elle contempla un instant le combiné, puis l'approcha de son oreille. Pourquoi son père se manifestait-il toujours aux moments où elle se sentait le plus vulnérable ?

— Bonsoir, dit-elle, évitant délibérément de dire « père ».

— Qu'est-ce que c'est que cette histoire ? Tu as perdu ton emploi ?

— Le bar a fermé, dit-elle. Et vous, vous allez bien ?

Le Colonel n'appréciait pas que sa fille travaillât dans un bar, mais il appréciait encore moins qu'elle n'eût aucun emploi.

— Ne t'avise pas de te montrer sarcastique ! lança-t-il. Tu as un nouvel emploi en vue ?

— Pas encore, répondit Brenna, furieuse de voir la conversation tomber si vite dans l'ornière habituelle. Je vais m'absenter quelques jours...

— Ta priorité absolue est de t'assurer que tu n'es pas un fardeau pour ton frère. Tu dois participer aux frais.

— Je le sais, dit la jeune femme avec une retenue dont elle se sentit fière. Je vais chercher un autre travail.

— Je me demande bien comment tu vas t'y prendre ! Tu n'es pas comme Michael : lui, il comprend la nécessité de s'engager.

— Oui, oui, de chercher l'excellence, de viser la perfection !

— Exactement. Cela dit...

Il s'interrompit, comme il le faisait toujours quand il voulait donner un poids particulier à ce qu'il allait déclarer ensuite.

— Comme j'ai renoncé depuis longtemps à te voir atteindre l'excellence, je me contenterai d'un minimum d'engagement.

Brenna se frotta les tempes. Elle cherchait à déchiffrer les mots qui figuraient sur les cartes étalées au milieu du lit. *Brenna incapable*. Elle fit la grimace et avança une autre carte. *Brenna enfuie*. Cette idée ne lui plaisait pas non plus. Vite, elle les recouvrit.

— Qu'est-ce que vous attendez de moi exactement ? demanda-t-elle à son père.

Elle ne nourrissait aucune illusion : quoi qu'elle fît, il ne serait pas satisfait — mais mieux valait savoir à l'avance ce qu'on lui reprocherait.

— La même chose que d'habitude, répondit-il. Mais je veux bien te le répéter clairement : premièrement, trouve un emploi, Brenna. Et, cette fois, essaie d'être assez consciencieuse pour le garder plus de deux ou trois mois.

— Ce n'est pas ma faute si le bar a fermé.

— Deux, reprit-il sans l'écouter. Cesse de profiter de ton frère. Je me fais comprendre ?

Ce « Je me fais comprendre » signifiait qu'il avait terminé. Dieu merci. La jeune femme adopta l'attitude morne et soumise qui lui évitait, autrefois, de prendre des coups, et répéta :

— Je comprends. Trouver un travail, me débrouiller par moi-même.

— C'est cela.

— Vous venez toujours à Denver ? demanda-t-elle en espérant qu'il avait changé d'avis.

— Bien sûr. Je serai là juste après le week-end de l'Indépendance.

— Pourquoi pas plus tôt? Vous pourriez passer la fête ici, proposa-t-elle.

Car, à ce moment-là, elle serait au Nebraska avec Cole! Ce serait un excellent moyen d'éviter de le croiser. La suggestion sembla le surprendre. Il y eut un silence au bout du fil, puis il reprit :

— J'y réfléchirai. Bonne nuit.

— Bonsoir, dit-elle alors qu'il avait déjà coupé la communication.

Elle raccrocha à son tour en imaginant une conversation très différente : « Oh, salut papa! Je suis contente de t'entendre. Si tu savais la semaine épouvantable que je viens de passer... » « Oui, Michael dit que tu as perdu ton travail. Je peux faire quelque chose pour t'aider? »... Ce jour-là, les poules auront des dents, pensa-t-elle. Pas une seule fois son père n'avait proposé de l'aider. Elle n'arrivait même pas à imaginer ces mots dans sa bouche, et l'idée qu'elle eût encore envie de les entendre la dégoûtait d'elle-même. Pire encore était l'idée qu'elle ne refuserait peut-être pas.... Après toutes ces années, elle pouvait encore se blesser sur cette lame à double tranchant : chercher l'approbation de son père tout en se débattant pour échapper à son emprise.

Sans entrain, elle se remit à consulter ses cartes. *Brenna est fausse*. Cela, c'était insupportable. Et, même si c'était vrai... elle avait décidé de changer. *Brenna attire la chance*. Voilà une meilleure pensée pour terminer cette longue journée.

15.

— Voilà donc la fameuse Brenna !

Grandmom avait des yeux très bleus, parsemés de paillettes d'or, comme ceux de Cole. Des yeux clairs de jeune fille. Elle lâcha Cole et se tourna vers Brenna en lui ouvrant les bras.

— Je suis sûre que je vais vous aimer !

Brenna oublia immédiatement la phrase polie qu'elle avait préparée. Elle monta la dernière marche du perron de la maison blanche, et embrassa la grand-mère de Cole avec l'impression de rentrer au foyer après une longue absence.

Grandmom était petite, comme Nonna, avec le même parfum indéfinissable des femmes qui vivent près de la terre. L'arôme nostalgique des vêtements séchés au soleil, la crème pour la peau à l'ancienne, tout cela rappelait à Brenna des souvenirs poignants. Un instant, elle imagina que c'était sa propre grand-mère qu'elle embrassait. Si Grandmom la sentit trembler, elle eut la gentillesse de n'en rien montrer.

— Entrez donc. Et toi, viens m'aider à préparer la citronnade, dit-elle à Cole.

Elle poussa la porte moustiquaire qui doublait la porte de bois plein, toujours ouverte aux beaux jours. Puis elle traversa à petits pas rapides un salon sombre, et se dirigea vers la cuisine en lançant :

— Vous avez fait la route de Denver sans vous arrêter ?

— On est partis très tôt, juste pour arriver à l'heure de ta citronnade.

— Mais oui ! Va dire ça à quelqu'un qui risque de te croire.

Son sourire démentait sa voix bourrue. Elle se pencha un peu vers Brenna, et lui confia :

— Il dit ça pour m'amadouer, pour avoir une part de tarte aux pommes.

— Je veux bien le croire, dit Brenna en riant. Il ferait n'importe quoi pour avoir de la tarte.

En apparence, rien, dans cette maison, ne rappelait la ferme des grands-parents de Brenna, en Pennsylvanie, et pourtant, l'atmosphère était la même : depuis les napperons au crochet jusqu'aux violettes africaines alignées sur le rebord de la fenêtre, en passant par le tic-tac joyeux du coucou.

Cole ouvrit un réfrigérateur vénérable et en sortit le bac à glaçons.

— Il y a des années de ça, j'ai cru faire une bonne affaire, dit-il en extrayant les glaçons. J'ai passé un contrat avec Grandmom : je ferais les petits boulots de la maison et elle me garderait la dernière part de tarte. Des années plus tard, Grandpa m'a dit qu'elle me gardait toujours la dernière part, de toute façon.

— Vous l'avez gâté, hein ? dit Brenna.

Comme elle imaginait bien Cole, à l'âge de Teddy, mendiant des gâteries auprès de cette adorable grand-mère !

— Bien sûr que je l'ai gâté, dit rondement la vieille dame en leur servant à chacun un verre de citronnade. Je le gâte encore.

— M'man et Papa sont encore à Scottsbluff ? demanda Cole.

— Oui. Et toi, tu te prépares de gros ennuis avec ta mère. Ils ne t'attendaient pas avant demain.

— J'ai décidé de venir plus tôt.

Brenna sourit en silence, et ils allèrent tous les trois déguster leur citronnade sous la véranda.

— Cole dit que vous aimez les vieilles histoires, les contes, ce genre de choses, dit Grandmom.

Brenna approuva de la tête, et la vieille dame la détailla pendant quelques instants.

— La plupart des jeunes préfèrent regarder la télévision.

— Brenna n'est pas comme les autres, déclara Cole. Je t'ai dit qu'elle s'était portée volontaire à la bibliothèque, pour lire des contes aux tout-petits ?

Brenna lui jeta un regard surpris. Il disait cela comme si l'on pouvait en tirer une quelconque fierté. Pourtant, comparé à ce qu'il faisait ou ce que faisaient Michael et Jane, ce n'était vraiment pas grand-chose.

La conversation revint ensuite sur les activités du ranch. Il était niché dans une vallée peu profonde, à l'abri d'une petite falaise. Sur la route, Cole avait expliqué à la jeune femme qu'il datait de l'époque où le gouvernement offrait encore des terres aux colons. Son grand-père et son grand-oncle avaient fait une demande conjointe et obtenu cette concession.

Brenna chercha à imaginer à quoi pouvait ressembler la région lors de l'arrivée des deux frères. Elle qui pensait que le Nebraska était plat comme le dos de la main, elle découvrait des collines herbeuses à perte de vue, avec parfois un étang bordé de joncs et couvert de canards. Cette sensation d'être revenue au foyer, qu'elle éprouvait depuis leur arrivée, ne faisait que grandir en elle, tandis qu'elle écoutait parler Cole et sa grand-mère.

Puis Cole acheva d'un trait son verre de citronnade, aspira le dernier glaçon, puis se leva en lui tendant la main.

— Tu viens ? Je veux te montrer mes cachettes.

— D'accord.

— Amusez-vous bien, fit la vieille dame en agitant les mains comme si elle chassait des poules. Le repas de ce soir sera simple : je n'aurai pas besoin d'aide.

— Tu sonneras la cloche quand maman et papa seront de retour ?

Brenna leva les yeux pour suivre son geste, et vit une grosse cloche fixée à l'un des piliers de la véranda.

— Bien sûr !

Main dans la main, ils traversèrent la cour et s'engagèrent dans le chemin de terre qui menait à la grange.

— Quand j'étais petit, nos permis de pâturage nous donnaient suffisamment d'espace pour élever cinq mille têtes, dit-il.

Son regard fit le tour de l'horizon, et il conclut :

— Ces temps-là sont bien loin derrière nous.

— C'était la seule activité de l'exploitation ? demanda la jeune femme.

— Non. Chacun avait sa spécialité. Grandmom s'occupait de la basse-cour ; elle vendait des œufs et des volailles. Elle continue son petit commerce, mais c'est surtout avec les voisins, maintenant. Il y a encore une épicerie, à Bayard, qui se fournit chez elle. Rien ne vaut un véritable œuf de ferme, si les poules ont vraiment pu gratter dans la terre fraîche.

— Et toi, c'était quoi, ta spécialité ?

— Je vais te montrer.

Cole l'entraîna vers un petit enclos rempli de paille, avec un abri à une extrémité.

— Viens là, Matilda !

Une énorme truie aux poils presque blancs émergea en reniflant.

— Je te présente Waltzing Matilda, comme dans la chanson. Alias l'Usine à Porcelets.

Brenna se mit à rire.

— Matilda est la petite-fille d'une truie que j'avais quand j'étais au lycée. Chaque porcelet me rapportait plus de cent dollars. Je m'occupais des bêtes, je les nourrissais, et j'avais le droit de garder les bénéfices. Voilà comment j'ai payé mes études.

Dire qu'elle avait pris Cole pour un enfant privilégié, un gosse de riches ! D'après son expérience limitée de la ferme de ses grands-parents, elle savait combien la vie d'un ranch est rude.

— Il n'y a pas de porcelets, en ce moment ?

— La prochaine fournée arrivera dans une quinzaine de jours.

— Une truie vraiment productive !

Cole passa le bras autour de ses épaules en riant.

— Tu es une drôle de dame.

— Mais ça te plaît, dit-elle en levant vers lui un regard impudent.

Il posa un baiser sur le bout de son nez, et répondit avec conviction :

— Oui. Ça me plaît.

Il commençait juste à mesurer à quel point ! Il ne pouvait pas s'empêcher de comparer Brenna à Susan, bien que ce fût stupide car les deux femmes n'auraient pas pu être plus différentes.

Susan détestait le ranch. Elle trouvait le voyage depuis Denver long et fatigant, et se plaignait qu'une fois sur place, il n'y avait rien à faire. Les parents de Cole l'ennuyaient, sa grand-mère l'agaçait. En ce qui concernait ses parents, Cole pouvait encore la comprendre. C'étaient des gens très simples qui n'avaient pas grand-chose à dire. Sa grand-mère, en revanche...

Brenna s'était intéressée au paysage tout au long du chemin. Ils avaient parlé des Indiens des plaines, des bisons, des maisons de terres et des années de sécheresse, quand cette région immense s'était transformée en désert de poussière. Curieuse de tout, elle le bombardait de questions, et il lui en avait dit plus sur le ranch et sa famille qu'il n'en avait jamais dit à Susan. Quant à la connivence née dès le premier instant entre Brenna et sa grand-mère, il n'aurait même pas osé l'espérer. Oui, il était content de l'avoir amenée chez lui.

Ils se promenèrent longtemps. Cole lui montra les différents bâtiments, le bétail. Ils avaient de l'herbe jusqu'à la taille en traversant les prés. Ils riaient de petites choses qui n'avaient aucun sens en dehors de l'instant, et du plaisir qu'ils avaient à être ensemble.

— Voici mon coin préféré, annonça Cole.

Ils suivaient une piste étroite entre deux hauts talus herbeux. Devant eux, une clarté annonçait une clairière. Quand ils débouchèrent dans cet espace ouvert, ce fut pour découvrir un cercle d'arbres entourant un étang. L'endroit était infiniment paisible, et il y régnait une fraîcheur délicieuse. Derrière une petite butte, de l'autre côté de l'eau, on voyait juste le toit de la maison. Ils s'assirent côte à côte sur un vieux tronc.

— Si on reste là sans bouger, sans faire de bruit, pendant quelques minutes, tout reprend vie, chuchota Cole.

Il passa son bras autour des épaules de Brenna, et pressa ses lèvres sur sa tempe, le regard fixé sur l'étang. Bientôt, un héron bleu, de l'eau à mi-pattes, émergea dans les roseaux et resta parfaitement immobile, le regard fixé sur une proie qu'il avait repérée sous l'eau. Cole esquissa un geste pour montrer l'oiseau à sa compagne, mais elle le contemplait déjà en retenant son souffle.

Un col-vert suivi d'une demi-douzaine de canetons parut à son tour. Cole, qui était toujours attendri par ce spectacle, leur jeta à peine un regard, trop fasciné par l'expression de Brenna. Totalement absorbée par la scène, elle avait sur le visage une expression de douceur infinie. En cet instant, elle avait l'air d'un enfant triste qui fait un rêve merveilleux. Du dos de la main, Cole caressa sa joue plus douce que le duvet, et souffla :

— Je suis content que mon endroit préféré te plaise.

Le regard toujours fixé sur l'étang, elle pressa sa joue contre sa main.

— Je l'aime.

— À quoi pensais-tu, à l'instant ?

— À la ferme de mes grands-parents.

Elle se tut si longtemps qu'il crut qu'elle ne dirait rien de plus.

— Elle ne ressemblait pas du tout à celle-ci, reprit-elle tout à coup, mais c'était exactement pareil.

Levant les yeux vers lui, elle eut un petit geste d'impuissance.

— Je ne sais pas comment expliquer.

— Je crois que je comprends, dit-il en posant la joue sur ses cheveux. La paix, la sérénité. L'impression que le reste du monde n'a plus de réalité...

— Oui. Si j'avais le choix, c'est cette réalité-là que je choisirais.

— Et moi qui te prenais pour une fille de la ville !

— J'ai vécu en ville sans aimer ça. Quand c'était encore possible, je passais l'été chez mes grands-parents. C'était ce que j'aimais le plus : aller à la ferme. Quoi qu'il arrive, quel que soit l'endroit où l'on envoyait mon père, la ferme était toujours là.

— Qu'est-elle devenue, cette ferme ?

— Quand Nonna est morte, elle a été vendue.

Cette fois, elle pouvait le dire sans tristesse. Elle se sentait curieusement détendue. Posant la tête sur l'épaule de Cole, elle murmura :

— On est bien.

— Oui.

Il parlait si bas qu'elle perçut sa réponse comme une vibration sous son oreille. Cette promenade autour du ranch répondait à bon nombre des questions qu'elle se posait à son sujet. Ses mains calleuses, par exemple : elle était prête à parier qu'il travaillait dur, lors de ses séjours ici. Elle aimait ce trait de caractère : le fait qu'il ne refusât pas le travail physique, bien qu'il eût choisi de faire carrière dans le domaine des idées.

Il se laissa glisser à terre, et s'adossa au tronc d'arbre en étendant confortablement les jambes. Elle suivit son mouvement, et il la serra contre lui, caressant machinalement la peau de son bras nu. Les yeux fermés, elle savoura les sons, les parfums. Ce lieu était paisible, serein, mais pas du tout silencieux. Les oiseaux gazouillaient, quelques insectes bourdonnaient. L'arôme de la luzerne que l'on vient de faucher lui chatouillait les narines, lui rappelant d'une façon poignante son rêve d'avoir une maison bien à elle.

— Comment as-tu pu quitter tout ça? chuchota-t-elle, à peine consciente de parler tout haut.

— J'aime cet endroit, mais je ne suis pas un paysan. Je n'ai pas la détermination de mon père.

— Il ne t'en veut plus ?

— Non. On a passé cet obstacle depuis des années, Dieu merci.

— Tu as de la chance.

— Je sais bien !

Il embrassa de nouveau sa tempe, et reprit :

— Quand j'étais petit, je voulais être exactement comme lui, et c'était lui qui disait à chaque fois : « Attends, tu pourrais être médecin, ou astronaute. ».

— Vous n'avez aucune imagination, tous les deux. Moi, quand j'avais cinq ans, je voulais régler la circulation pour les avions, dans les aéroports. Je devais penser que c'était le pouvoir ultime, de faire obéir un gros avion rien qu'en agitant des bâtons lumineux, alors qu'on n'est qu'une petite fourmi.

— Eh bien, moi, quand j'avais cinq ans, je voulais être policier. Mon idée du pouvoir était de foncer aussi vite que je voulais en faisant hurler ma sirène.

Une cloche sonna au loin. Le héron, effrayé, s'envola dans un grand froissement de ses ailes puissantes. Avec un large sourire, Cole se leva et tendit les mains à Brenna.

— Papa et maman sont de retour.

16.

Les parents de Cole plurent tout de suite à Brenna qui les trouva, à leur façon, aussi charmants que la grand-mère. Ils lui demandèrent de les appeler Jack et Norah, et elle se plongea avec eux dans les préparatifs du dîner comme si elle avait toujours fait partie de la famille. Personne ne lui demanda ce qu'elle faisait, où elle avait grandi, au point qu'elle s'interrogea sur ce que Cole avait bien pu leur dire à son sujet.

Plutôt que de parler de gens qu'elle ne connaissait pas ou d'événements incompréhensibles pour elle, ils abordèrent des sujets généraux. La jeune femme pouvait parler et rire avec eux, surtout aux dépens de Cole qui cherchait à se rendre utile avec des airs de petit garçon qui veut faire comme les grandes personnes.

Comme elle lui enviait cette famille ! Ici, on ne craignait pas d'exprimer sa tendresse par une pression de la main, une tape sur l'épaule, une bourrade amicale. Sa propre mère, qu'elle aimait tant, l'avait si rarement embrassée ! Norah, heureuse d'avoir son fils auprès d'elle, ne perdait pas une occasion de le toucher. Quant à Jack, il semblait fier de Cole, sans chercher pour autant à comparer sa carrière à celle de ses autres enfants, et sans exprimer de jugement au sujet de son départ d'une firme prestigieuse. Si, comme Cole le lui avait laissé entendre, il y avait eu, autrefois, des conflits entre le père et le fils, cette époque était bien finie.

Après le dîner, ils s'installèrent sous la véranda pour regarder la lune se lever sur la petite falaise. Grandmom avait sur les genoux une passoire émaillée et un panier de haricots verts ramassés dans l'après-midi. Tandis qu'elle bavardait, ses mains ne cessaient pas un instant leur va-et-vient affairé. Quant à la mère de Cole, elle faisait du crochet à une vitesse hallucinante — elle avait confié à Brenna qu'elle confectionnait une couverture pour sa fille.

Cole et Jack s'éloignèrent côte à côte vers la grange en discutant d'une réparation à effectuer sur une machine agricole. En les regardant, Brenna sut qu'elle voulait créer ce genre de relation avec ses propres enfants, si elle en avait un jour. Une relation détendue, affectueuse et sans jugement.

Elle se pencha pour prendre une poignée de haricots dans le panier.

— Je n'ai pas fait ça depuis des années, avoua-t-elle, mais ça fait partie de ces gestes que l'on n'oublie jamais. J'ai vu votre potager, par la fenêtre de la cuisine. C'est le seul endroit que Cole ne m'ait pas fait visiter.

La vieille dame se mit à rire.

— Il préfère éviter ce coin-là : il a trop peur qu'on l'invite à faire un peu de désherbage.

Brenna lui rendit son sourire.

— Ce n'est pas mon occupation préférée, à moi non plus, mais c'est tellement merveilleux de pouvoir manger des petits pois ou des carottes de son jardin que...

Elle laissa sa phrase en suspens, perdue dans les souvenirs du jardin de sa propre grand-mère.

— Méfiez-vous, lui dit Norah. Vous avez presque l'air de vous porter volontaire, et maman va vous prendre au mot.

Brenna soutint le regard de Grandmom.

— Moi, j'aime manger les petits pois tout crus, quand on vient de les cueillir, dit-elle.

— Vous n'aurez qu'à vous servir.

— Marché conclu !

Les deux femmes terminaient les haricots quand Cole et son père sortirent de la grange, deux silhouettes sombres contre le ciel du soir. Ils s'approchèrent d'un pas tranquille, et Brenna remarqua soudain leur ressemblance qu'elle n'avait pas notée jusque-là. Elle soupira en levant les yeux vers le ciel où les premières étoiles apparaissaient. Elle se rappela le soir où Cole et elle avaient parlé de ces soirées passées sous la véranda, en famille. La scène était exactement telle qu'il la lui avait décrite : l'air frais du soir, le chant des grillons, parfois le coassement d'une grenouille. Si elle avait pu faire un vœu, elle aurait demandé beaucoup d'autres soirées comme celle-ci, avec Cole et sa famille.

Et puis, soudain, elle songea à ses petites lâchetés. Sans doute se berçait-elle d'illusions en espérant savoir lire très vite et ne pas avoir à avouer à Cole son lourd secret...

Du seuil de la grange, il la regardait d'un air heureux. Elle paraissait parfaitement à sa place dans sa famille. Jamais il ne l'avait vue aussi détendue. Lui qui s'attendait à ce qu'elle se montrât nerveuse et timide ! En réalité, elle semblait moins réservée avec eux qu'avec lui.

Soudain, le tableau qu'il avait sous les yeux se transforma en une scène imaginaire. Brenna, sur la balancelle de la véranda à côté de sa mère. Les bras tendus, les yeux brillant de joie, elle encourageait une toute petite fille qui vacillait sur ses jambes dodues à marcher vers elle.

— C'est une fille bien, lui dit son père.

— Oui.

— La première que tu amènes ici depuis cette Susan.

— Oui.

Un mois plus tôt, cela l'aurait probablement hérissé d'entendre son ex-fiancée désignée sous ces termes. Il se fichait, désormais, de savoir ce que sa famille pensait d'elle, et cela lui montrait tout le chemin parcouru depuis Susan, qui l'accusait d'être resté un garçon de ferme, et qui, au fond, avait bien raison.

— Si tu nous la présentes, je pense que c'est pour une bonne raison ?

Même s'il ne cherchait pas à cacher ce qu'il ressentait pour Brenna, Cole était surpris que son père eût pu lire aussi aisément dans son cœur.

— J'espère qu'elle va vouloir de moi, dit-il simplement.

Son père se mit à rire et passa un bras autour de ses épaules.

— Il ne faut pas se contenter d'espérer, dit-il. Il faut chercher à la convaincre.

Ce fut au tour de Cole de se mettre à rire.

— Je m'y emploie. Mais je sais que je ne gagnerais rien à la brusquer.

— Ne perds pas trop de temps, fils. Ta mère voudrait d'autres petits-enfants. Mais, surtout, ne t'avise pas de lui dire que je t'ai mis au courant !

Ils remontèrent l'allée vers la véranda.

— Je vois que tu gagnes ton séjour ici ! dit Cole en voyant Brenna éplucher les haricots verts avec bonne humeur.

— J'essaie d'entrer dans les bonnes grâces de ta grand-mère, répliqua la jeune femme. Je voudrais être sur sa liste pour les parts de tarte.

Cole se laissa tomber à ses pieds, s'appuya à ses genoux, et leva un visage suppliant vers la vieille dame.

— Tu ne lui donnerais pas ma part de tarte, celle que tu m'as gardée ?

— Ça reste à voir. Elle a proposé de désherber le potager.

Vite, Cole posa la main sur le front de Brenna.

— Désherber ? Elle a dû prendre un coup de soleil, cet après-midi. Qui voudrait désherber quand on peut aller à la pêche ?

Norah se leva.

— J'ai déjà entendu ça quelque part, dit-elle. Brenna, vous avez tout ce qu'il vous faut dans votre chambre ? Il ne vous manque rien ?

— Non, tout est parfait, merci.

— Alors, je vais me coucher. Bonne nuit.

Ils lui souhaitèrent tous une bonne nuit et elle disparut dans la maison.

— Je vais y aller aussi, dit Jack en grimpant lourdement les marches.

Il s'arrêta en haut du perron pour prendre la main de Brenna entre les siennes.

— Je suis très content de vous avoir chez nous.

Touchée, elle soutint son regard chaleureux. Au lieu de « chez nous », elle croyait presque entendre « dans notre famille ».

— Merci, dit-elle.

Grandmom se leva à son tour et s'immobilisa devant la porte moustiquaire.

— Il y a deux morceaux de tarte, précisa-t-elle.

— Je le savais !

Cole se leva d'un bond, et entraîna Brenna avec enthousiasme.

— La tarte de Grandmom avant d'aller au lit, c'est quasiment ce qu'il y a de mieux sur cette terre !

À l'âge de dix ans, il était persuadé que rien ne pourrait jamais éclipser le bonheur qu'il connaissait au ranch. Aujourd'hui, à plus de trente ans, il voyait bien quelques alternatives... la meilleure étant de sentir le corps nu de Brenna contre le sien. À cette idée, ses sens s'éveillèrent instantanément, et il dut faire un effort pour revenir au présent.

Dans la cuisine, ils se servirent le reste de tarte et deux grands verres de lait. Grandmom était restée pour leur tenir compagnie. Peu à peu, la conversation passa à des questions techniques ayant trait au ranch, et Brenna murmura qu'elle allait se coucher. Cole lui pressa la main au passage, sans cesser de se concentrer sur les paroles de sa grand-mère, qui semblait anxieuse. Bien qu'elle eût désiré de la part de Cole un regard plus tendre — ou même un dernier baiser —, la jeune femme ne se formalisa pas.

Elle prit une douche, puis resta longtemps assise près de la fenêtre, dans la clarté douce de la lune, à contempler le ciel. Enfin, elle s'allongea et s'endormit, en paix avec elle-même.

Un petit bruit la réveilla, comme une cascade miniature contre l'écran moustiquaire tendu à sa fenêtre. Un son furtif, une invitation. Elle se leva et alla presser son visage contre la vitre. Cole se tenait dans la cour, en contrebas, au clair de lune. Quand il la vit, il posa le doigt sur ses lèvres, puis lui fit signe de venir le rejoindre. Elle hocha la tête et s'habilla rapidement.

Quand elle sortit, un parfum de rosée emplissait l'air. Le ciel était noir à part une bande grise à l'horizon, mais un oiseau lançait déjà quelques notes pures.

— Bonjour, chuchota Cole en l'attirant dans ses bras pour un baiser passionné. Tu viens voir mon étang au lever du jour?

— Je te suis.

— Je n'ai pas seulement l'intention de regarder le soleil se lever. Je veux te faire l'amour.

Sous son regard brûlant, elle sentit une chaleur subite l'envahir.

— Je sais, dit-elle.

— Ah, Brenna, dit-il en l'embrassant encore. Si tu savais comme j'ai attendu ce moment!

Il saisit une couverture posée sur la balustrade de la véranda, et entraîna sa compagne vers le chemin creux. La lune, en se couchant, éclairait leur chemin. Dans la clairière, l'eau lisse et brillante reflétait le ciel pâlissant. Près du tronc mort où ils s'étaient assis, la veille, il étendit sa couverture sur le sol. Ils retirèrent tous deux leurs chaussures et s'allongèrent côte à côte, sans se toucher encore. Couché sur le ventre, Cole posa son menton sur ses mains croisées.

L'appel solitaire d'un hibou résonna sur l'étang. Le ciel s'éclaira peu à peu. Les sens de Brenna s'aiguisaient de minute en minute. Il lui semblait ressentir la fraîcheur de l'air, la lumière naissante, la beauté cristalline de ces instants avec une acuité particulière. Les sons furtifs dans les buissons noyés d'ombre faisaient partie d'elle, comme la paix de ce lieu. Avec un froissement doux de ses grandes ailes, le héron bleu se posa à l'extrémité la moins profonde de l'étang. Elle vit sa silhouette se découper sur le ciel gris qui commençait à se dorer.

An loin, un coq chanta. Brenna quitta l'étang des yeux, regarda l'horizon. Le lever du jour ne serait pas spectaculaire parce qu'il n'y avait pas un seul nuage dans le ciel — juste la promesse d'une belle journée chaude et ensoleillée.

— Les hérons sont magnifiques, souffla Cole.

Le grand oiseau marchait avec grâce, de l'eau jusqu'à mi-pattes.

— Je me demande où est sa compagne.

— Sans doute dans leur nid.

Il posa un baiser sur son front, fit descendre ses lèvres le long de sa joue.

— Je suis heureux d'être ici avec toi.

Il l'embrassa rapidement, et recula un peu pour pouvoir plonger son regard dans le sien. À voir ses yeux chargés d'ombres, il comprit qu'en elle aussi, le désir montait. Plongeant les doigts dans ses cheveux, il demanda :

— C'est ici que je rêvais de te faire l'amour, depuis le début.

— C'est vrai ? souffla-t-elle.

Il fit glisser ses doigts jusqu'à sa nuque.

— C'est pour ça que je t'ai amenée ici, ma belle. Au ranch. À l'étang. Pour que tu puisses voir qui je suis.

— Un garçon de ferme ?

Il hésita un instant, puis avoua :

— À une époque, je détestais cette image.

— Et maintenant ?

Il approcha sa bouche de la sienne.

— Et maintenant... je veux te faire l'amour comme j'en rêve depuis la première fois que je t'ai vue.

— À l'audience ? murmura-t-elle.

— Dans mon bureau. Le jour où tu es venue faire ta déposition.

Il s'écarta un peu, parcourut son visage de ses yeux brûlants.

— Je ne te regardais pas du tout avec des yeux d'avocat.

— Ce jour-là, si quelqu'un m'avait dit que je me retrouverais ici avec toi, et que ça me plairait autant...

— Tu es contente ?

— Mieux que ça.

Elle n'eut que quelques millimètres à franchir pour poser ses lèvres sur les siennes. En elle aussi, l'excitation grandissait. Seuls. Ils étaient seuls tous les deux. Elle s'aperçut soudain à quel point elle attendait cela : se retrouver seule avec lui dans le lever doré du jour.

Elle ferma les yeux, parfaitement heureuse de sentir la caresse douce de ses lèvres sur les siennes. Nouant les bras autour de son cou, elle se tourna sur le flanc pour se blottir plus étroitement contre lui. Il soupira, et elle écarta les lèvres pour s'offrir à la délicieuse invasion de sa bouche.

Il roula sur le dos en l'attirant sur lui, et glissa les mains sous son chemisier de coton. Il savait déjà qu'elle ne portait rien sous son corsage, mais le contact de sa peau le remplit d'une vague furieuse de chaleur.

— Ah, Brenna, chuchota-t-il en pressant les lèvres sur ses joues, ses yeux, avant de revenir à sa bouche. Nous avons enfin réussi à être ensemble.

À son tour, elle prit le visage de Cole entre ses mains, et recula un peu la tête pour pouvoir plonger son regard dans le sien.

— J'ai envie de toi, murmura-t-elle. Il me semble que j'ai toujours eu envie de toi.

Après cette confession, il ne pouvait pas attendre un instant de plus. Levant la tête pour reprendre sa bouche, il parcourut des mains son dos, ses hanches, puis trouva la douceur de ses seins. Quand il les sentit, gonflés et doux, la peau incroyablement soyeuse, il eut absolument besoin de les voir. Vite, il déboutonna son chemisier, interrompant leur baiser juste le temps de la débarrasser du vêtement.

Quand il la regarda enfin, il en eut le souffle coupé. Cette beauté ferme, lisse et ronde, cette peau d'ivoire, ces mamelons d'un rose profond...

— Oh, Brenna, murmura-t-il.

Pour elle, cette émotion, cette admiration étaient bouleversantes. Elle se sentit frémir, non pas à cause de la fraîcheur de l'air, mais parce que son corps entier s'éveillait. Il souleva la tête pour presser sa bouche contre la sienne, tout en pétrissant doucement ses seins. Quand elle vit ses mains la caresser, sa peau plus sombre que la sienne, elle dut lutter pour respirer. De ses pouces, il caressa ses mamelons, souriant de l'entendre gémir, frissonnant de la sentir se presser contre lui, fou de joie de pouvoir contempler son corps sous ses mains.

Elle s'écarta à son tour pour lui arracher sa chemise, puis se coula de nouveau dans ses bras. La sensation de sa poitrine nue contre la sienne était merveilleuse, comme celle des doigts qui plongeaient dans ses cheveux. Ils étaient pressés l'un contre l'autre, peau contre peau, de la bouche à la ceinture, et ce paradis se transforma bientôt en une nouvelle forme de torture.

Cole roula sur le flanc, serrant la jeune femme contre lui, puis saisit la fermeture de son jean et, incapable de résister à l'envie de la taquiner encore, murmura d'une voix qui se brisait :

— Tu préfères attendre encore quelques jours ?

Elle ondula contre lui dans un mouvement impudent, lent et sensuel, qui faillit lui faire perdre la tête. Ouvrant les yeux, elle lui lança un sourire ingénu.

— Je peux si tu peux.

Pour toute réponse, il se plaqua contre elle dans un élan de tout son corps. Ses lèvres plongèrent dans la vallée entre ses seins ; il frotta son visage contre sa peau de soie, perdu dans un océan de sensations.

— Belle, si belle, murmura-t-il juste avant d'attirer son sein dans sa bouche, tandis que les premiers rayons du soleil jaillissaient à l'horizon.

La lumière soudaine qui se déversait sur eux n'était pas plus intense que ce qu'elle ressentait. Une chaleur inconnue l'écartelait, son corps entier vibrait. Éperdue, elle couvrit de baisers la tête de son compagnon touchée par le soleil. Elle ne voulait plus rien entre eux, plus un vêtement pour les cacher l'un à l'autre. En tâtonnant, elle chercha sa ceinture et hésita, la main posée sur le premier bouton de son jean.

À contrecœur, il lâcha son sein. La tendresse de ses gestes le bouleversait, l'émotion et le désir qu'il sentait en elle l'embrasaient. Il vit l'étoffe s'écarter, et entendit la jeune femme soupirer. Ses mains se firent plus impatientes, tirant pantalon et caleçon sur ses hanches. Jamais il n'avait senti un contact plus érotique que celui des paumes de Brenna qui effleuraient ses cuisses.

Elle l'effleurait sans le toucher vraiment : c'était une torture. Arrachant son regard à ses mains, il défit à son tour le jean qu'elle portait encore, la souleva de la couverture pour le lui retirer, acheva de se débarrasser de ses vêtements. Le corps de Brenna, pommelé par les rayons neufs du matin... Il tendit la main et elle murmura :

— Oh, Cole... oui...

Il fondit sur elle, la reprit dans ses bras, captura sa bouche de la sienne. Folle d'impatience, elle parcourut son corps de ses mains. Il roula sur elle, et sa chaleur lui donna le vertige. La sensation de son corps pesant sur le sien ouvrait en elle une fontaine de plaisir. Elle aurait voulu l'attirer encore plus près.

— Je t'en prie, souffla-t-elle.

— Tu me pries de quoi ?

Ses mains la rendaient folle. Jamais elle n'avait désiré avec cette intensité. Du bout de la langue, elle effleura ses lèvres et murmura :

— Je t'en prie, fais-moi l'amour. Tout de suite.

Il s'écarta d'elle et, pendant un instant terrible, elle crut qu'il allait la laisser. Puis elle vit ce qu'il tenait dans sa main, et se redressa à son tour.

— Laisse-moi le faire...

Elle déchira le petit paquet et lui sourit, sachant que ce serait sans doute son dernier instant de lucidité. Lui se sentait infiniment ému par ce geste qui lui donnait la sensation d'être si désirable. Il chercha de la main le cœur de sa féminité, et elle soupira en l'attirant plus près, plus près encore. Il sentait, à la tension de sa chair, qu'elle n'avait pas partagé cette intimité avec un homme depuis bien longtemps, et cela l'excita encore davantage.

Au même moment, une exclamation douce et lointaine, une plainte sourde leur échappa à tous deux. Ils restèrent parfaitement immobiles, suspendus hors du temps dans un instant d'une beauté exquise. Cole ouvrit les yeux et vit le visage de Brenna inondé de lumière limpide, ses lèvres gonflées, ses yeux assombris de passion. Elle lui sourit, leva la main pour lui caresser la joue. Il tourna la tête pour déposer un baiser au creux de sa paume.

Regards rivés l'un à l'autre, leurs corps s'animèrent, se répondirent. Le rythme s'accéléra. Brenna sentit les premières ondes de l'explosion se rassembler tout au fond d'elle. Pour elle, cela n'avait jamais été aussi intense. Elle aurait aimé s'ouvrir à lui, s'offrir à lui encore mieux. En elle montait une sorte de gravité émerveillée : une personne pouvait donc offrir tant de plaisir à une autre ? Son regard avait capturé le sien, et elle n'aurait pas pu détourner les yeux, même si elle l'avait voulu. Rien ne comptait plus que Cole en elle. Il n'y avait plus que la réalité des rythmes extraordinaires qui jaillissaient entre eux. Les vagues se levèrent, de plus en plus hautes... et elle se sentit voler en éclats en criant le nom de Cole.

La douceur épanouie de Brenna, les pulsions profondes de son corps attiraient Cole en elle de plus en plus profondément. Il s'abandonna. Belle. Brenna. Amour. L'éruption jaillit en lui, aussi éblouissante que le soleil rebondissant sur l'étang en éclairs de diamants.

17.

Brenna se blottit plus près de Cole. Elle se sentait envahie par une merveilleuse sensation de plénitude. Il la serrait au creux de son bras, et sa respiration était si paisible qu'elle le crut endormi. Elle se souleva sur un coude pour mieux le regarder. Ses yeux étaient grands ouverts, clairs comme le ciel du matin ; son expression reflétait un bien-être égal au sien.

— Tu viens de me faire le plus beau cadeau de ma vie, dit-il en effleurant son cou du bout des doigts.

Elle se sentit à la fois enchantée et choquée. Il venait de répondre à la question qu'elle n'osait pas lui poser. Pour elle, l'acte d'amour avec Cole avait été bouleversant. C'était donc la même chose pour lui ?

— Tu m'as fait le même cadeau, murmura-t-elle. Je n'ai jamais...

Sa voix s'éteignit. Elle était impuissante à trouver les mots justes. Cole lui sourit, puis se souleva sur un coude pour lui embrasser la tempe et l'attirer de nouveau contre lui.

— Tu n'as jamais quoi ?

Elle ne savait pas comment lui dire que, quand il la touchait, ses sensations dépassaient jusqu'à ses plus lointains fantasmes. Pourtant, l'aveu qu'il venait de faire exigeait de sa part une sincérité égale.

— Et toi, tu es ce qui m'est arrivé de mieux de toute ma vie.

— Je suis content, dit-il, ému.

Il lui caressa les cheveux, puis se réfugia dans l'humour.

— Ça tient peut-être à la magie du lieu ?

— Tu crois? demanda-t-elle en levant la tête pour lui sourire.

Sa large paume descendit en un seul mouvement de son cou à sa taille, puis revint se poser sur son sein.

— Il faudrait peut-être faire quelques expériences pour nous en assurer?

— Quel genre d'expériences? demanda-t-elle en laissant courir sa main sur le torse de son amant.

Cole la plaqua sur le dos, inclina la tête vers son sein. L'effleurant du bout de la langue, il souffla sur le mamelon qui se durcit aussitôt.

— D'abord, il va falloir refaire l'amour ici, pour voir si le résultat est le même.

Le souffle court, Brenna écoutait se lever en elle de petits frémissements de désir, là où elle se sentait parfaitement comblée, un instant plus tôt.

— Et ensuite?

Il lui sourit.

— Ensuite, il faudra étendre le champ de nos investigations. En essayant un motel sur la route du retour, par exemple.

Elle arqua le dos pour lui offrir son autre sein.

— Et si c'est aussi bon?

Il taquina le second mamelon jusqu'à ce qu'il se dressât à son tour. Il oublia sa question, oublia tout ce qui n'était pas le besoin de se réchauffer au soleil de Brenna. Ses caresses se firent plus urgentes. Une heure plus tôt, il aurait douté que cela fût possible, mais il la désirait encore plus ardemment qu'avant.

— Brenna, murmura-t-il, le corps crispé de désir.

La jeune femme haletait; son regard limpide était rempli de surprise.

— Embrasse-moi, Brenna.

C'était à la fois un ordre et une supplication. Elle prit feu. En cet instant, elle aurait été incapable de lui refuser quoi que ce soit. Toute pensée s'envola, toute conscience d'elle-même. Elle n'était plus qu'un corps tremblant, attendant le contact de ses mains.

Leurs regards intenses, presque douloureux, fusionnaient

déjà alors que leurs corps étaient encore dans l'attente. Elle vit ses pupilles s'assombrir, et il l'attira enfin dans ses bras.

Dans un sentiment merveilleux de libération, ils se laissèrent emporter par le rythme de leur désir. Il s'interrompit un instant pour la serrer plus étroitement contre lui. Voilà ce dont elle avait toujours rêvé, sans le savoir. Voilà ce qu'elle recherchait depuis toujours. Elle s'accrocha à lui comme si on avait cherché à le lui arracher, tout en songeant que si jamais cela arrivait, elle en mourrait.

Et, brusquement, une terreur glacée s'insinua en elle. Sa conscience venait de se réveiller. « Comment peux-tu lui faire ça ? », se demanda-t-elle. Sentant sans doute qu'elle n'était plus tout à fait avec lui, il s'empara de sa bouche dans une invasion de chaleur et de douceur qui balaya toutes ses pensées. Écrasée entre ses bras, ivre de désir, elle noua ses jambes aux siennes et se perdit dans cette marée de plaisir qu'il lui offrait.

La vague monta, monta et se brisa sur eux, les submergeant de son vacarme. Cole s'effondra sur elle, haletant, et elle ne fit aucun effort pour se dégager...

Au bout d'une éternité, il leva une main, écarta les cheveux humides de son visage. Elle lui sourit, un sourire si merveilleux qu'il sut qu'il voulait le voir et le revoir tout le reste de sa vie.

Il ne voulait pas se relever. Jamais l'amour n'avait été aussi bon. Un bref instant, il se demanda pourquoi. Il avait fait l'amour à bien des femmes différentes sans rien ressentir d'approchant. Était-ce simplement parce qu'il était amoureux d'elle ? Était-ce aussi simple que ça ? Dans ce cas, il n'avait jamais été amoureux de Susan.

Enfin, il trouva la force de se soulever sur un coude pour la contempler. Sa peau resplendissait, ses cheveux sombres captaient les rayons du soleil qui y allumaient des étincelles d'ambre et d'or. Quand elle ouvrit les yeux, il eut le souffle coupé par son regard clair et serein. Il voulut lui dire qu'il l'aimait, mais il se souvint de la façon dont elle se fermait chaque fois qu'il tentait d'aborder le sujet.

Mieux valait laisser passer cette intensité. Il lui sourit d'un air gourmand, et murmura :

— Voilà pour le premier stade de nos recherches.

— J'ai oublié quelle est la suite du programme, dit-elle en posant le bout de ses doigts à l'endroit où le pouls battait dans sa gorge.

Il l'embrassa avec ferveur.

— Faire l'amour dans un nouvel environnement.

Il se remit sur pied, lui tendit la main et l'entraîna vers l'eau.

— Dans l'étang ? demanda-t-elle sans grand enthousiasme.

— Non ! Pour l'instant, je te propose juste une baignade toute nue avec un petit gars du Nebraska. Tu t'es déjà baignée toute nue avec un petit gars du Nebraska ?

— Jamais.

— Parfait ! s'écria-t-il en l'entraînant sur les pierres chauffées de soleil qui bordaient la nappe d'eau. Alors, c'est encore une grande première.

Il lâcha sa main, plongea d'un élan, et refit surface un instant plus tard avec un grand cri euphorique. L'invitation était irrésistible, et elle le suivit dans l'eau. La fraîcheur était délicieuse sur son corps brûlant. Au lieu d'éteindre son plaisir, cela sembla aiguiser ses sens déjà affûtés à l'extrême, en lui offrant toute une nouvelle gamme de délices sensuelles.

Ils jouèrent dans l'eau comme des gosses. Quand il la reprit dans ses bras, quelques minutes plus tard, le désir était déjà de retour en eux, mais Cole ne fit pas un geste pour transformer cette étreinte tendre en de nouveaux jeux amoureux.

Ils sortirent de l'eau, s'étendirent sur leur couverture, main dans la main, pour laisser le soleil les sécher. Souriant de contentement, Brenna tourna le visage vers la lumière. Si une fée lui était apparue, elle savait bien ce qu'elle lui aurait demandé : que ce moment s'étire à l'infini, jusqu'au terme de sa vie. Sa conscience chercha encore une fois à se faire entendre, mais elle la repoussa fermement. Plus tard, il y aurait un temps pour l'écouter. Pas tout de suite.

Ils revinrent à la maison une heure plus tard, affamés et rieurs. Brenna espérait presque que les autres seraient déjà partis vaquer aux travaux du ranch. Elle ne se sentait pas prête à affronter les regards. Mais quand ils entrèrent, Grandmom, Norah et Jack étaient en train de prendre leur petit déjeuner.

— Une belle matinée ! s'écria Cole en embrassant sa mère et sa grand-mère avant de s'installer entre elles. J'avais oublié à quel point il est fabuleux de se lever assez tôt pour voir le soleil se lever.

— Vous aussi, vous avez apprécié l'aube ? demanda Norah à Brenna.

— C'était merveilleux, répondit la jeune femme en rosissant.

Elle accepta les plats qu'on lui passait, se servit généreusement et les passa à son voisin.

— Tu voulais qu'on vérifie la clôture à l'ouest du périmètre ? demanda Cole à Jack.

— Je serais content d'avoir un coup de main, mais tu préféreras sûrement faire visiter les environs à Brenna.

— Ne vous en faites pas pour moi ! dit l'intéressée en croisant le regard de Grandmom. Ce matin, j'ai l'intention de désherber.

— Nous y voilà ! s'écria Cole. En fait, Brenna vise la dernière part de tarte : celle qu'on n'a pas mangée hier soir.

Elle soutint son regard et lui sourit. C'était plus facile qu'elle ne l'aurait cru d'accepter ses taquineries sous le regard indulgent et amusé de sa famille.

— Eh bien...

Cole menaça sa grand-mère du doigt.

— Si elle me pique ma part pendant que je suis sorti avec papa...

— Eh bien, je n'aurai plus qu'à en faire une autre !

— Moi, je préférerais un gâteau au chocolat, déclara Jack.

Cole braqua sur son père un regard hostile, qui lui fut rendu jusqu'à ce qu'ils éclatent tous deux de rire. Puis il se tourna vers Brenna, les yeux brillant de promesses sensuelles.

— Attends-toi à une vengeance terrible si tu manges ma part, lui dit-il. D'ailleurs, maintenant que j'y pense, je ferais bien de rester là pour te tenir à l'œil.

— Ce serait plus prudent ! répliqua la jeune femme.

Elle savait exactement le genre de sévices qu'il projetait, et elle brûlait d'impatience. Elle fut tentée de risquer une allusion, puis se contenta d'un sourire auquel il répondit d'un clin d'œil.

— D'accord, fils, dit Jack. Tu n'as qu'à donner un coup de main dans le potager. On ira voir la clôture plus tard.

Après le petit déjeuner, Brenna et Cole suivirent Grandmom dans son jardin. Elle avait coiffé un bonnet à l'ancienne avec une sorte de visière qui lui protégeait le visage. Brenna se revit, toute petite fille, marchant derrière sa propre grand-mère dans le long tunnel vert entre deux rangs de haricots.

Ils se mirent au travail, avançant de front le long des rangées de légumes en faisant un sort aux rares mauvaises herbes qui osaient s'aventurer dans ce jardin bien tenu. Cole parlait de ses souvenirs d'enfance. À sa propre surprise, Brenna en raconta aussi quelques-uns. Les meilleurs étaient toujours ceux de la ferme de ses grands-parents. À une époque, elle avait cru ne jamais pouvoir les évoquer sans mélancolie, mais, aujourd'hui, elle en retrouvait surtout la joie, intacte. Elle se revoyait trônant dans une brouette poussée par son grand-père, ramassant des vers de terre pour aller à la pêche, comptant les escargots au fond du ruisseau.

Pour la première fois, elle retrouvait aussi de bons moments passés avec ses parents — quand elle apprenait à nager dans l'océan avec son père, à Hawaii, quand elle jouait au basket avec sa mère et son frère, en Allemagne. Les explications de son père, le jour de l'éclipse, les matches de base-ball qu'elle écoutait avec lui à la radio. Et même, très lointain, le souvenir d'avoir arrosé à ses côtés des petits plants de tomate.

Tout s'était gâté, pourtant. Quand? comment? Elle n'avait pas la réponse; il ne lui restait que ces souvenirs doux-amers. Au prix d'un effort, elle ramena son attention au présent et entendit Cole taquiner sa grand-mère au sujet des sachets vivement colorés fixés à des piquets à l'extrémité de chaque rangée.

— Toi, au moins, tu ne risques pas de cueillir du maïs en croyant récolter des petits pois!

— Moi, non, mais j'ai pensé que ça simplifierait la vie d'un certain garçon qui venait m'aider au jardin.

Cole se redressa, appuyé sur sa binette.

— Tu ne vas tout de même pas raconter à Brenna l'épisode au cours duquel j'ai arraché toutes tes pousses de maïs?

Brenna se mit à rire, et la vieille dame braqua son œil vif d'oiseau sur son petit-fils.

— Je ne l'aurais pas fait, mais puisque c'est toi qui en parles...

— Je ne savais pas encore lire, expliqua Cole à Brenna.

Un instant, elle se demanda si cette phrase si simple comportait une allusion cachée, mais elle ne voyait rien d'autre dans les yeux de Cole que le plaisir d'évoquer tous ces souvenirs avec sa grand-mère.

— Il ne savait pas non plus faire la différence entre le jeune maïs et l'herbe, précisa la vieille dame.

Du coup, en arrivant au bout de chaque rangée, Brenna prit soin de regarder le sachet indicateur. La plupart comportaient une photo, mais elle finit tout de même par en trouver un qu'elle ne put identifier. Mentalement, elle récita les lettres, E P I N A R D S, sans arriver à composer le mot tout entier. Baissant furtivement la tête, elle se mit à biner les plants feuillus.

— Je ne sais pas pourquoi on dit toujours que les enfants n'aiment pas les épinards, dit Grandmom. Moi, j'ai toujours adoré ça. Bien que je ne me sois jamais habituée à les manger crus.

Brenna jeta un coup d'œil furtif au mot imprimé, puis aux plants.

— Oh, j'aime la salade d'épinards, dit-elle, et je les aime aussi cuits.

Quelques minutes plus tard, la vieille dame rentrait, les laissant achever seuls le désherbage.

— Elle travaille trop, murmura Cole quand la porte se fut refermée derrière elle.

— C'est pour ça qu'elle a l'air aussi jeune, répondit Brenna en s'arrêtant au bout d'un rang de radis.

— Aurais-tu envie d'un jardin, toi aussi, pour rester toujours jeune ?

— Entre autres choses, oui, répondit-elle en souriant. Mais le mien ne serait pas aussi bien ordonné. Moi, je rêve plutôt d'un potager luxuriant comme on en voit en Angleterre, avec des plants énormes qui poussent dans une pagaille exubérante.

— Difficile à réaliser dans un appartement.

Elle leva la tête vers lui, les yeux plissés sous le soleil éblouissant.

Il enjamba un rang de salades, un rang de betteraves, et se pencha vers elle pour l'embrasser.

— Le rêve, ce serait une maison, tous les deux...

Brenna eut tout à coup du mal à respirer. Avant qu'elle ne pût répondre, la voix de Grandmom lança derrière eux :

— Quelqu'un veut de la citronnade ?

Cole garda encore un instant les yeux fixés sur Brenna, puis il se retourna.

— Voilà ce que j'aime chez toi, Grandmom : tu devines toujours ce dont j'ai envie.

Brenna n'entendit pas la réponse. Pas plus qu'elle ne sentit Cole s'éloigner. Ses démons venaient de se réveiller. Ces histoires de jardin, le fait d'être venue dans sa famille, d'avoir fait l'amour avec lui... Chaque étape faisait avancer leur relation... Oh, elle voulait son amour ! Comme elle le voulait !

— Brenna ! cria Cole, depuis la véranda, en brandissant son verre de citronnade. Je vais voir ce que fait mon père. Tu veux venir ?

Ballottée entre ses émotions contradictoires, elle préféra secouer la tête.

— Non, vas-y, toi. Je voudrais terminer ici.

— Je n'en ai pas pour longtemps !

Il agita la main, disparut dans la maison, et Grandmom descendit les marches avec précaution, un autre verre de citronnade à la main.

— Voilà le vôtre.

Brenna posa sa binette, se redressa avec effort. La vieille dame s'installa sur la dernière marche, et la jeune femme alla la rejoindre.

— C'est un endroit très spécial, ici, dit-elle.

— La plupart des jeunes gens trouvent qu'une ferme est un endroit très ennuyeux. La fiancée de Cole n'appréciait guère. Elle avait toujours hâte de repartir.

La fiancée de Cole ? Abasourdie, Brenna ne sut que

répondre. Elle aurait dû deviner qu'un homme comme lui avait déjà été fiancé, ou même marié. Les sourcils froncés, elle chercha à se souvenir s'il avait jamais parlé de son passé amoureux. L'unique référence était restée très vague : il s'agissait, en effet, d'une femme qu'il avait amenée ici, autrefois...

D'un ton léger, elle demanda :

— C'est vieux, ça?

Grandmom réfléchit un instant.

— Deux ans, peut-être trois. C'était à l'époque où il s'est mis à travailler pour sa grosse firme. En tout cas, la demoiselle ne nous aimait guère. Quand il nous a annoncé que vous viendriez avec lui, on s'est tous demandé comment vous seriez.

En se souvenant de l'accueil chaleureux qui lui avait été fait, Brenna se demanda si cette fameuse fiancée avait bénéficié de la même gentillesse. Elle était prête à parier que les parents de Cole offraient la même hospitalité à tous ceux qu'il s'avisait de leur amener. Une bouffée de jalousie la prit par surprise. Tout à coup, elle ressentait une curiosité intense au sujet de cette femme que Cole avait songé à épouser. N'osant pas poser de questions, elle se replia sur un terrain plus neutre.

— Je ne vois pas ce qu'on peut ne pas aimer ici.

Grandmom accepta sans problème ce changement de sujet, et se mit à poser des questions sur la vieille ferme de Pennsylvanie. Brenna ne se fit pas prier pour raconter ses souvenirs, et elles finirent par se remettre au désherbage, sans cesser de bavarder.

À l'heure du déjeuner, Jack et Cole reparurent, ainsi que Norah qui avait passé la matinée dans son bureau, et chacun aida à préparer le repas. Ils mangèrent sous la véranda tout en faisant des projets pour la fête du 4 juillet, qui tombait le vendredi.

Après le repas, Cole repartit avec son père pour finir de réparer la moissonneuse, et Norah réintégra le bureau. Brenna aida Grandmom à terminer la vaisselle en savourant l'ambiance détendue qui s'était installée entre elles.

— C'est vous qui avez fait tous ces petits napperons? demanda la jeune femme en rangeant le dernier verre.

— La plupart. Norah en a fait quelques-uns, et les autres me viennent de ma mère.

— Ils sont beaux. J'ai toujours eu envie d'apprendre le crochet, mais je n'ai jamais pris le temps de le faire.

— Ceux-là sont pour tous les jours. Tenez, puisqu'ils vous plaisent, je vais vous montrer ceux de la mère de mon mari. Je n'en ai jamais vu d'aussi fins.

Brenna la suivit dans sa chambre et la regarda ouvrir un coffre de cèdre rempli de linge brodé à la main, dont certaines pièces dataient de la Guerre Civile. C'était magique de l'entendre raconter leur histoire. En promenant ses doigts sur les étoffes anciennes, elle sentait une sorte de communication qui transcendait le temps.

— Que c'est beau ! murmura-t-elle quand Grandmom posa sur ses genoux une robe de baptême en batiste.

L'arôme du bois de cèdre et de l'amidon remplissait la petite pièce, avec le souvenir de ces femmes qui avaient aligné ces points minuscules avec tant d'amour. La conversation revint au temps présent, et Brenna se plaignit de n'avoir jamais su faire que des nœuds.

— Ce n'est pas si difficile.

Grandmom fourragea dans un panier, en sortit une pelote de gros coton, un crochet, et montra à la jeune femme comment créer une maille, puis une chaîne, puis les points nécessaires pour faire un petit carré. Brenna chercha à l'imiter, et elles rirent ensemble de ses efforts.

— Ça ne donne pas grand-chose, dit-elle d'un ton sceptique, en exhibant le losange inégal qu'elle avait fini par réaliser.

— Vous vous en sortez très bien, lui assura la vieille dame. Tenez, j'ai un manuel quelque part, avec de bonnes illustrations.

Elle se releva, se dirigea vers une petite bibliothèque, et se mit à trier des revues.

— Oh, non, il ne faut pas ! affirma Brenna.

— Mais si. Les diagrammes sont clairs, et vous pourrez l'emprunter aussi longtemps que vous voudrez.

— Merci, mais...

C'était affreux de retomber toujours dans le même piège. Quand était-ce devenu aussi difficile ? À quel moment les demi-vérités qu'elle proférait autrefois avec tant d'aisance étaient-elles devenues des mensonges ?

Grandmom revint s'asseoir près d'elle.

— Je me souviens d'une toute jeune fille, dit-elle. Sa mère est morte quand elle avait douze ans. Elle devait s'occuper de ses six frères et sœurs. Son père n'accordait guère d'importance à l'instruction, il ne voyait pas pourquoi les filles en auraient eu besoin. Ce qui fait que, même avant la mort de sa mère, elle n'était guère allée en classe. Après, bien sûr, elle n'y est plus retournée. Elle lisait tout juste assez bien pour se débrouiller. Comme vous, elle a quitté la maison très jeune.

— C'était vous ?

La vieille dame hocha la tête.

— Et, comme vous, elle aurait eu besoin de lire beaucoup mieux pour faire son chemin dans le monde.

Brenna sentit son sang se glacer.

— Comment avez-vous su ? souffla-t-elle.

18.

Grandmom saisit les mains de Brenna dans les siennes.

— Je vous ai regardée, ma chérie.

— Oh, mon Dieu...

— Cole ne sait pas ?

Brenna secoua la tête, médusée, effrayée de constater que l'on pouvait si facilement voir clair en elle. Non seulement cette vieille dame avait tout compris, mais, maintenant, elle lui demandait des comptes.

— Comment vous êtes-vous rencontrés, tous les deux ?

Brenna détourna les yeux. Elle imaginait trop bien le genre de femme avec qui Cole sortait habituellement. Des médecins, des avocates, des femmes d'affaires. Elle s'éclaircit la gorge, et murmura :

— Il était l'avocat d'un homme qui m'a fait un procès.

— Seigneur ! Vous en avez des obstacles à surmonter, tous les deux.

La surprise dans la voix de la vieille dame lui arracha un sourire malgré elle.

— Ce n'est rien de le dire...

Elle osa enfin affronter le regard de la vieille dame et, comme elle n'y découvrit aucun reproche, elle s'écria :

— Je n'avais pas l'intention de le tromper, je vous assure.

— C'est souvent le cas quand on ment par omission.

Cela aurait pu être une accusation, tout au moins une réprimande. Ce n'était qu'une simple observation dépourvue de toute rancœur. Brenna eut presque aussi mal que si on l'avait injuriée. Elle sentit qu'elle devait absolument s'expliquer.

— Au début, je pensais qu'on sortirait une ou deux fois ensemble, rien de plus. J'étais loin d'imaginer que j'apprécierais autant sa compagnie.

Intimidée, elle baissa un instant la tête, puis se força à la relever.

— Avec lui, je suis bien. Il m'écoute, vous comprenez ? Il m'écoute comme si mon opinion avait de l'importance.

Grandmom hocha la tête avec compréhension, et Brenna poursuivit en cherchant ses mots :

— Et puis... je me suis enfoncée de plus en plus. C'est devenu de plus en plus difficile de lui en parler. Je sais bien que je nous prépare de gros ennuis, mais je ne supporte pas l'idée de lui dire quelque chose qui risque de...

— Tout casser entre vous, acheva la vieille dame d'une voix remplie de compassion.

— C'est ça, murmura Brenna.

— Il va être en colère, c'est sûr, dit Grandmom. Pas tant pour la lecture, surtout à cause de tes mensonges.

En entendant cette adorable vieille dame la tutoyer, Brenna faillit fondre en larmes. Elle n'avait pas encore réalisé clairement que son idée de repousser le moment de tout avouer à Cole était basée sur une démarche impardonnable : un nouveau mensonge, délibéré cette fois.

Grandmom lui tapota la main.

— En fait, tout le problème est de savoir si tu lui fais confiance.

Brenna la contempla sans répondre. Elle n'avait pas vu la situation sous un jour aussi simple. Quelle était la réponse ? Faisait-elle confiance à Cole ?

En bas, une porte s'ouvrit, et Cole lança :

— Où êtes-vous ?

— En haut ! répondit Grandmom en élevant la voix.

Elles entendirent des pas pressés dans l'escalier de bois, et Brenna eut tout juste le temps de se ressaisir avant que Cole ne surgît à ses côtés. Il lui lança un clin d'œil, et elle lui rendit son sourire, tout en comparant ce Cole décontracté, presque gamin, à l'avocat grave et imposant qu'elle avait d'abord rencontré. À vrai dire, les deux facettes l'attiraient tout autant.

Pouvait-elle compter sur sa compréhension ? Plus important encore, lui pardonnerait-il de ne pas lui avoir tout dit ? La réponse serait sans soute bien plus complexe que « oui » ou « non » — comme tout le reste de leur histoire, d'ailleurs.

— Tu veux toujours aller à l'épicerie, Grandmom ?

— C'est toi qui avais envie d'une pastèque, il me semble.

Il eut un grand sourire, et répliqua :

— Oh, je comptais en piquer une dans le champ de McCracken.

— Pour rentrer avec des chevrotines aux...

— Pas du tout ! Tu dois me confondre avec quelqu'un d'autre.

— Bien sûr que non ! Moi qui étais soulagée d'apprendre que tu avais renoncé à faire carrière dans le crime pour travailler du côté de la loi.

— Quand on est capable de braquer un champ de pastèques, on est capable de braquer une banque, c'est ça ?

— Peut-être serais-tu plus respecté en tant que braqueur qu'en tant qu'avocat ? lança Brenna.

— Toi, fit-il en pointant sur elle un index menaçant, tu as passé trop de temps avec ma grand-mère. Je vais devoir sévir.

Grandmom se mit à rire.

— Bon, reprit Cole, donnez-moi dix minutes pour me doucher. Tu viens avec nous, Brenna ?

— Bien sûr ! Après le discours que tu nous as fait, à midi, sur la façon de choisir la pastèque parfaite, je ne voudrais pas rater les travaux pratiques !

Quelques minutes plus tard, Brenna grimpa dans la cabine du pick-up avec Cole et Grandmom. Sa jambe nue effleura celle de Cole, moulée dans son jean, et elle se rappela le moment où elle l'avait déshabillé. Tout en conduisant, il lui tenait la main, ne la lâchant que pour changer de vitesse ou lui montrer le paysage.

— Le but véritable de cette sortie, annonça-t-il d'une voix de guide touristique, est de montrer à notre grande voyageuse,

Mlle Brenna James, le must du tourisme local : notre célèbre Chimney Rock.

Il se tut, et fit un geste de la main, comme pour les inviter à parler. Brenna et Grandmom échangèrent un regard perplexe.

— Vous êtes censées me demander pourquoi il est si célèbre, leur dit-il alors sur le ton de la connivence.

— Ah ! fit la vieille dame, sans obtempérer pour autant.

— D'accord, monsieur le guide, fit Brenna. Je veux bien jouer le jeu. Pourquoi est-ce si célèbre ?

— Je suis content que vous m'ayez posé cette question, déclara Cole.

À travers le pare-brise, il montra la haute silhouette de Chimney Rock, la Cheminée de Pierre dressée vers le ciel.

— Chaque fois que je la vois, je me demande quel effet cela devait faire de suivre en caravane la Piste de l'Oregon, et d'attendre, jour après jour, que ce repère se lève enfin à l'horizon.

— Il est célèbre parce que tu te demandes ça ? répliqua Brenna d'un ton moqueur.

Il lui serra le genou, et sa main s'attarda sur sa peau pendant un instant trop bref.

— Il est célèbre parce que c'était le repère que visaient les caravanes de pionniers en quittant Independance.

— Je crois que je le savais.

— Elle croit qu'elle le savait, répéta Cole à la cantonade. S'il y a bien une chose que nous détestons, nous autres guides touristiques, c'est ce genre de commentaire.

Il mit son clignotant, et arrêta le pick-up sur une petite aire de stationnement dominée par un grand panneau d'informations historiques, puis il demanda à la jeune femme :

— Je suppose que tu vas me dire que tu as vu des panneaux de ce genre dans le monde entier ?

— Exactement !

En même temps, la petite voix fébrile en elle trépignait : « Vas-y. Dis-lui. Dis-lui si tu oses. Dis-lui que tu ne pourrais pas lire ce panneau, même si ta vie en dépendait. »

Elle jeta un coup d'œil au panneau, un autre à Grandmom qui

demeurait imperturbable. Vite, pour ne pas laisser le silence s'installer, elle lança :

— Vous parlez d'un voyage organisé ! Le guide ne veut même pas traduire les panneaux pour les pauvres touristes étrangers.

Elle souriait avec une assurance feinte, parlait d'un ton léger.

— La dernière fois que je suis partie en vacances en Europe, avec mes parents, je me souviens très bien qu'on expliquait tout aux touristes : on ne se contentait pas de leur mettre des panneaux sous le nez.

Cole éclata de rire et répliqua :

— Vous voulez peut-être m'apprendre mon métier, m'dame ?

— Oh, non ! Je compte plutôt vous piquer votre place.

Il posa un baiser sur sa joue, et remit le contact.

— Eh bien, vous savez ce qu'il vous dit, votre guide ? Au diable ces infos touristiques ! Je les détestais quand j'étais gosse, et je n'ai pas à faire souffrir les autres comme j'ai souffert moi-même.

Sur ces mots, ils repartirent. Brenna tremblait de soulagement. Elle se sentait lâche, lâche, lâche, et elle détestait ça. La même question tournait inlassablement dans sa tête : pouvait-elle faire confiance à Cole ? Ou bien allait-il éprouver de la pitié pour elle ? Allait-il la trouver stupide et inintéressante ?

Alors qu'elle évitait le regard de Grandmom, redoutant d'y lire un reproche, elle entendit sa voix :

— Brenna, il y a quelque chose de spécial qui te ferait plaisir pour notre petite fête du 4 juillet ?

Elle osa lever les yeux vers elle. Et elle ne lut aucun mépris sur son visage. Aucune hostilité. Seulement de l'affection, avec un zeste d'inquiétude. Cette générosité qu'elle estimait ne pas mériter la bouleversa.

— Non, répondit-elle en s'éclaircissant la gorge. Non, merci.

Au petit supermarché, il y eut une scène totalement burlesque lorsqu'il s'agit de choisir la pastèque : Cole s'y employa avec un sérieux et une concentration dignes d'un gourou. La jeune femme avait un peu l'impression d'avoir basculé dans un monde étrange, parfois effrayant, parfois merveilleux, telle Alice au pays des merveilles. Cet homme, qui jouait comme un gamin avec son adorable grand-mère, n'avait plus rien de l'avocat agressif dont elle se souvenait, lors de leur première rencontre. Et la métamorphose était plus que troublante.

— Il reste quelque chose sur la liste ? demanda-t-il à Grandmom tout en poussant le Caddie le long des rayons et en le bourrant de friandises qui n'étaient certainement pas prévues dans les achats.

— Il reste toutes les choses sérieuses, répondit la vieille dame. La farine. Le lait.

— Le lait ! répéta Cole en se tournant vers Brenna. Tu te rends compte que je me levais à 4 heures du matin pour traire les vaches avant d'aller à l'école ? Et maintenant, ils achètent le lait au supermarché !

— Et tu marchais dans la neige en sabots pour attraper le bus, je suppose ?

— Oh, non, c'était avant les bus de ramassage ! Je faisais tout le chemin à pied.

Brenna éclata de rire.

— Tu es bien conservé pour un vieux...

— Attention ! Si tu me dis des méchancetés, je ne t'inviterai pas à mon feu de camp.

— Quel feu de camp ?

— Un feu près de l'étang. On ne peut pas rôtir de la guimauve sans feu de camp.

Il lui lança un clin d'œil, et elle frémit en imaginant la scène.

À la caisse, il sut si bien détourner l'attention de sa grandmère que la note fut payée avant qu'elle eût le temps de sortir son portefeuille. Encore une facette de Cole que Brenna n'avait pas soupçonnée.

Depuis l'aube de cette journée mémorable, elle avait connu le plus grand bonheur de sa vie et vu le retour en force de sa plus ancienne compagne : la peur d'être percée à jour. Tout ceci, elle le devait à des gens qu'elle aurait volontiers choisis comme famille. Restait un cap monumental à passer, si elle voulait avoir sa chance !

⁂

— J'ai un aveu à te faire, dit-elle à Cole, deux jours plus tard, alors qu'ils ne se trouvaient plus qu'à une centaine de kilomètres de Denver.

Depuis le départ, ils parlaient de moins en moins. Pour Brenna, chaque panneau indiquant le nombre de kilomètres jusqu'à Denver représentait un instant de vérité. Il ne lui était plus permis de se taire : elle devait parler, quoi qu'il pût advenir par la suite.

— Moi d'abord, répliqua Cole en s'éclaircissant la gorge.

Un instant, son regard quitta la route pour se poser sur elle.

— Je n'ai pas été tout à fait franc avec toi.

C'était exactement ce qu'elle comptait lui dire ! Il se retourna vers la route, et lui prit la main.

— Entre toi et moi... il y a quelque chose de spécial, tu ne crois pas ?

Elle hocha la tête sans oser répondre — sans oser se demander où il voulait en venir. Le regard toujours braqué devant lui, il reprit :

— Je t'ai laissé croire que j'avais démissionné de mon ancienne firme. En fait, ce n'est pas tout à fait ça. Si je n'avais pas démissionné, on m'aurait mis à la porte.

— À cause de moi ?

— Bates et toi, vous avez été la goutte d'eau qui a fait déborder le vase. Le vase était déjà très plein, ajouta-t-il en lui pressant la main. En fac de droit, on apprend à structurer des conclusions selon l'image qu'on veut présenter, à contrôler la situation, à amener le juge ou le jury à voir les choses à votre façon. Quand on fait partie d'une grande firme, on se sert des mêmes stratégies pour attirer des clients prestigieux.

— Bates en faisait partie ? demanda Brenna sans comprendre.

— Oh, non. Les clients prestigieux, ce sont les grands manitous qui s'en occupent. En revanche, les petits clients comme Bates font tourner la firme. Il dépensait plusieurs milliers de dollars chez nous chaque année. C'est à cela que sert le gros des troupes : à prendre les affaires dont les chefs ont envie de se débarrasser.

— Bates.
— Parmi d'autres.
Puis, avec un nouveau regard rapide, il reprit :
— J'y pense beaucoup depuis quelque temps. J'ai dit à Zach MacKenzie que je n'accepterais de sa part rien de moins que la vérité. Et cette exigence-là, je n'ai même pas été capable de me l'appliquer à moi-même.
Il eut un sourire un peu amer.
— Voilà la première chose.
— Il y en a d'autres ? demanda Brenna d'une voix mourante.
— Dis-moi, tu as déjà vécu une histoire très sérieuse avec quelqu'un ? Au point d'envisager de l'épouser ?
Une fois de plus, il la prenait par surprise. Face à cette question qu'elle n'attendait pas, elle répondit ingénument :
— Une fois, oui. J'étais...
— Attends ! Je ne te demande pas de tout me raconter. À moins que le type ne soit encore dans les parages, auquel cas je serai obligé de le provoquer en duel.
Elle secoua la tête, souriant à cette image mélodramatique.
— Parfait. Ce qui est passé pour toi ne me regarde pas.
Il leva la main, et lui caressa la joue.
— Moi aussi, j'ai été fiancé, dit-il. Une fois.
Elle soupira, un petit soupir anxieux qui lui échappa malgré elle. Elle ne voulait pas l'entendre parler d'un autre amour. Les zones d'ombre de son passé n'étaient rien à côté des monstrueux mensonges qui dominaient sa propre vie. Les lèvres sèches, elle demanda :
— C'était avec... « cette Susan » ?
Il eut un petit rire.
— J'aurais dû me douter que Grandmom t'en parlerait.
— Comment sais-tu que ça vient d'elle ?
— C'est toujours comme ça qu'elle appelait Susan. Elles ne s'entendaient pas.
— Tu n'es pas obligé de me parler d'elle.
— J'aimerais le faire.
— Je ne...
— Je voudrais que tu saches, Brenna. Ça fait des jours que ça me ronge.

Après un nouveau regard rapide, il se lança :

— Je l'ai rencontrée juste après avoir décroché mon diplôme. Elle travaillait pour une des Grandes Huit.

— Les grandes quoi ?

— L'une des plus grandes firmes comptables du pays. Elle est très intelligente, très ambitieuse. Nous avions beaucoup de choses en commun — ou, du moins, c'est ce qu'il me semblait, à l'époque. On voulait tout : les vacances à Hawaii, Noël à Acapulco... Elle a accepté un poste à Chicago, et je comptais m'installer là-bas avec elle. On avait même loué un appartement génial dans un vieil immeuble magnifique, complètement refait à neuf...

Brenna l'écoutait avec une expression d'intérêt poli, mais ses paroles lui faisaient mal. Car il s'agissait pour lui de souvenirs heureux, elle l'entendait dans sa voix. Jamais elle n'avait sérieusement envisagé ou même désiré le style de vie qu'il décrivait, mais elle détestait ces rêves bâtis avec quelqu'un d'autre, et elle était horrifiée devant sa propre jalousie.

— J'ai quitté mon boulot, mis ma maison en vente...

— Et qu'est-ce qui s'est passé ?

— Susan m'a dit brusquement que je n'avais jamais cessé d'être un garçon de ferme.

— Je suis désolée, dit Brenna.

— Pas moi. En tout cas, plus maintenant. Mais, à l'époque, ses accusations m'ont énormément blessé. Je suis avocat, et j'aime mon métier, mais le ranch fait aussi partie de moi. Tu comprends ?

— Je comprends, dit Brenna à mi-voix. Mais ça fait peut-être partie de toi aussi, les vacances exotiques, et...

— À ce moment-là, j'en avais envie.

— Et maintenant ?

La question lui demanda un effort terrible, mais il fallait qu'elle sache.

— J'aime travailler en ville, mais j'ai découvert que ce qui me rend vraiment heureux, c'est de vivre à la campagne. Les appartements, c'est bien, mais...

Il lui lança un sourire rapide et plein de gaieté, cette fois.

— ... mais on n'a nulle part où ranger la moissonneuse-batteuse.

— Pas de place pour tes jouets ? dit-elle d'un ton moqueur, un peu soulagée par sa confession.

— Ce sont des outils, ma belle, pas des jouets, répliqua-t-il avec dignité.

Il lui saisit la main, la serra, et reprit :

— À ton tour, maintenant. Michael m'a dit que ton père venait vous rendre visite. C'est ça qui t'ennuie ?

— En partie.

Le silence retomba. « Dis-lui ! », hurlait la petite voix qui ne la lâchait plus. C'était le moment des aveux. Cole s'était ouvert le premier : c'était son tour, maintenant. Même si ses mots devaient les séparer à jamais. Elle sentit sa gorge se serrer. Elle fit un nouvel effort, mais ne put les prononcer. Parfaitement inconscient du combat qui se livrait en elle, Cole lui serra une nouvelle fois la main, et proposa :

— Tu peux venir chez moi, si tu veux, pendant la visite de ton père.

— C'est tentant. Seulement, je me suis juré de ne plus prendre la fuite.

Sa voix s'éteignit. Peu importait qu'elle osât enfin affronter son père puisque, face à Cole, elle fuyait lâchement.

— Les pères sont parfois infernaux, et il n'est pas interdit de faire un petit détour pour les éviter. Tu sais, en vous écoutant, toi et Zach, j'ai compris à quel point j'avais de la chance. Le père MacKenzie a dit à son fils qu'il méritait tout ce qui lui arrivait.

— Et Zach l'a cru ?

— En partie. La semaine dernière, il a commencé une cure de désintoxication dans une clinique.

Comme elle sentait une certaine tension dans la voix de Cole, elle lui demanda :

— Et ça te met en colère ?

— C'est surtout le moment qui est affreusement mal choisi. Le pire, c'est qu'en fait, je l'admire. Il faut du courage pour admettre qu'on a un problème, et encore plus pour mettre tout en œuvre dans le but de le régler. Par certains côtés, il me fait penser à toi.

— Encore un pauvre type dans une situation impossible ?

Elle avait lâché sa main pour croiser les bras sur sa poitrine, et elle commençait à se replier sur elle-même, en proie à un découragement glacé. Décidément, elle n'aurait jamais assez de cran pour lui avouer sa vérité.

— Non, dit Cole. Un type qui affronte les problèmes en face. Je ne sais pas si j'aurais le courage de suivre le même chemin que lui.

— C'est un type bien, dit-elle. Je suis sûre qu'il s'en sortira.

Dans un dernier sursaut, elle serra les poings. « Dis-lui, espèce de lâche, dis-lui... »

— Il a fait sa part, dit Cole. Maintenant, à moi de faire la mienne. J'y pense : le propriétaire du Score t'a donné les papiers nécessaires pour t'inscrire au chômage ?

Pendant le reste du trajet, ils parlèrent des démarches à effectuer au cours de la semaine à venir. Brenna allait chercher un nouvel emploi et, en attendant de l'avoir trouvé, elle remplirait un dossier pour toucher une allocation de chômage. Cole avait deux audiences à préparer. Quelques minutes avant d'arriver chez Michael et Jane, il lui proposa de nouveau de venir chez lui.

Elle avait envie d'accepter, mais c'était la solution la plus lâche. Et elle avait décidé de lutter de toutes ses forces contre cette abominable lâcheté.

19.

Le lendemain matin, au petit déjeuner, Michael apprit à sa sœur que leur père était arrivé la veille au soir. Avec cette nouvelle, la réalité opéra un retour en force. Arrachée au petit nuage sur lequel elle flottait depuis son voyage avec Cole, Brenna posa sa tasse avec tant de force que le café chaud éclaboussa le plan de travail. Puis elle jeta un coup d'œil à la ronde, comme si elle s'attendait à voir son père apparaître brusquement dans la cuisine.

— Je croyais qu'il ne venait que la semaine prochaine !

— Il nous a pris par surprise, expliqua Michael avec un sourire gêné. Il dit que tu lui as proposé de passer le 4 juillet avec nous.

— C'est une bonne idée, répondit la jeune femme, sans conviction aucune, tout en passant un coup d'éponge sur la table.

— Bien sûr, il profite de son séjour pour traiter quelques affaires. Il était ici jusqu'à hier soir, puis on l'a emmené aux Springs, et il reviendra demain, en fin de journée. Ou peut-être après-demain matin.

Voyant que Michael secouait la tête d'un air désabusé, Brenna haussa les sourcils.

— Il y a autre chose que tu ne me dis pas ?

— Je ne comprends pas. Il dit qu'il veut passer du temps avec nous, mais, pendant le week-end, quand on est disponibles, il est trop occupé pour nous voir.

Sa voix se fit plus irritée quand il ajouta :

— Il dit qu'il veut voir Teddy, et il nous invite, Jane et moi, à dîner au Country Club, en proposant de payer quelqu'un pour le garder.

Pour Brenna, rien de tout cela n'était surprenant : le Colonel fonctionnait toujours de cette façon. Quant aux enfants, il les appréciait — de loin. Tant qu'on ne lui demandait pas de leur parler, de les écouter...

Avec de la chance, elle parviendrait peut-être encore à éviter tout contact avec lui ? À cette idée, elle ressentit un pincement de culpabilité : trop préoccupée par ses propres problèmes, elle n'avait jamais réfléchi à l'enfance de son frère, à peine plus rose que la sienne.

— Je regrette, Michael.

— Moi aussi, dit-il en soupirant. J'espère toujours qu'il va changer. Quand il a pris sa retraite, j'ai cru que ce serait différent.

— Qu'est-ce qu'on dit à propos des vieux singes ?

— Une rose, même avec un autre nom...

— Dégagerait la même odeur.

Il éclata de rire.

— Surveillez votre ton, mademoiselle ! Quel manque de respect !

Brenna vint le rejoindre à table.

— Sérieusement, je suis désolée que tu aies passé un week-end aussi désagréable. Je ne regrette pas d'être partie, mais...

— Tu me revaudras ça, petite sœur ? lança-t-il, une étincelle dans le regard.

— Euh... non. Même pas pour un énorme chèque. Et pourtant, ça me rendrait bien service.

— Je n'ai pas les moyens, désolé. D'ailleurs, c'est toi qui es riche.

— C'est ça ! C'est sans doute pourquoi j'ai dû renoncer à mon appartement pour venir vivre ici avec toi.

— Brenna...

Il attendit qu'elle levât les yeux vers lui avant de continuer.

— Tu as de l'argent.

— Mais non ! J'ai consacré mes dernières économies à payer l'inepte John Miller.

— Tu ne te souviens pas, il y a une quinzaine de jours, quand papa a envoyé ces vieilles photos ? Il y avait aussi un livret d'épargne.

Comme elle le regardait sans comprendre, il insista :

— Mais si, tu sais bien ! Il y avait une photo de maman à l'intérieur.

— Il n'y a sûrement pas un sou sur le compte. Pas après tout ce temps.

— Je te parie que si.

Elle le regarda un instant, le visage parfaitement inexpressif, puis tourna les talons et se précipita dans sa chambre. Un instant plus tard, elle retrouvait le livret au fond de sa penderie, dans une boîte à chaussures remplie de vieilles photos et autres paperasses. Assise sur le lit, elle le serra entre ses mains en se rappelant le soir où elle avait quitté la maison. Elle avait peur d'ouvrir le livret, et elle se sentait remplie d'un chagrin poignant parce qu'elle n'avait pas dit à sa mère qu'elle l'aimait avant qu'elle ne meure.

— Vas-y. Regarde, lui dit Michael d'un ton encourageant.

Elle secoua la tête et lui tendit le petit carnet.

— Je n'ose pas. Regarde, toi.

Michael prit le livret, s'assit près de sa sœur, et se mit à tourner les pages.

— Regarde, dit-il en posant le doigt sur la première colonne. Maman a ouvert ce compte une semaine après ta naissance. Elle ajoutait une somme d'argent régulièrement : pour Noël, pour chacun de tes anniversaires, et même de temps en temps en cours d'année.

Avec émotion, il referma le petit carnet et le glissa dans la main de sa sœur.

— Il y a beaucoup d'argent, Brennie. Huit mille dollars en tout, sans compter les intérêts des onze dernières années.

— Quelques dollars de plus...

— Oh, non ! Je parie que tu as doublé la mise.

— Ce serait assez pour payer tout ce que je dois ?

Si Michael ne se trompait pas... s'il ne se trompait pas, son vœu venait d'être exaucé.

— Appelle-les, vite ! s'écria Michael en sautant sur ses pieds.

Comme un robot, elle se dirigea vers le téléphone. La banque confirma tout : l'existence du compte, les intérêts accumulés... Il y avait plus de quinze mille dollars sur le compte. Brenna raccrocha, abasourdie et folle de joie, et Michael la serra dans ses bras de toutes ses forces.

— Tu es contente ?

Elle hocha vigoureusement la tête, bien qu'elle fût encore incapable d'y croire tout à fait.

— À ton avis, papa savait ce qu'il m'envoyait ?

— Aucune idée.

— Il ne me l'aurait sûrement pas envoyé s'il avait su.

— C'est ton argent, Brenna. Malgré tous ses défauts, il ne se rendrait jamais coupable d'un acte malhonnête.

— Tu as raison.

— Il ne peut te faire du mal que si tu le lui permets, Brennie.

— Je sais bien.

Elle répondait automatiquement, mais, au fond de son cœur, elle n'était pas si sûre que Michael eût raison.

— Tu te rends compte ? Tu es libre !

Quinze mille dollars ! C'était une véritable fortune ! Comme un ruisseau à la fonte des glaces, les idées, les projets et les rêves se mirent à bouillonner en elle.

— Je reprends mes études, annonça-t-elle. Dès que j'aurai tout réglé avec Bates et le tribunal. Il va me falloir un bon avocat.

Elle sauta sur ses pieds, embrassa son frère avec enthousiasme, et se précipita vers le téléphone.

— Ça tombe bien : j'en connais un excellent !

Au cabinet de Cole, Myra lui répondit que son patron ne disposait que d'une demi-heure de liberté en milieu de matinée.

— Parfait. J'y serai !

Myra ne fit aucun commentaire. Dix minutes plus tard, Cole rappelait pour lui demander ce qui se passait.

— C'est une surprise. Nous nous verrons tout à l'heure à ton bureau.

Quand elle arriva, il vint à sa rencontre et l'entraîna dans son antre sans même lui laisser le temps de dire bonjour à Myra. Après avoir fermé la porte derrière lui, il la prit dans ses bras et l'embrassa furieusement.

— Oh, que c'est bon de te voir ! murmura-t-il entre deux baisers. Est-ce que tu sais seulement à quel point tu m'as manqué ?

— Nous nous sommes quittés il y a à peine douze heures !

— Je m'en fiche. Je suis en manque.

Elle haussa les sourcils d'un air taquin.

— Vous voulez me montrer où vous avez mal, Maître ?

— Ne me tente pas, gronda-t-il.

— D'accord. J'ai une proposition à te faire.

— De mieux en mieux !

— Je veux t'embaucher.

— Moi ?

Il recula d'un pas, l'air troublé.

— Pour quoi faire ?

— Oh, Cole. C'est la réponse à toutes mes prières. Regarde !

Elle se dégagea de ses bras, sortit le livret de son sac et le lui tendit.

— J'ai appelé la banque et, avec les intérêts, j'ai plus qu'assez pour tout rembourser !

— C'est fantastique, ma belle, mais...

— Tu ne comprends pas ? Je peux payer Bates, je peux en finir avec cette histoire une fois pour toutes. Et je veux que ce soit toi qui t'en occupes.

Un lent sourire éclaira le visage de Cole.

— Alors, ça... Ce serait une façon assez extraordinaire de terminer une sale affaire.

Il tendit la main.

— Donne-moi un dollar, Brenna.

— Un dollar ?

Il hocha la tête et, sans comprendre, elle sortit un dollar de son sac et le lui tendit.

— Je suis ton avocat, maintenant, dit-il en lui prenant le billet avec un baiser en prime. J'encaisserai le reste plus tard.

— Tu es sûr que je peux m'offrir un grand avocat comme toi ?

— Oh, oui, murmura-t-il en l'embrassant de nouveau. Bien. Tu as apporté le délibéré ?

— Voilà, fit-elle en lui tendant un dossier.

Il feuilleta les papiers, trouva ceux qu'il voulait, et alla s'installer derrière son bureau. Brenna s'assit pour le contempler, tandis qu'il parcourait le dossier en diagonale et prenait quelques notes. Quand il eut tout passé en revue, il leva les yeux.

— Tu es bien sûre de ce que tu veux faire ?

Elle hocha fermement la tête.

— Je veux en finir avec cette histoire. Le plus vite possible.

Il sourit, décrocha son téléphone et composa un numéro. Quelques instants plus tard, il demandait à parler à Roger Markham. Quand on le mit en attente, il posa la main sur le combiné et croisa le regard de Brenna. Son humeur folâtre s'était évaporée ; il semblait très grave et très concentré.

— Tu me fais confiance ? demanda-t-il.

— Oui, répondit-elle sans hésiter.

— C'est bien.

Quelques secondes passèrent, puis il se mit à parler.

— Roger, bonjour. Je représente Brenna James. Elle aimerait négocier un règlement dans son affaire contre M. Bates... Oui, vous m'avez bien entendu... Quand ? Aujourd'hui, à l'heure qui vous conviendra... Bien sûr que je parle sérieusement... Oui, je vais vous expliquer, Roger. Elle est prête à négocier, mais il faut que ce soit tout de suite. Si vous voulez perdre du temps sous prétexte d'en gagner, je lui recommanderai de citer son adversaire en justice pour harcèlement, négligence, et tout ce qui me viendra à l'esprit... Merci, c'est gentil à vous de trouver un moment à nous consacrer. 14 h 30, ce sera parfait... Oui... À tout à l'heure.

Il raccrocha avec un sourire hilare, et Brenna laissa échapper un énorme soupir. Elle ne s'était pas rendu compte qu'elle retenait son souffle. Cole se leva vivement et alla ouvrir la porte.

— Myra ? Vous pouvez venir une seconde ?

— Tout de suite, patron.

Avant qu'il n'eût regagné son siège, Myra était déjà sur le seuil, un bloc à la main.

— D'abord, il faudrait répartir mes rendez-vous de la journée sur le reste de la semaine. Ensuite, je vais dicter une proposition d'accord, et il me la faudra, mise en forme et prête à être signée pour 13 h 30.

Au cours de l'heure qui suivit, Brenna regarda Cole prendre la situation en main avec une énergie admirable. Mieux que jamais, elle voyait à quel point John Miller s'était mal comporté envers elle. Quand Myra apporta la proposition, Cole la prit en plissant le front, et se mit à la relire tout haut.

« Cette fois, c'est clair », pensa-t-elle, paralysée. Il sait que je ne sais pas lire, et il veut que je sois au courant de tout... ». À cet instant, il leva les yeux et surprit son regard consterné.

— Désolé, dit-il. C'est une vieille habitude qui date de mes études. Je lis toujours les documents tout haut : c'est le seul moyen d'être sûr que je n'ai rien oublié d'important. Toutes mes secrétaires m'ont dit que ça les rendait folles.

— J'ai tout entendu, patron, lança Myra, depuis l'autre pièce. Et je proteste énergiquement !

— Toutes sauf Myra, la meilleure de toutes, corrigea Cole avec un petit rire.

Et voilà, pensa Brenna. Aussi simplement que cela, elle bénéficiait d'un nouveau sursis.

— Ça ne me pose aucun problème, dit-elle d'une voix faible. Je me demandais juste pourquoi tu ne citais pas de chiffres.

— Ça fait partie du plan.

Il fit le tour du bureau, et vint la prendre par la main.

— Je n'ai pas l'intention de leur donner tout ton argent, ma belle. Viens. On va déjeuner en vitesse et aller retirer une partie de ton trésor à la banque.

À 14 h 30 précises, ils se présentèrent dans les bureaux de Jones, Markham et Simmons. Brenna marchait comme dans un rêve, incapable de croire qu'elle se trouvait vraiment ici, que tout pouvait s'achever aussi simplement. Cole avait raison :

il fallait frapper vite, pendant que Roger Markham et Bates se demandaient encore où ils voulaient en venir.

Ils n'attendirent que quelques secondes avant d'être introduits dans une salle de réunion. Sur le seuil, Brenna s'immobilisa un instant en voyant Bates assis à une extrémité de la table. Elle n'avait jamais eu peur de lui en tant qu'homme, mais elle détestait le pouvoir qu'il utilisait contre elle. Elle détestait se sentir écrasée comme une victime impuissante. Elle entra dans la pièce, la tête haute.

Cole tira un fauteuil pour elle, et serra la main d'un petit homme impeccablement vêtu qui venait d'entrer à son tour.

— Roger, vous avez l'air en pleine forme.

— Bonjour, mademoiselle James, fit l'homme sans répondre au salut de Cole. Vous connaissez tous les deux M. Bates.

Brenna se retourna vers lui, et il sourit mécaniquement — sans perdre pour autant son expression vorace.

— Je savais bien que, tôt ou tard, vous iriez demander l'argent à votre papa, dit-il.

Cole s'installa au côté de Brenna.

— Passons aux choses sérieuses, voulez-vous ? Combien voulez-vous pour clore l'affaire aujourd'hui même ?

— Combien ? répéta Markham en fronçant les sourcils. Eh bien, la totalité de la somme, bien entendu.

Cole lui sourit, et Brenna reconnut son sourire professionnel le plus froid, celui qu'il réservait aux audiences.

— Roger, dit-il d'un ton patient. Vous ne vous attendez tout de même pas à ce que Mlle James vous verse neuf mille dollars cash sans négocier ?

— Puisque c'est l'argent du papa, qu'est-ce que ça peut vous faire ? répliqua Bates.

Brenna s'était promis de l'ignorer, mais sa curiosité l'emporta.

— J'aimerais beaucoup savoir, monsieur Bates, pourquoi vous pensez que mon père a de l'argent, et pourquoi vous êtes si certain qu'il est prêt à m'en donner.

— Disons que c'est mon hobby de me tenir au courant des affaires du grand Colonel James.

Son visage sembla se décomposer, et Brenna eut le sentiment que quelque chose craquait en lui.

— La compétence ne suffit pas, gronda-t-il, le souffle court. L'excellence ne suffit pas. La perfection est le seul objectif acceptable...

Elle en eut la chair de poule. Elle connaissait par cœur ces paroles, et cette façon de les scander ! Elle connaissait aussi la suite : « Quand on veut garder ses hommes en vie, la compétence ne suffit pas. Dans l'exécution d'une mission, seule la perfection est admissible. ».

Le Colonel James avait sacrifié sa propre fille à son idéal de perfection.

Bates ne semblait plus voir ni Cole ni Markham.

— Vous savez ce que la « perfection » de votre père m'a coûté, mademoiselle ? lança-t-il d'une voix enrouée par l'émotion. Une jambe, rien que ça. Vous m'avez accusé de manquer de patience ? Vous vous trompez. J'attendais une occasion depuis trente ans quand vous avez croisé mon chemin. Vous m'avez dit un jour d'aller au diable ? J'y suis déjà allé, merci. Onze mois à servir sous les ordres d'un homme qui exigeait la perfection, sans tenir aucun compte des réalités de la guerre ! Des hommes sont morts, d'autres ont été mutilés, et lui, il est monté en grade !

Il lutta pour reprendre son souffle, arracha sa pochette de son veston pour se tamponner le visage.

— Alors, quand j'ai entrevu un moyen de lui faire du mal en retour, même un tout petit peu... Parce que, ne vous y trompez pas : neuf mille dollars, ce n'est qu'une miette en regard de tout ce que le grand Colonel me doit.

Brenna gardait les yeux fixés droit devant elle. Elle était bouleversée par cette haine qui se déversait sur elle. Comment Bates avait-il su qu'elle était la fille de son Colonel ? Elle ne se souvenait pas d'avoir jamais mentionné son père en sa présence. En tout cas, maintenant, elle savait pourquoi cet homme s'était acharné à lui nuire.

Elle leva les yeux un instant, et murmura :

— Je suis désolée.

— Vous êtes désolée ? hurla-t-il. Vous croyez que ça suffit ? Vous allez voir !

Cole bondit de sa chaise.

— Bates, je...

— Mademoiselle James, Cole, je vous en prie ! coupa Markham avec beaucoup d'autorité.

Il se leva d'un mouvement délibéré et, malgré sa petite taille, il se dégageait de lui tant d'assurance et de détermination que le silence se fit.

— M. Bates et moi allons nous absenter quelques minutes. Je vous demande de patienter.

— Bien sûr, murmura Cole.

Les deux hommes sortirent, et il prit la main de Brenna.

— Je ne savais pas, dit-il à voix basse. Je sentais bien qu'il t'en voulait, mais je te jure que j'ignorais pourquoi.

— Je ne savais pas, moi non plus, murmura-t-elle, les yeux fixés sur les silhouettes floues de Bates et Markham à travers la porte au verre dépoli.

Elle vit Bates agiter les bras, puis tourner les talons et s'éloigner le long du couloir en s'appuyant lourdement sur sa canne. Il semblait boiter plus bas qu'à l'accoutumée. Elle aurait aimé le haïr pour tout ce qu'il lui avait fait endurer, mais, en cet instant, elle ne ressentait que de la pitié pour lui.

Roger Markham revint dans la pièce.

— Il me semble que nous discutions du montant, dit-il.

Rien dans son attitude ne rappelait l'explosion qui venait d'avoir lieu. Cole approuva de la tête.

— C'est cela.

Il tendit la main, et Brenna y plaça quatre paquets de billets de cent dollars.

— Mlle James accepte de payer sur-le-champ si vous êtes prêt à vous contenter de quatre mille dollars.

Les choses se passaient exactement comme Cole l'avait prédit pendant le déjeuner. Markham semblait incapable de détourner son regard des billets. Il secoua la tête comme s'il avait peine à en croire ses yeux.

— Je dois consulter M. Bates, dit-il. Je vous demande de patienter encore quelques instants.

Il sortit sans autre commentaire, et revint au bout de quelques secondes.

— M. Bates dit qu'il n'acceptera pas un centime de moins que la somme complète. Neuf mille dollars.

Brenna faillit perdre confiance, mais, cela aussi, Cole le lui avait prédit. Avec beaucoup d'assurance, il fit une pile des paquets de billets, puis se leva en les tendant à Brenna.

— Dans ce cas, nous n'avons plus rien à nous dire.

— Huit mille, dit Markham.

— Quatre mille cinq cents.

Markham secoua la tête.

— C'est sa meilleure offre.

— Dommage, c'est encore trop.

— Alors, sept mille.

— Descendez à cinq mille et nous pouvons conclure.

— J'ai baissé bien plus que vous n'êtes monté !

Cole lui lança son sourire le plus froid.

— Je suis un homme raisonnable, Roger. Disons cinq mille cinq cents.

Markham se tourna vers Brenna, puis il hocha la tête.

— Je vais faire rédiger un accord.

— Inutile, dit Cole en se laissant retomber sur son siège et en ouvrant sa mallette.

Rapidement, il inscrivit des chiffres dans les espaces laissés libres, et tendit le document à son ancien patron.

— Je pense que ceci couvre tous les points principaux.

Markham parcourut le document, puis le rendit à Cole.

— Signez, et je l'apporterai à M. Bates.

Cole sortit un stylo et le tendit à Brenna. Elle signa, puis lui rendit l'argent en y ajoutant quinze cents dollars. Il lui sourit.

— C'est presque terminé, dit-il.

En tendant à Markham l'accord signé et l'argent, il déclara :

— Il nous faudra un reçu pour cette somme.

— Mais bien sûr.

Dans un sens, Brenna regrettait de devoir donner cet argent à Bates. Ça n'allait rien changer pour lui, alors qu'elle aurait eu le plus grand besoin de cette somme pour se refaire une vie. En même temps, le fait de le donner la libérait : elle pouvait repartir de zéro. Maintenant que tout était consommé, maintenant qu'elle connaissait les liens entre Bates et son père, sa colère s'était envolée.

Quelques minutes plus tard, Markham revint avec un reçu et l'accord signé. Cole sépara les copies, lui serra la main. C'était fini. En se dirigeant vers l'ascenseur, Brenna eut la sensation de flotter. C'était fini ! Il lui fallut toute sa volonté pour se tenir bien sagement devant les portes closes de l'ascenseur. Celles-ci s'écartèrent, ils entrèrent dans la cabine vide, Cole pressa le bouton du rez-de-chaussée... et elle laissa échapper un véritable cri de guerre. Cole éclata de rire, la happa dans ses bras et la souleva du sol.

— Je suis libre ! hurla-t-elle en nouant ses bras autour de son cou. Je suis libre !

Elle l'embrassa de toutes ses forces, et reprit :

— Merci. Je n'aurais pas pu entrer là-dedans toute seule. Je n'aurais pas pu...

— Tu n'aurais pas pu tout faire, c'est sûr, et je suis content d'avoir pu t'aider.

Il l'embrassa et reprit :

— Maintenant, il ne reste plus que le petit problème de mes honoraires...

Elle sourit, sans écarter sa bouche de la sienne.

— Que proposez-vous, Maître ?

— Passe la nuit avec moi.

Intimidée tout à coup, elle hocha la tête.

— J'ai encore des centaines de choses à faire, aujourd'hui, dit-il d'un ton de regret.

— Moi aussi, répondit-elle, même si, à cet instant précis, elle aurait été incapable d'en nommer une seule.

— 8 heures, ce serait tard pour toi ?

— Non.

Un rendez-vous plus tôt ne l'aurait guère arrangée : elle devait retrouver Nancy à 6 heures, pour son cours.

— 8 heures, ce sera parfait.

C'était une journée de nouveaux départs. Une journée idéale pour tout lui avouer.

20.

En rentrant de son cours, Brenna trouva Cole assis sur le perron en compagnie de Teddy et Michael. Il ne lui fallut que cinq minutes pour rassembler quelques affaires et embrasser rapidement son frère et son neveu. Puis la jeep l'emmena vers la maison de Cole.

Il avait remonté la capote de toile, les enfermant dans un petit monde bien à eux.

— Toujours sur ton nuage ? demanda-t-il, les yeux brillants.

— Être débarrassée de Bates... c'est vraiment quelque chose ! répondit-elle. Je n'arrête pas de penser à cette vieille chanson : « Mon âme est chez le prêteur sur gages ». J'ai récupéré la mienne.

— Je peux comprendre ça, dit-il en souriant.

Il lui embrassa les doigts sans quitter la route des yeux.

— Tu as le trac de venir chez moi ?

— Un trac monstre.

— Ça ne se voit pas.

— Ne t'y trompe pas : je meurs de frousse.

Elle pressa le dos de sa main sur son front avec une mimique horrifiée.

— C'est donc à ça qu'on ressemble quand on meurt de frousse ? Je me demandais aussi !

Il se concentra sur la route, et elle le regarda conduire. Au fond, elle s'en fichait de savoir où ils allaient : vers un palais ou sous un arbre, au clair de lune. Une seule chose comptait : être avec lui.

Ils roulèrent encore pendant une grande demi-heure, puis empruntèrent une allée de gravier menant à une maison à un étage, noyée dans le crépuscule. Une grande maison qui ne ressemblait guère à la villa des beaux quartiers ou au loft qu'elle imaginait lors de leurs premières rencontres.

Cole mit pied à terre, contourna la jeep, et vint se pencher à sa vitre pour lui offrir un baiser chaste, si tendre, si rempli de promesses que son cœur se serra. Il la contempla quelques instants sans rien dire, puis ouvrit sa portière. Devant eux, un perron de quelques marches menait à une véranda. Il déverrouilla la porte d'entrée et lui fit traverser une grande pièce sans allumer la lumière.

— Tu es un chat ? chuchota-t-elle. Tu aimes rôder dans la maison, la nuit ?

— Non, répondit-il en la soulevant dans ses bras. Tu sais, c'était terrible pour moi de devoir te ramener chez Michael, hier soir.

Il l'embrassa encore et, cette fois, son baiser n'avait rien de chaste.

— Si j'allume, expliqua-t-il enfin, tu vas vouloir tout visiter.

Il s'empara de nouveau de sa bouche, encore plus passionnément. Elle noua les bras autour de son cou, le souffle court.

— Je ne veux rien qui puisse nous distraire, ma belle.

Elle non plus — même si elle était très curieuse de découvrir sa maison. Il l'emporta dans ses bras, gravit l'escalier comme si elle ne pesait pas plus qu'une plume, passa une porte et la posa à terre, tout près du lit.

— Tu sais à quoi je pensais, aujourd'hui ? demanda-t-il.

Elle secoua sa tête, et il se mit à déboutonner son corsage.

— Je pensais que je ne t'avais jamais fait l'amour dans un lit.

Il repoussa le corsage de ses épaules, le laissa tomber sur le sol.

— Dans mon lit, murmura-t-il en se penchant vers elle.

Sa bouche traça une piste de feu de son épaule à son cou.

— Je pensais que j'étais heureux que tu ne travailles plus le soir. T'avoir avec moi toute la nuit... c'est ce que je veux.

Il leva le visage vers elle et sourit, un peu penaud.

— Je sais que ça peut paraître égoïste...

— Je... le veux aussi.

Il l'attira dans ses bras, dégrafa son soutien-gorge, et fit glisser les brides le long de ses bras.

— Je mesurais aussi à quel point j'étais heureux que tu sois sortie de cette impasse avec Bates.

Le soutien-gorge tomba à son tour sur le plancher.

— Et, pour finir, je pensais que j'allais perdre la tête si je devais attendre une minute de plus avant de te voir comme ça.

L'attirant de nouveau dans ses bras, il s'empara de sa bouche. Quand ses seins nus se pressèrent contre l'étoffe de sa chemise, elle sentit s'embraser en elle le désir fou dont il parlait. Elle brûlait d'entendre sa voix à son oreille, de sentir ses mains sur elle. Elle noua les bras autour de son cou, et s'abandonna totalement.

Les lèvres de Cole se promenaient sur son visage. Elle renversa la tête en arrière pour lui offrir son cou. Il se mit à mordiller la peau tendre sous son oreille, sans cesser de la caresser. Puis il fit glisser d'un seul mouvement fluide sa jupe et son slip qui allèrent rejoindre le reste de ses vêtements.

Dans un grondement sourd, il la reprit dans ses bras, se noyant dans la sensation de sa peau nue. Leurs deux corps semblaient faits l'un pour l'autre. Quand elle se dressait sur la pointe des pieds, arquée contre lui, elle lui coupait le souffle.

— Je t'aime, souffla-t-il contre le satin de son cou. Je t'aime, répéta-t-il en l'allongeant sur le lit. Je t'aime, gémit-il en couvrant son corps du sien.

Ces trois mots l'éblouirent. C'était tellement inattendu, tellement splendide! Attirant sa tête vers la sienne, elle l'embrassa avec une infinie tendresse, tandis que les larmes glissaient de sous ses paupières serrées. Seigneur, comme elle aurait aimé que ce fût vrai! Plus que tout au monde, elle aurait voulu lui dire les mêmes mots. Mais elle n'en avait pas le droit.

Elle lui montra donc son amour de la seule façon possible. De ses mains tremblantes, elle l'aida à retirer sa chemise, s'attaqua à la fermeture de son pantalon. Une pulsation lourde et chaude se levait en elle. Elle ne pourrait pas attendre bien longtemps. Et ces vêtements qui s'empêtraient...

— Chaussures, murmura-t-elle en haletant.

Il rit doucement, et se débarrassa de ses chaussures.

— Merci, dit-elle. Je refuse de faire l'amour avec un homme qui garde ses chaussures.

— Il faudra peut-être essayer, un jour, pour nos recherches.

— Quelle drôle d'idée... Les chaussettes aussi.

— Voilà, ma chérie. C'est mieux comme ça. Rien que toi et moi, peau contre peau.

Il l'immobilisa sous lui, pétrissant ses seins doux et pleins, explorant tout son corps. Elle souleva les hanches dans une invitation irrésistible, mais il voulait la faire attendre un peu. Tremblante, elle noua ses jambes aux siennes pour l'attirer encore plus près.

— Je t'en prie, aime-moi, chuchota-t-elle à son oreille.

— Oui. Je... je t'aime. Ah, Brenna, je...

Ils étaient vraiment l'un à l'autre, pleinement, intimement unis. Il vit son visage sur l'oreiller se détacher au clair de lune ; il la vit ouvrir des yeux brillant de larmes. Son expression de tendresse lui déchira le cœur. Le bonheur, le plaisir s'engouffrèrent en lui, et il s'immobilisa, pressé contre elle de toutes ses forces, sa bouche sur la sienne, tentant de les maintenir le plus longtemps possible sur ce sommet scintillant. Mais ils basculèrent bientôt dans un gouffre furieux, avec une explosion de sensations qui leur coupa le souffle.

Les moments qui suivirent furent profondément paisibles. Brenna sentait le corps chaud et alangui de Cole enroulé autour du sien. Dans ses bras, elle se sentait pour la première fois de sa vie en sécurité, aimée, chérie. Cet instant parfait se prolongea si longtemps qu'elle finit par s'endormir.

Quand elle se réveilla, au lever du jour, elle découvrit que Cole avait tiré un drap sur eux. Il dormait, la poitrine contre son dos, un bras enroulé autour de sa taille. Elle effleura son corps, et sourit en le sentant poser un baiser sur son épaule. Même endormi, il restait tendre.

Blottie contre lui, elle examina la chambre, et y retrouva tout ce qui faisait la personnalité de son propriétaire. Des murs crème, une cloison entière de livres, de disques, avec, au centre, une chaîne stéréo. Un ventilateur à larges pales était suspendu au plafond, une grande lucarne s'ouvrait sur le ciel bleu, et une baie vitrée donnait sur un balcon offrant une vue splendide de la montagne de Long's Peak.

Sans bruit, elle se glissa hors du lit et se dirigea vers la baie. Cette vue fabuleuse devait être tout aussi belle, l'hiver, sous la neige. En contrebas, elle vit un très grand jardin, avec de jeunes arbres qui, un jour, donneraient de l'ombre à la maison et la cacheraient de la route. Elle ramassa la chemise de Cole, l'enfila et quitta la pièce.

Hier soir, en traversant la maison, elle n'avait eu qu'une vague impression de l'espace. En l'explorant, pieds nus dans la lumière fraîche du matin, elle vit dans toutes les pièces les mêmes murs crème, relevés d'accents bleu sombre ou bruns. Partout, on retrouvait des traces de la passion de Cole pour la voile. Des tableaux, des modèles de vaisseaux du XIXe siècle, un gouvernail recouvert d'un plateau de verre en guise de table basse. Après un dernier regard approbateur sur le living, elle passa dans la cuisine et se mit à chercher le café.

Quand elle l'eut préparé, elle sortit, et traversa la pelouse vers un enclos potager — rempli de mauvaises herbes, comme l'avait annoncé Cole. Elle dut résister à l'envie de commencer un travail qu'elle n'avait aucune chance d'achever ce matin.

Elle retourna donc vers la maison, et découvrit la concrétisation de son rêve.

Une grande maison à un étage, une véranda profonde avec une balancelle. Un grand jardin où pourraient courir des enfants et un chien. Des petits rideaux blancs à certaines fenêtres... Soudain, elle sentit les larmes lui monter aux yeux. La maison de Cole, son rêve...

Elle pensa à toutes les maisons où elle avait vécu, enfant, et auxquelles elle n'avait jamais pu s'attacher. Ici, on sentait cette permanence qui lui avait toujours manqué si désespérément. Ces arbres plantés par Cole, qui allaient mettre des années à pousser et qu'il surveillerait, soignerait, aimerait pendant une vie entière. Sa mère ne pouvait planter que des tomates et, à deux reprises, ils avaient déménagé avant même qu'elle pût faire sa récolte. Ici, on avait planté des racines, profondément, durablement. Cette sensation était à la fois réconfortante et terrifiante — tout comme Cole.

Cole se réveilla dans un sursaut, et jura à mi-voix en voyant l'heure. Il bondit hors du lit, traversa la pièce... et tomba en arrêt devant les vêtements de Brenna abandonnés sur le plancher. L'intensité incroyable de leur nuit d'amour le bouleversa.

— Brenna ? appela-t-il.

Pas de réponse. Il se dirigea vers la porte ouverte de la chambre, et l'appela encore. Puis il se retourna, et la vit par la baie du balcon. Il se dirigea vers la porte coulissante, et s'arrêta net en voyant son expression.

Même à cette distance, il voyait les traces humides des larmes sur ses joues. Immobile, les bras croisés devant elle, elle contempla la maison, puis se détourna, tête basse : l'image même de la défaite. Jamais, pas même le jour du verdict, elle n'avait eu cet air vaincu.

Les larmes de Brenna agirent sur Cole comme un coup de poing en plein plexus. Il ne comprenait pas, mais il fallait la réconforter, tout de suite. Il attrapa un peignoir, dévala l'escalier, ouvrit la porte à la volée et s'avança sous la véranda.

— Brenna, ça ne va pas ?

Elle se retourna vers lui et le regarda s'approcher d'elle, le visage tendu et inquiet.

— Ça va, dit-elle en levant la main pour lui caresser la joue.

— Mais non ! Tu pleures. Qu'est-ce qui se passe ?

Elle s'essuya les yeux avec la manche de la chemise qu'elle lui avait empruntée.

— Tu n'as pas voulu d'un fabuleux appartement à Chicago, dit-elle d'un ton vaguement accusateur.

— Non, répondit-il sans comprendre.

— Ni passer Noël dans des paradis tropicaux.

— Non. Je n'ai pas voulu de ça non plus. Est-ce que ça fait de moi un type ennuyeux ?

— Certainement pas.

Il sourit, et vit de nouvelles larmes glisser sur les joues de la jeune femme.

— Alors, je suis content.

— Je t'aime, murmura-t-elle d'une voix pleine d'une incompréhensible souffrance. Je t'aime, répéta-t-elle comme si cette évidence la surprenait.

Il prit son visage à deux mains, et l'attira contre lui.

— Ça ne devrait pas te rendre malheureuse de m'aimer.

— Ça ne me rend pas malheureuse.

— Alors, pourquoi pleures-tu ?

— Je n'ai jamais eu envie de quelque chose à ce point, et je n'ai jamais eu aussi peur de le perdre, répondit-elle, tout à fait sincèrement.

Il rit doucement, tendrement, et enroula son bras autour de son épaule pour l'entraîner vers la maison.

— Je suis à toi, ma belle, aussi longtemps que tu voudras.

Dans la cuisine, elle le serra contre elle de toutes ses forces. Aussi longtemps qu'elle le voudrait ? Alors, ce serait pour toujours.

Il lui caressa les cheveux, et murmura :

— Si on ne s'active pas un peu, je vais rater une audience.

Au ton ennuyé de sa voix, elle leva la tête et sourit à travers ses larmes.

— Tout à moi ? Ou seulement jusqu'à l'heure de partir travailler ?

— Tout à toi, répéta-t-il en la soulevant pour la jeter sur son épaule.

— Moi aussi, je crois bien que je suis tout à toi.

Il se mit à rire, et caressa doucement ses cuisses.

Ils se douchèrent ensemble, riant et s'efforçant d'ignorer le désir qu'ils avaient l'un de l'autre. Ensuite, Breanna se passa du lait sur la peau, tout en le regardant se raser. Au fur et à mesure qu'il s'habillait, son personnage au cœur léger s'effaçait sous une façade austère. Chaque fois qu'il passait près d'elle, il en profitait pour l'effleurer, l'embrasser. Elle aurait aimé passer chaque matin de sa vie de cette façon-là, avec lui.

Il lui promit de l'appeler dès que l'audience aurait pris fin. Son long baiser et le « je t'aime » qu'il murmura lui remplirent le cœur.

Teddy l'accueillit en lui sautant dans les bras. Puis Jane émergea de sa chambre, prête à partir donner ses cours. Elle jeta un regard à Brenna, et vint la serrer dans ses bras, elle aussi.

— Tu es tout illuminée de l'intérieur, dit-elle avec simplicité. Je crois que c'est l'homme de ta vie.

Brenna était tout à fait d'accord avec sa belle-sœur. Une dernière fois, elle se demanda s'il serait possible de ne rien dire, et de mettre les bouchées doubles pour apprendre à lire. À l'instant même où cette pensée lui vint, elle la repoussa. Cole avait été franc avec elle, il méritait qu'elle se comportât de la même façon. Et, puisqu'il l'aimait, il pourrait sans doute comprendre...

— Votre père est à Fort Carson, aujourd'hui, dit Jane. Michael et Teddy iront le chercher plus tard, quand il téléphonera.

— Parfait, répondit machinalement Brenna, sans cesser de penser à Cole.

— Tu aimerais peut-être les accompagner ?

Brenna retomba brutalement sur terre.

— Oh, non ! Ce ne serait pas une bonne idée.

Jane s'entendait bien avec le Colonel. Brenna n'avait jamais compris comment c'était possible.

— Les choses se passent bien, dit-elle. Ce n'est pas quelqu'un de très expansif, mais je crois qu'il s'amuse bien.

— On va aller voir des avions avec Grandpa ! s'écria Teddy en tiraillant la main de sa tante.

— Super !

— Tu veux venir ?

— J'ai trop de choses à faire, aujourd'hui.

Faire la queue à l'Agence pour l'emploi, par exemple. La perspective était, d'ailleurs, plus tentante qu'un tête-à-tête avec son père ! Elle était déjà assez tourmentée sans ajouter son père à ce cocktail explosif. Hier, elle s'était promis d'avouer son secret à Cole la prochaine fois qu'elle le verrait, et elle venait de passer toute la nuit avec lui sans aborder le sujet.

Elle avait beau chercher un moyen de lui dire, cela ne sonnait jamais juste. Elle imaginait un dialogue difficile.

— Tu sais, mon procès, eh bien, c'est arrivé parce que j'étais incapable de lire un relevé de banque. Je croyais vraiment qu'il y avait plusieurs milliers de dollars sur le compte... Ah, toi aussi, tu as du mal à t'y retrouver dans les relevés bancaires ?... Non, ce n'est pas ce que je veux dire... Tu te souviens du soir où tu voulais jouer au Scrabble ? Eh bien, c'est sans doute un peu difficile à concevoir, mais je serais incapable d'épeler le mot « Scrabble ».

Impossible de s'imaginer en train de lui dire tout simplement :

— Je ne sais pas lire.

— Je sais ça, Tatie Brennie, répondit Teddy.

Interloquée, elle regarda son neveu, et comprit qu'elle venait de parler tout haut.

— Mais tu es en train d'apprendre. Comme moi.

— Oui. Comme toi.

— Je peux t'aider, si tu veux.

— Tu es gentil, je veux bien.

Elle lui ébouriffa les cheveux. Pourvu, pourvu que le moment venu, Cole eût la même attitude !

Il téléphona au moment où Teddy et elle achevaient leur déjeuner.

— Tu seras libre en fin d'après-midi ?

— Je pense, oui. J'ai juste un ménage, et la maison est petite. J'aurai terminé vers 16 h 30.

— Parfait ! Ça te plairait, un pique-nique ?

— Ce serait amusant.

— J'ai hâte de te voir, murmura-t-il d'une voix caressante. Tu me rends fou. J'ai un gros problème, et tu es la seule à pouvoir le résoudre.

Elle sentit une vague de chaleur se glisser en elle.

— Vous croyez, Maître ? susurra-t-elle en enroulant le fil du téléphone autour de son doigt.

— J'en suis sûr. Et toi, ma belle ?

— J'ai le même problème.

— Je t'aime, Brenna. Écoute, il faut que je fasse quelques provisions. Je te rappelle dans un petit moment, et on fera quelque chose de vraiment spécial, ce soir.

Michael rentra quelques minutes plus tard. Comme Jane, il proposa à sa sœur de les accompagner pour aller chercher le Colonel. Une fois de plus, Brenna se réfugia derrière les démarches à faire.

— Tu es sûre, Brennie ? Ça fait très longtemps que tu n'as pas passé un moment tranquille avec lui.

— Une autre fois. Il est encore là pour quelques jours, non ?

— Si. C'est terrible de voir que rien ne change entre vous.

— C'est dans l'ordre des choses.

— Il ne changera pas, tu sais.

Elle sentit ses poings se serrer.

— Il n'a qu'à m'accepter comme je suis ou aller...

Michael lui prit la main, et déplia ses doigts.

— Du calme ! Tu sais bien que je ne cherche pas à le défendre. Je me disais juste que si tu le voyais plus souvent, ça amènerait peut-être une certaine détente.

— C'est gentil à toi, mais je crois que la meilleure solution est encore de l'éviter le plus possible. Si on peut arriver au bout de son séjour sans se disputer, ce sera déjà le commencement d'une détente, comme tu dis.

Puis elle sourit à son frère.

— De toute façon, j'ai rendez-vous, dit-elle.

— Alors, la question ne se pose même pas.

Il partit donc seul avec son fils. Quelques minutes plus tard, la sonnette de l'entrée retentit. Supposant que son frère avait oublié quelque chose, Brenna alla ouvrir, et se trouva nez à nez avec un livreur de fleurs qui lui présentait un bouquet de roses jaunes éclatantes. Ce cher Cole !

La porte refermée, elle esquissa un pas de danse, respira le parfum des fleurs, et sortit la petite carte de son enveloppe. Quelques mots y étaient tracés. Elle reconnut « Chère Brenna », mais pour le reste... Elle gémit tout haut. Les lettres se fondaient les unes dans les autres, et elle ne repérait que quelques mots : Un, le, de... Je t'aime.

Elle posa la carte avec précaution. Tout à l'heure, elle la donnerait à Cole, et elle lui dirait tout. Quand elle téléphona au bureau pour le remercier, Myra lui apprit qu'il était parti pour la journée. Elle raccrocha, inquiète tout à coup. Il avait bien dit qu'il la rappellerait ?

Quelques minutes plus tard, elle partit faire son ménage en se répétant qu'elle n'avait aucune raison de s'inquiéter. Cole avait dit qu'il l'appellerait, et il le ferait. Il ne manquait jamais à sa parole.

21.

Cole jeta un coup d'œil à sa montre. Brenna avait-elle déjà reçu les fleurs ? Chaque fois que le souvenir de son doux « je t'aime » lui revenait en mémoire, il avait envie de crier de joie, de la serrer contre lui, de la chérir et de la protéger comme elle méritait de l'être.

Sur la carte, il avait écrit : « Grandmom m'a dit un jour que le jaune est la couleur de l'amour et de la confiance. C'est exactement ce que je t'ai donné, pendant notre aube dorée. Retrouve-moi au kiosque du Washington Park à 6 heures pour un pique-nique. Brenna, je t'aime. Cole »

Il avait ensuite appelé la meilleure épicerie de Cherry Creek pour les charger du pique-nique. Il y aurait des serviettes de lin et non de papier, des langoustines au lieu des saucisses, des cœurs de palmier à la place des chips.

La discipline qu'il s'imposait depuis des années lui échappait : il ne parvenait plus à se concentrer. Brenna ne cessait de faire irruption dans ses pensées. Ce matin, il l'avait vue heureuse. Ce sourire lumineux était si loin de l'expression neutre, ultracontrôlée, qu'elle arborait le printemps précédent !

Peu avant midi, Myra parut à la porte du bureau.

— Cole, dit-elle.

Il leva la tête, tout de suite en alerte, en l'entendant l'appeler par son prénom.

— Andrew Matthias est en ligne.

Le procureur dans l'affaire de Zach MacKenzie ? Que pouvait-il lui vouloir ? Ils n'avaient aucun rendez-vous programmé avant l'audience.

— Vous voulez le dossier ?

Cole secoua la tête et enfonça le bouton du téléphone.

— Bonjour, Andrew.

— Cole, je pense que vous avez un problème.

Cole eut un sourire sarcastique. Enfin un interlocuteur capable d'en venir au fait au lieu de perdre son temps en bavardages inutiles !

— Je sais que votre type est en cure de désintoxication.

Disait-il cela pour l'intimider, ou croyait-il lui apprendre la nouvelle ?

— Ce n'est pas une chose que nous avons cherché à cacher. Nous nous doutions bien que vous seriez vite au courant.

— ... Et j'ai deux témoins supplémentaires pour attester de son état d'ébriété au moment de l'accident.

— Est-ce qu'ils ont vu MacKenzie, ce soir-là ?

— L'un d'eux, oui.

Cole repoussa son fauteuil, et regarda par la fenêtre. Un flot continu de voitures passait dans la rue. Matthias se taisait, à présent, et il reconnut la tactique. Lui aussi se servait parfois du silence pour faire monter la pression.

— Qui sont ces témoins ? demanda-t-il.

— Vous avez le droit de les connaître. Voulez-vous que je vous faxe l'information ?

— Oui.

— Vous êtes prêt à négocier ?

— Mon client a plaidé non coupable. Rien n'a changé, depuis.

— Voilà ce que nous allons faire : parlez à mes témoins, et ensuite, appelez-moi. Ici, nous sommes partants pour chercher un terrain de négociation.

Il n'eût pas été très habile de dire tout net qu'il n'était pas question de négocier. Même s'il s'agissait d'un bluff, cet appel avait atteint le but recherché par Matthias : Cole avait la sensation de se retrouver au beau milieu d'un pré avec un taureau en train de lui souffler dans le cou.

— Je leur parlerai, dit-il.

— Très bien. J'attends votre appel, dit Matthias.

La communication était coupée. Cole raccrocha lentement. Il ressentait un mélange d'irritation et de méfiance. Quelle était donc cette nouvelle information qui rendait Matthias si sûr de pouvoir négocier ? Dès l'arrivée du fax, il se mettrait en campagne pour le découvrir. Heureusement, le document lui parvint très vite. Il entendit la sonnerie du téléphone de la réception, puis le sifflement de la machine qui se mettait en route. Il se leva d'un bond, et passa dans l'autre pièce.

— Il y a un problème ? demanda Myra.

— À votre avis ?

— Bon, d'accord. Je n'ai rien dit.

Cole se secoua et lui sourit, ennuyé de lui avoir parlé aussi sèchement.

La transmission était terminée. Il prit la feuille et découvrit deux noms inconnus, deux noms qui n'avaient pas encore fait surface dans cette affaire. Une dernière fois, il vérifia son agenda — pas de rendez-vous avant d'aller retrouver Brenna. Il avait donc le temps de se mettre en chasse. Si Matthias pensait détenir une bombe, il fallait absolument en avoir le cœur net. Il quitta le bureau en disant à Myra qu'il ne repasserait qu'en fin de journée.

Le premier témoin se révéla être le frère de Pamela. Avec lui, tout était clair : la famille de l'ex-fiancée de Zach devait voir les choses sous le même jour qu'elle, surtout un grand frère habitué à la protéger. Cole, lui-même grand frère, savait ce qu'il ressentirait à sa place. À ce titre, il n'aurait aucune difficulté à disqualifier son témoignage.

Il mit beaucoup plus longtemps à retrouver l'autre témoin : une jeune femme, déjà mère de deux jeunes enfants, qui habitait un mobile home, tout à fait au nord de la ville. Cole lui expliqua ce qu'il cherchait.

— Vous n'étiez pas sur la liste des témoins de l'accident, n'est-ce pas ?

Gênée, elle baissa la tête.

— J'avais peur, avoua-t-elle. C'est le type de la station-service au coin qui a appelé les flics. Je le sais parce que c'est moi qui lui ai demandé de le faire.

— Quand cela ?

— Cette nuit-là, répondit-elle en prenant l'un des petits dans ses bras. Juste après l'accident.

— Mais vous n'êtes pas restée.

Elle secoua la tête. De toute évidence, elle était sur la défensive.

— Je ne pouvais rien faire. Je ne suis pas secouriste, et celui qui était si mal en point...

— Celui qui est mort ?

Elle hocha la tête, et soupira.

— Il fallait que je rentre retrouver les enfants.

— Et l'autre chauffeur ?

— Oh, lui, je m'en souviens très bien. Il n'arrêtait pas de dire que tout était sa faute. Il criait en tournant en rond, en titubant comme un ivrogne.

Le tableau n'était pas reluisant — même si l'état de choc autant que l'alcool pouvait être à la source de ce comportement.

— Vous pensez qu'il était ivre ?

— Oui.

— Vous en êtes sûre ?

Un instant, son regard se fixa dans le vide — elle revivait sans doute la scène. Puis elle dit :

— Oui. Il tenait à peine sur ses jambes quand il est sorti de sa voiture...

— Il était blessé ?

— Je n'ai pas pu voir.

Il attendit la suite, et elle secoua la tête avec un soupçon d'impatience.

— Il n'avait pas l'air blessé, d'accord ? Il avait l'air soûl. Il se comportait comme un ivrogne.

« Si un homme marche comme un ivrogne, s'il parle comme un ivrogne, c'est probablement un ivrogne », pensa-t-il. Eh oui, c'était logique.

— Pourquoi vous êtes-vous décidée à témoigner, après tout ce temps ?

Elle jeta un coup d'œil à ses enfants.

— Au lieu de cet homme qui est mort, ça aurait pu être moi, ou l'un de mes gosses. Il m'a semblé que je devais faire quelque chose.

Il lui posa encore quelques questions, et apprit qu'elle travaillait la nuit à la réception d'un grand hôtel, qu'elle était divorcée depuis un an, et sincèrement convaincue de ce qu'elle avançait. Elle était crédible, sympathique, et n'avait aucun lien avec l'affaire.

Il la remercia de l'avoir reçu, et rejoignit le centre-ville. En chemin, il appela Myra. Quand sa propre voix enregistrée lui répondit, il regarda sa montre. Oui, bien sûr, elle était rentrée, à cette heure-ci. Il était temps d'aller prendre son panier de pique-nique et de retrouver Brenna. Il secoua son découragement, et rangea les difficultés de l'après-midi dans un compartiment de son esprit. Maintenant, il ne penserait plus qu'à sa soirée avec Brenna, dont il comptait faire un événement mémorable.

En route pour l'épicerie, il s'arrêta sur un coup de tête chez un bouquiniste, et acheta les sonnets de Shakespeare. Voilà de quoi ajouter un authentique parfum de romance à leur soirée. Il se mit à sourire en imaginant Breanna en train de raconter, plus tard, à leurs petits-enfants qu'il lui avait fait la cour avec des roses jaunes, des poèmes d'amour et un pique-nique.

À 6 heures précises, il se postait à l'ombre d'un orme, près du kiosque, au centre de Washington Park.

Dès qu'elle rentra, Brenna rappela le bureau de Cole. Le répondeur prit l'appel. Elle laissa un message à Myra et téléphona chez lui. Toujours pas de réponse.

Il ne lui avait pas dit où ils iraient dîner ni à quelle heure il viendrait la chercher, elle en était sûre.

Après avoir mis sens dessus dessous le contenu de sa penderie, elle choisit une robe bain de soleil, parce qu'elle lui rappelait la surface de l'étang du ranch, juste avant le lever du jour. Une fois prête, elle se mit à arpenter l'appartement avec impatience. Dire qu'elle allait devoir lui faire l'aveu qui lui pesait tant ! Elle n'en pouvait plus de vivre avec cette épée de Damoclès suspendue au-dessus de la tête. Soit il comprendrait, soit il ne comprendrait pas. Elle ne pouvait qu'espérer, de tout son cœur. Il lui avait envoyé des fleurs. Il lui avait dit qu'il l'aimait. Tout cela devait bien compter pour quelque chose ?

Une heure passa, puis deux. Elle ne tenait plus en place. Pourquoi n'appelait-il pas ? Travaillait-il encore ? Elle reprit la carte, et l'effleura du bout des doigts.

— Il t'aime, Brenna, dit-elle tout haut. Tout va bien se passer.

Ce n'était qu'une bravade. En fait, elle n'avait aucune certitude.

À 7 heures, Cole fut obligé d'admettre que Brenna ne viendrait pas. Où était-elle ? Avait-elle mal compris ? Si elle n'avait pas reçu les fleurs, évidemment, elle ne savait pas où le retrouver.

Il attendit encore un quart d'heure, puis remonta dans la jeep avec son pique-nique et ses sonnets, avec l'intention de se rendre chez Brenna, au risque de la rater si elle était en chemin. Il conduisit lentement, s'attendant à tout moment à la croiser. Personne.

Quand il arriva chez elle, il était réellement inquiet. Il sonna, et se mit à arpenter le petit perron.

Elle était là ! Interdit, il la vit ouvrir la porte, le visage aussi angoissé que le sien.

— Où étais-tu ? demanda-t-il d'une voix brusque.

Il aurait voulu lui parler avec plus de douceur, mais il s'était senti tellement inquiet, tellement déçu...

— J'ai attendu, mais...

— Tu as attendu ? répéta-t-elle. Mais j'étais ici, à t'attendre.

— Comment ? Mais tu étais censée venir me retrouver.

Il entra, et la porte moustiquaire se referma derrière lui dans un claquement sec.

— Où donc ?

Il se détendit brusquement.

— J'aurais dû m'en douter ! Tu n'as pas reçu mes fleurs.

Il s'approcha d'elle, posa un baiser sur ses lèvres tremblantes.

— J'avais organisé un merveilleux pique-nique, mais si tu n'as pas reçu mon message, tu ne pouvais pas le savoir.

— Les roses jaunes sont très belles...

— Tu les as eues ?

— Oui. Elles sont magnifiques.

— Alors, la carte a dû tomber.

Elle mit la main dans la poche de sa robe, en sortit sa carte, la contempla quelques instants. Quand elle releva les yeux vers lui, ils brillaient de larmes contenues.

— Non, dit-elle enfin d'une voix enrouée. La carte est bien arrivée.

— Alors, tu es rentrée tard et tu n'as pas pu me joindre.

Il cherchait une explication logique. Elle allait pleurer, et il ne voulait pas qu'elle pleure — après tout, ils étaient ensemble, maintenant : ils pouvaient encore passer une soirée inoubliable...

— Tout va bien, ma belle, dit-il. Rien n'est perdu. On n'a qu'à y aller maintenant.

— Tu ne comprends pas, dit-elle.

Il lui prit la main, troublé de voir des émotions aussi contradictoires se succéder sur son visage. La Brenna qu'il connaissait était franche et directe. Pas d'évitements, pas d'omissions, quoi qu'il lui en coûtât. Avec un petit rire tremblé, elle lui tendit la carte en disant :

— Je...

Elle se tut brusquement. Il jeta un coup d'œil au petit carré de bristol. Les instructions étaient parfaitement claires.

— Oui ?

— Je ne sais pas...

Elle ferma brusquement les yeux, et les larmes jaillirent sous ses paupières serrées.

— Brenna, il s'est passé quelque chose ? C'est ton père ?

Elle secoua la tête.

— Mais quoi, alors ?

— Je pensais que tu m'appellerais...

— Quel rapport ? Je t'ai écrit un mot.

Elle hocha la tête sans le regarder. Du bout du doigt, il lui souleva le menton, et, au lieu de le regarder en face, elle détourna les yeux. Plus perplexe que jamais, Cole l'étudia. Elle avait toujours été directe avec lui. C'était l'une des qualités qu'il admirait le plus chez elle.

— Dis-moi : il s'est passé quelque chose depuis ce matin ?

— Non, chuchota-t-elle.

— Bon.

Son attitude évasive le déstabilisait complètement. Depuis sa conversation avec le procureur, il faisait de gros efforts pour se contenir, mais, cette fois, c'en était trop. Les frustrations de toute cette journée s'ajoutaient les unes aux autres, et son calme s'effritait. Il recula d'un pas, et se prit la tête à deux mains.

— Voyons si j'ai bien compris, tu as reçu mes fleurs. Tu as également reçu mon mot. Tu n'es pas rentrée en retard du travail, et il ne s'est rien passé de particulier depuis ce matin. Mais tu es bouleversée, et tu n'es pas venue au rendez-vous que je t'avais donné.

Un long moment, elle garda les yeux baissés, puis elle les leva vers les siens. Il y lut une telle angoisse qu'il oublia sa colère et tendit les mains vers elle. À l'instant où il allait la toucher, elle recula.

— Ma belle, on ne peut pas régler cette histoire si tu ne me dis pas ce qui se passe.

Convulsivement, elle avala sa salive, et croisa les bras comme si elle avait froid. Le silence se prolongea, de plus en plus tendu.

— Bon, il vaut mieux que je m'en aille, dit-il. Si tu n'es pas prête à parler, je vais te laisser un peu de temps.

Avec douceur, il lui toucha la joue, et tourna les talons. Il allait atteindre la porte quand, d'une petite voix pressée et pleine d'angoisse, elle chuchota :

— Je ne sais pas lire.

Il s'arrêta net et secoua la tête. Avait-il bien entendu ? Lentement, il se retourna pour la regarder. Elle n'avait pas bougé.

Elle serrait toujours la carte entre ses doigts. Tout à coup, elle ouvrit la main, et le petit carton froissé voleta jusqu'au plancher. Cole dut réprimer l'impulsion absurde qui le poussait à le ramasser et en effacer tous les plis.

— Qu'est-ce que tu dis ?

Il y eut un autre silence, qui lui rappela le temps infini qu'elle mettait pour répondre à ses questions, lors du procès.

— Je ne sais pas lire, répéta-t-elle enfin d'une voix dépourvue de toute émotion.

Une douzaine d'exemples se présentèrent à l'esprit de Cole, chacun venant renforcer son opinion : Brenna savait lire. Elle s'exprimait parfaitement. Bien sûr qu'elle savait lire, la question ne se posait même pas.

Cette fois, ce fut elle qui lui tendit la main.

— Je ne sais pas. Cole, je te jure, je ne sais pas.

— Je ne comprends pas pourquoi tu inventes une chose pareille.

Elle vit son expression se fermer, retrouver la dureté de leur première rencontre. L'éclat métallique reparut dans ses yeux aux paillettes dorées.

— C'est la vérité.

Incapable de soutenir ce terrible regard, elle fixa de nouveau le plancher.

— La vérité ?

Il franchit l'espace qui les séparait.

— Non, dit-il. La vérité, c'est autre chose. La Brenna que je connais me regarde dans les yeux quand elle me dit la vérité.

Les larmes se remirent à couler le long de ses joues, et elle ferma les yeux. Il attendit qu'elle les eût rouverts pour ajouter :

— Pas d'omissions.

Elle secoua la tête et, de nouveau, son regard échappa au sien.

— Pas de mensonges.

Il la lâcha, et se dirigea vers la porte.

— La vérité ? Quand tu seras enfin prête à me la dire, appelle-moi.

— Je suis en train de te la dire.

Sans se retourner, il s'immobilisa devant la porte.

— Je ne crois pas, non. Si tu veux tout arrêter entre nous, tu n'as qu'à le dire. Ce genre de petit jeu est minable et malhonnête.

Il poussa la porte moustiquaire, et sortit. Rappelée par son ressort, la porte se referma derrière lui. Ce claquement explosa dans la tête de Brenna comme un coup de feu. Il résonna en elle, encore et encore, si terrible qu'elle finit par plaquer les mains sur ses oreilles.

Elle resta plantée là, les larmes coulant comme une pluie lente sur son visage et dans son cou, à passer en revue toutes les mauvaises décisions de son existence. Ses erreurs, ses occasions manquées. Le seul homme qu'elle eût jamais aimé venait de partir, et elle ne pouvait s'en prendre qu'à elle-même. Cette découverte la brisa. Tous ses remparts intérieurs s'effondrèrent, et elle put contempler l'étendue de son échec.

Le soleil glissa derrière les maisons d'en face; les ombres s'allongèrent vers elle, touchèrent ses pieds. Le petit recoin de son esprit qui fonctionnait avec une lucidité totale salua ces ombres qui constituaient son véritable élément. Pourquoi cherchait-elle à en sortir? Elle avait toujours existé dans l'ombre! D'abord celle de Michael, même si elle ne lui en avait jamais voulu; ensuite, dans des ombres qu'elle créait elle-même en cachant à tout le monde ce qu'elle était vraiment. Seule responsable! Même si, à une époque, elle avait cru avoir la meilleure raison du monde — vouloir être acceptée pour elle-même sans devoir entrer en compétition avec son frère —, elle avait fait un choix stupide. Jamais elle n'aurait imaginé que ce choix lui coûterait autant.

Dans les ombres, plus d'illusions, plus de lumière dorée de l'aube, plus de chaleur. Demain, elle s'efforcerait de penser à l'avenir. Ce soir... ce soir, elle supporterait sa souffrance, parce qu'elle ne pouvait pas faire autrement.

Elle se déshabilla en laissant ses vêtements choir au hasard, puis se glissa dans son lit et se blottit dans un cocon de chagrin. Bien des heures plus tard, perdue dans le brouillard d'un cauchemar, elle sentit des bras se nouer autour d'elle... mais ce n'étaient pas ceux de Cole. Elle prit la main de Michael et essaya de parler.

— Chut, murmura-t-il. Rendors-toi.

— Ça fait si mal !

— Je sais ça. On en parlera demain.

— Je l'aime...

Elle sentit qu'il tirait la couverture sur ses épaules.

— Je sais que tu l'aimes.

— J'ai tout gâché, Michael.

Il lui caressa les cheveux, lui prit la main, et s'assit sur le rebord du lit.

— Rendors-toi, Brennie. Ça ira mieux demain.

Elle glissa dans un sommeil tourmenté, poursuivie par le spectre de ses demi-mensonges, ses tromperies, ses à-peu-près. « La Brenna que je connais me regarde dans les yeux quand elle me dit la vérité. »

— Comment ça, ma fille est trop fatiguée pour venir me dire bonsoir ?

La voix trop réelle de son père éclata à ses oreilles. « Bonjour, papa. Je vous ai rapporté mes notes. »

— Il vaut mieux ne pas entrer : je pense qu'elle a la grippe. Elle a la fièvre, mal partout...

« Pas partout, Michael, seulement dans la poitrine. Ça fait mal, un cœur brisé. »

— Je suis obligé d'aller au lit ?

— Oui, mon Teddy, dit la voix de Jane. Viens, je vais te lire une histoire.

« Lis ce panneau touristique présentant Chimney Rock, Brenna... C'est trop ennuyeux pour une histoire avant de dormir, Cole, je ne peux pas. »

— L'appartement n'est pas très grand. Vous serez contents de récupérer votre espace vital quand Brenna déménagera.

— Elle nous a beaucoup aidés, papa.

« Lisez la carte qui accompagnait ces fleurs, mademoiselle James. Montrez au tribunal que vous savez lire. »

« Je ne peux pas. J'aimerais tant le faire mais je ne peux pas. »

Les voix se mêlaient dans sa tête. Elle ne savait plus distinguer le rêve de la réalité : les deux étaient pareillement hantés. Et elle ne pouvait s'en prendre qu'à elle-même.

22.

— Vous avez une mine épouvantable, patron, dit Myra en arrivant, quelques minutes avant 8 heures. Vous êtes là depuis longtemps ?

Cole retira ses pieds de son bureau et se frotta les yeux.

— J'ai dû arriver vers 6 heures.

— Ah, une insomnie ?

— Oui, c'est ça.

— Vous avez retrouvé les témoins du procureur ?

— Oui. Le témoignage de la jeune femme suffira à convaincre le jury.

— Vous avez eu un message, hier, après votre départ, dit-elle en lui donnant un petit papier rose. Brenna a téléphoné, juste avant 5 heures.

— Oui, elle m'a dit qu'elle avait appelé.

— Elle avait l'air très déçue quand je lui ai dit que vous étiez parti pour la journée. J'ai eu du mal à ne pas vendre la mèche. Comment s'est passé le pique-nique ?

— Il n'y a pas eu de pique-nique.

Cole prit un crayon.

— Il me faudrait les conclusions dans l'affaire Collins le plus rapidement possible, Myra.

— Cole...

Au fond de lui, il était reconnaissant pour ce regard inquiet, ce désir de l'aider qu'il lisait sur son visage, mais il n'aurait pas pu parler de Brenna sans se mettre à hurler de rage ou à pleurer comme un bébé.

— Pas maintenant, Myra.

Il leva les yeux vers sa secrétaire. Ils avaient surmonté beaucoup d'épreuves ensemble. Il l'avait écoutée quand son mari était parti avec une gamine qui aurait pu être sa fille, il avait patienté auprès d'elle, à l'hôpital, en attendant le verdict des médecins, après l'accident de voiture de son fils. Au moment de la rupture avec Susan, elle était déjà là pour lui. Et elle avait choisi de quitter un poste bien rémunéré dans une grande firme pour le suivre quand il s'était installé à son compte. Elle était sans doute sa meilleure amie. N'empêche qu'il ne pouvait pas lui parler de Brenna.

— Patron...

Plus doucement cette fois, il répéta :

— Pas maintenant. Plus tard, d'accord ?

Elle lui sourit.

— D'accord. J'ai une bouteille de whisky en réserve, au besoin.

Elle sortit en refermant la porte derrière elle, et Cole fit pivoter son fauteuil vers la fenêtre. « Je ne sais pas lire. » Jamais il n'aurait imaginé que trois mots puissent avoir un effet aussi bouleversant. Les illettrés étaient... des saisonniers du travail agricole, des gosses qui couraient en bande les rues des grandes villes, des drogués. Pas Brenna ! Pas une femme intelligente et subtile comme elle. C'était impossible !

Il prit le téléphone et composa son numéro. Ce fut Michael qui décrocha. De but en blanc, il demanda comment elle allait. La réponse fut tout aussi brutale :

— Je pourrais répondre de plusieurs façons. Est-ce qu'elle a mal ? Oui, très mal. Est-ce que je suis en colère de la voir comme ça ? Très en colère. Est-ce que je peux faire quelque chose pour l'aider ? Rien du tout.

Cole ferma les yeux.

— Elle s'est sortie de situations qui auraient brisé n'importe qui, reprit Michael. Elle a toujours surmonté tous les obstacles.

— Elle mérite mieux que ça.

— Elle mérite ce qu'il y a de mieux. Je vous aime bien, Cole. Jusqu'à hier, j'étais persuadé que vous alliez la rendre heureuse.

— Est-ce qu'elle sait lire ?

Le silence tomba subitement. En bruit de fond, Cole entendait la radio.

— C'est à elle de vous le dire, répondit finalement Michael.

— Elle m'a dit qu'elle ne savait pas.

— Alors, vous avez votre réponse.

— Ça ne tient pas debout.

— Vous savez qu'elle a décidé de déménager ?

Pris de court, autant par le brusque changement de sujet que par la nouvelle, Cole balbutia :

— Mais... quand doit-elle partir ?

— Samedi.

— Quand a-t-elle décidé ça ?

Était-ce seulement hier matin qu'ils étaient rentrés en ville tous les deux, assis côte à côte dans sa jeep, bavardant et faisant des projets ?

— J'espérais que vous pourriez me le dire. Elle me l'a appris ce matin, en sortant.

« En sortant pour aller où ? », se demanda Cole. Il jura à voix basse.

Michael s'éclaircit la gorge, et reprit :

— La balle est dans votre camp. Brenna est au bout du rouleau. Notre père est ici, et ça, ce n'est jamais bon pour elle.

— Il est déjà arrivé ?

Et lui qui comptait aider Breanna à supporter ette épreuve !

— Partez ou restez, c'est à vous de voir. Si vous revenez...

— Si je reviens, coupa Cole, ce sera pour de bon. Sinon, vous ne me reverrez pas.

— C'est bien.

Michael raccrocha, et Cole se retrouva assis derrière son bureau, à contempler les dossiers épars de plusieurs affaires. Il ne cessait d'entendre la voix tourmentée de Brenna : « Je ne sais pas lire ». Comment admettre une chose pareille ? Tant d'éléments démontraient le contraire, à commencer par son travail à la bibliothèque ! Ces histoires, elle les lisait bien aux enfants ! D'ailleurs, maintenant qu'il y pensait, n'était-ce pas son jour ?

En apprenant qu'elle n'avait pas achevé ses études secondaires, il s'était retrouvé face à ses propres attitudes au sujet des jeunes qui abandonnent leurs études. Brenna n'entrait dans aucune des catégories qu'il connaissait. Capable de s'affirmer dans n'importe quelle situation, prenant facilement la parole, sachant poser les bonnes questions, elle était une femme charmante, cultivée, qui s'exprimait très bien et montrait une grande curiosité sur tous les sujets. Non, c'était évident : il voulait bien admettre qu'elle eût quitté l'école très tôt, mais pas qu'elle fût illétrée.

Si elle n'était pas venue le retrouver, la veille au soir, ce devait être pour une autre raison. Mais laquelle?

Incapable de se concentrer, il repoussa son fauteuil et se leva. Il lui semblait tenir toutes les pièces d'un puzzle complexe sans avoir aucune idée du dessin. Il prit son blouson, sortit à grands pas, et dit à Myra, au passage, qu'il ne savait pas quand il serait de retour. Si Brenna se trouvait à la bibliothèque, si elle lisait un livre, tout serait simple : il saurait qu'elle lui avait menti.

Il se gara devant la bibliothèque, et resta quelques instants immobile, à réfléchir. Il ne voulait pas d'affrontement, mais il avait besoin de savoir. En même temps, une phrase déchirante ne cessait de le hanter : ceux qui s'aiment se font confiance; ils ne se mentent pas.

Il sauta de la jeep, entra dans la bibliothèque, dévala l'escalier vers la salle des enfants. Les petits étaient rassemblés dans le coin de lecture. Il entendait déjà la voix de Brenna. Elle était en train de lire : il avait sa réponse. Il faillit rebrousser chemin, mais quelque chose le retint. Avec précaution, il avança jusqu'à l'angle de l'escalier, puis se pencha pour la voir. Installée devant les enfants, les jambes croisées, elle tournait vers eux un livre qui semblait magnifiquement illustré. Sa voix tissait ses sortilèges, l'attirait comme elle attirait les enfants, mais elle était très pâle. Il se sentit profondément choqué de lui voir ce teint livide. Puis il remarqua qu'elle regardait les enfants, pas le livre. Elle n'y jetait pas un regard, même pour tourner les pages. Le volume restait droit sur ses genoux, tourné vers son auditoire...

Brenna était à mi-chemin de *La Petite poule rousse* quand elle prit conscience d'une nouvelle présence. Elle leva les yeux, s'attendant à voir un gosse planté timidement derrière les autres, hésitant à entrer dans le cercle. Au lieu de cela, elle vit un pantalon bien repassé, une mallette pendant au bout d'un bras crispé. Les mains tout à coup moites et glacées, elle leva les yeux et croisa le regard de Cole. Son regard le plus dur. Son visage était figé dans un masque austère; ses yeux étaient sombres, sans aucune expression.

La voix de la jeune femme s'éteignit, et le livre lui tomba des mains. D'un geste las, elle le ramassa, l'ouvrit... et découvrit qu'elle ne savait plus où elle s'était arrêtée. Pourquoi venait-il la relancer jusqu'ici ?

Les enfants se retournèrent pour dévisager Cole. Sentant leur attention lui échapper, elle finit par dire :

— J'ai perdu ma page. Où en étions-nous ?

— La petite poule rousse demandait de l'aide pour moissonner son blé, dit Teddy.

— Ah, oui !

Elle tourna les pages, à la recherche de la bonne illustration. Si c'était humainement possible, elle devait ignorer Cole le temps de terminer son histoire. Elle aurait aimé se sauver à toutes jambes ou lui ordonner de partir, mais, compte tenu des circonstances, c'était impossible. Elle était là pour les enfants : pas question de les perturber avec ses problèmes personnels ! Elle continua donc sa narration, à peine consciente de ce qu'elle disait. Malgré elle, elle jeta à Cole un bref regard, et vit qu'il la couvait des yeux avec une intensité paralysante. Elle ne voulait pas lui parler ! Sans savoir comment, elle acheva son histoire.

Les enfants se rassemblèrent autour des livres préparés pour eux, plusieurs décidèrent d'en emprunter un. Puis ils s'en allèrent les uns après les autres en lui disant au revoir. Cole ne bougeait toujours pas, et elle, elle restait assise à sa place, tête baissée.

— Bonjour, Cole, dit Teddy.

Elle vit le petit garçon renverser la tête en arrière pour sourire.

— Bonjour, répondit Cole.

Il cessa de regarder Brenna pour se pencher vers lui.

— Tu veux bien aller t'asseoir et regarder des livres pendant quelques minutes ? Il faut que je parle à Brenna.

— Je crois qu'il faut qu'elle te parle aussi, répliqua le gamin avec gravité. Hier soir, elle a pleuré.

Puis, montrant du doigt une table de l'autre côté de la pièce, il déclara :

— Je serai là-bas. D'accord, Tatie ?

Brenna approuva de la tête. Dès qu'il se fut éloigné, Cole murmura :

— Brenna, il faut qu'on parle.

Elle se sentit ramenée en arrière, au temps — cela ne faisait-il vraiment que quelques semaines ? — où elle cherchait à l'éviter, persuadée qu'ils n'avaient rien à se dire. Muette, elle se leva et le suivit dans l'escalier, puis de l'autre côté des hautes portes de verre. Dehors, il faisait chaud et lourd. Elle regarda Cole desserrer sa cravate, défaire le premier bouton de sa chemise, tout en la précédant vers un banc sous deux grands pins jumeaux.

Elle s'installa sans un mot, et il s'assit près d'elle, les coudes sur les cuisses, le regard fixé sur ses mains croisées.

— Je ne comprends pas, dit-il. Tu me dis que tu ne sais pas lire, et pourtant, tu es ici. Chaque semaine, tu lis une histoire à ces enfants.

— Je ne les lis pas, répondit-elle sans le regarder. Je choisis des contes que je connais déjà. J'articule l'histoire autour des illustrations.

Cole réfléchit un moment à ce qu'il venait d'entendre. C'était un peu tiré par les cheveux, mais quand même plausible. Plus que cela, la voix de Brenna avait l'accent de sincérité qui lui manquait hier soir. Elle leva enfin les yeux vers les siens.

— C'est ça le problème ? Tu ne me crois pas ? Tu penses que je te mens ?

Sa voix s'étrangla un peu. Il se redressa et soutint son regard.

— Je ne sais plus ce que je dois croire. Le fait que tu sois ici devrait prouver que tu sais lire.

— Je t'ai dit la vérité.

— Quand? Le soir où tu m'as confié que tu n'avais pas achevé tes études, en omettant de préciser que tu étais illettrée? Le premier soir, au bar? Le jour où tu m'as raconté la mort de ta mère et ta grand-mère? Tout au long de ces semaines? Explique-moi, Brenna : quand m'as-tu dit la vérité exactement?

Il se leva brusquement, et enfonça ses mains dans les poches de son pantalon.

— Tout cela était vrai, dit-elle en le regardant bien en face. Absolument tout. Mais j'admets que ce n'était pas toute la vérité.

— Mensonge par omission, marmonna-t-il.

— Tu as raison, dit-elle en se levant à son tour. Je sais que je t'ai fait du mal. Ce n'était pas mon intention.

— Ça ne m'aide pas beaucoup, en ce moment.

— Tu crois que je voulais en arriver là? souffla-t-elle.

L'émotion lui serrait la gorge, ses yeux brûlaient. Elle croisa les bras sur sa poitrine, et lui tourna le dos.

— Au début, ça n'avait pas d'importance. Je ne pensais pas te revoir, encore moins tomber amoureuse de toi. Mais, par la suite...

Elle se tut, respira profondément.

— J'avais dit la vérité à John Miller. Il était censé me protéger. Il m'a semblé qu'il devait savoir, que je le payais pour tout savoir et faire pour le mieux. Seulement, il a décidé que j'étais stupide. Je lui ai fait confiance, et tu as vu le résultat. Je ne voulais pas te faire confiance. Et pourtant, je me suis mise à t'aimer.

Elle chuchotait toujours, sans plus le quitter des yeux.

— À partir de ce moment-là, il était trop tard. J'ai très bien senti que tu me quitterais à l'instant même où je t'aurais dit la vérité. Alors, j'ai repoussé le moment, en espérant trouver un bon moyen de le faire. Jour après jour, je n'arrêtais pas de me demander : « Comment est-ce que je vais lui expliquer ça? ». J'ai essayé tant de fois, tu sais, mais je n'arrivais pas à prononcer les mots qui devaient t'éloigner de moi.

Elle prit une longue inspiration, et conclut tristement :

— Je sais bien que tu ne peux pas comprendre ça.

Elle se détourna à demi. Jamais elle n'avait eu l'air plus vulnérable. Il mourait d'envie de lui ouvrir les bras, mais il ne le fit pas.

Elle sortit de sa poche le petit carton froissé de leur rendez-vous manqué, et le lui tendit :

— Tu ne comprends pas que je donnerais ma vie pour savoir ce qui est écrit ici ?

Puis elle déposa le papier dans sa paume et s'en alla. Il la suivit des yeux, perdu, décontenancé. Il était si sûr, en arrivant ici, de pouvoir gérer la situation sans émotion aucune ! Mais la vie n'était pas aussi simple que la Loi...

— Cole ?

Il leva la tête. Brenna se tenait en haut du perron.

— Je regrette de t'avoir fait mal.

Puis elle disparut à l'intérieur. Il tendit son visage à la chaleur du soleil, puis se mit à relire le message qui figurait sur le petit carton, tout en écoutant en lui cette voix qui lui disait : « Tu ne comprends pas que je donnerais ma vie... ». Que de souffrance dans ces quelques mots ! Et lui qui restait planté là, tellement certain d'avoir raison, alors qu'il l'avait blessée plus encore qu'il ne pouvait l'imaginer !

Ses tempes battaient, son cœur lui faisait mal : une douleur sourde qui s'enflait en lui avec chaque respiration.

Plus tard, il se retrouva dans le parking de son bureau, choqué de s'apercevoir qu'il n'avait aucun souvenir d'être remonté dans sa jeep ou d'avoir traversé la ville. Il mit pied à terre, rejoignit son bureau, saluant automatiquement Myra au passage. Planté près de la porte, il contempla les dossiers sur son sous-main, en tentant de rassembler ses pensées. Plusieurs minutes passèrent avant qu'il ne se rappelât le coup de fil qu'il devait impérativement passer. Zach n'était pas encore au courant pour les nouveaux témoins.

Dès qu'il eut son client en ligne, il lui demanda comment il allait.

— Très bien, répondit Zach. Venez-en au fait, Maître : je sais bien que vous n'appelez pas pour avoir de mes nouvelles.

— Vous avez raison.

Rapidement, il lui résuma sa conversation avec le procureur, et ses entretiens avec les deux témoins. Pour conclure, il dit :

— Le procureur m'a dit de le rappeler quand je leur aurai parlé. Il est certain que nous allons vouloir négocier cette affaire.

Il y eut un silence, puis Zach demanda :

— Vous êtes sûr que nous pouvons gagner cette affaire ?

— Il n'y a jamais de garantie.

— Si on perd, je risque de me retrouver en tôle un certain temps.

— Oui.

— Et on peut très bien perdre.

Cole mit son coude sur le bureau, fourragea dans ses cheveux. Cette affaire, il y croyait, et pourtant, il était sur le point de conseiller à son client de rendre les armes. Combien d'échecs pouvait-il aligner en une seule journée ?

— Cole ?

— Oui, Zach. Nous pourrions perdre. Et, si nous perdons, c'est vous qui en payez le prix.

— Voyez ce que le procureur nous propose, et négociez de votre mieux.

Cole ne ressentit aucune surprise devant une conclusion qui aurait été impensable la veille.

— Vous êtes sûr ?

— Sûr.

— Je ne pense pas qu'il acceptera une simple peine de sursis.

— Je ne m'attends pas à ce qu'il le fasse. Négociez. Faites de votre mieux.

— Cela revient à admettre que vous conduisiez en état d'ivresse.

— J'étais irresponsable, répliqua Zach. Je vous l'ai dit : conduire quand on est en colère, ce n'est pas plus malin que de conduire soûl. Si je n'avais pas été aussi furieux, rien de tout cela ne serait arrivé.

Il s'éclaircit la gorge, et ajouta :

— Rappelez-moi, et dites-moi à quoi je dois m'attendre.

Quand il eut raccroché, Cole contempla longuement le téléphone en se demandant s'il possédait un millième de l'intégrité et du courage de son client. Puis il téléphona au procureur. Une heure plus tard, ils avaient leur accord : une inculpation d'homicide involontaire assortie d'une peine de deux ans, une en prison et l'autre en centre de réadaptation. Le procureur accepta également de fixer la date de l'audience après la fin de la cure.

Ce n'était pas la conclusion que Cole aurait souhaitée dans cette affaire. Où était la justice si un homme comme Zach MacKenzie allait en prison tandis qu'un type comme Bates... Cette question de justice le hanta pendant qu'il rentrait chez lui, et aussi tout au long d'une soirée qu'il passa à bricoler dans son jardin. Sa grand-mère lui répétait toujours que ni Dieu ni ses parents ne lui avaient jamais promis de se conformer à son idée de la justice. Inévitablement, ses pensées se tournèrent vers Brenna. Sa situation était si profondément, si fondamentalement injuste ! Il se mit à analyser tous les moments qu'ils avaient passés ensemble. Dans chaque conversation, elle avait montré son intelligence, son esprit curieux et original. Était-elle assez intelligente, assez astucieuse pour donner le change et vivre comme tout le monde sans savoir lire ?

Les expressions de son visage le hantaient. Il la revoyait sérieuse ou souriante, puis saisie par les premières pulsations du plaisir. Il retrouvait sa joie quand il l'avait emmenée sur son voilier, et ses larmes de la veille.

Pendant plusieurs jours, il fit son travail machinalement, absent mais efficace. Heureusement, pour l'affaire MacKenzie, la fièvre était retombée, et l'audience ne serait plus qu'une formalité. Ses pensées revenaient sans cesse vers Brenna. Plus il pensait à elle, plus il se sentait tendu, en colère. Peu à peu, il comprit qu'il ne lui en voulait pas parce qu'elle ne savait pas lire, mais bien parce qu'elle lui avait menti.

Mais l'avait-elle réellement fait ?

Au cours de leur soirée au théâtre, elle avait insisté sur le fait qu'il était lui-même plus intéressant que le métier qu'il exerçait.

« Crois-tu que ce que tu fais pour gagner ta vie est la partie la plus importante de toi ? », lui avait-elle demandé. Comme Grandmom, Brenna possédait une grande part de sagesse, et ce n'était pas à son image sociale qu'il pensait lorsqu'il était auprès d'elle.

Il tenta d'imaginer ce qu'elle avait dû souffrir en essayant de trouver un moyen de lui avouer son secret. Surtout si elle l'aimait ! Il s'était quasiment imposé à elle alors qu'elle ne voulait pas le voir, et voilà ce que cela leur avait coûté à tous les deux !

Quand le vendredi arriva, il n'en pouvait plus. Il avait déjà trop repoussé le moment de l'appeler, mais, quand il composa enfin son numéro, il ne savait même pas ce qu'il allait lui dire, tant il était écartelé entre la fureur, la tendresse et l'amour blessé. Ce ne fut pas elle qui décrocha mais Jane. Elle lui apprit que Brenna était sortie et qu'on ne l'attendait que tard dans la soirée. Voulait-il laisser un message ? Il refusa.

Il l'aimait, et il préférait le lui dire lui-même.

Il lui avait tourné le dos, il était parti au lieu de l'écouter. Il l'avait jugée au lieu de la comprendre, il s'était sauvé au lieu de la chérir. Il n'avait pas su regarder en face la vérité brute et sans fioritures quand elle la lui avait livrée, sans à-peu-près, sans omissions, sans mensonges.

23.

Le samedi matin, Brenna se réveilla très tôt. Quand elle regarda par la fenêtre, le monde lui sembla flou, incertain, hostile. Encore une journée à affronter !

Ce serait une journée plus remplie que les autres puisqu'elle emménageait dans son propre appartement. Trois jours plus tôt, elle avait recruté Nancy pour l'accompagner à la chasse au logement, et elles avaient trouvé un appartement qui correspondait à son budget. Puisqu'il était libre, cela ne servait à rien de repousser le moment de s'installer.

Aujourd'hui, elle reprenait son indépendance. Cela aurait dû être un grand jour, mais elle ne ressentait rien. Ou plutôt si, elle avait l'impression de fuir, une fois de plus. La présence du Colonel rendait cette sensation encore plus intense. Jusqu'ici, elle avait évité de se retrouver seule avec lui et à orienter leurs rares conversations vers les activités de Teddy, Michael ou Jane.

Le Colonel avait une chambre à l'Hôtel Marriott, mais il allait débarquer peu après 7 heures. Chaque matin, il retrouvait Michael pour le petit déjeuner et un parcours de golf. Il avait toujours commencé sa journée à 7 heures, et Brenna était prête à parier que rien n'avait changé dans son emploi du temps, depuis sa retraite.

Le jour se levait. Sachant qu'elle ne se rendormirait pas, elle sortit du lit. Pénélope, la chatte, l'accueillit en décrivant des huit sinueux entre ses chevilles. Elle la caressa quelques instants, mit le café en route, et alla prendre une douche. En revenant dans la cuisine, vingt minutes plus tard, elle vit par la fenêtre son père qui remontait l'allée à grands pas, un journal sous le bras. Elle se dirigea vers la porte pour lui ouvrir.

— Bonjour, papa, dit-elle en réussissant à lui offrir un sourire.

— Brenna, répondit-il en passant le seuil sans un geste vers elle.

Malgré elle, elle pensa aux baisers qu'on échangeait dans la famille de Cole. Son père à elle ne devait jamais embrasser personne, même pas Teddy.

Elle le précéda dans la cuisine, et leur versa à chacun une tasse de café. Il s'installa sur une chaise et ouvrit son journal — ce journal dont il se servait si souvent comme écran de protection. Aujourd'hui, elle devina qu'il sentait son regard posé sur lui.

— Vous êtes très ponctuel, dit-elle en regardant l'horloge de la cuisine.

— Une vieille habitude.

Elle s'assit en face de lui, et nota machinalement que son polo de golf et son pantalon de toile étaient parfaitement repassés, comme l'était son uniforme, autrefois. Avait-il peur qu'on lui fît passer une inspection ?

Le silence pesa sur eux, lourd et tendu. Brenna sentait bien à quel point elle avait eu raison d'éviter de se retrouver seule avec lui. Tout à coup, il replia son journal, le posa près de lui, but une gorgée de café et se mit à dévisager sa fille.

— Tu as trouvé du travail ?

Brenna se concentra sur son propre café en secouant la tête. Cela ressemblait bien au Colonel d'attaquer de cette façon. Pas un mot gentil, rien qui pût la mettre à l'aise.

— Je ne suis pas pressée, dit-elle. J'ai assez de ménages pour m'en sortir.

— Tu ne vas tout de même pas faire des ménages toute ta vie !

— Non, bien sûr.

Elle leva les yeux vers lui, et déclara :

— J'ai décidé de reprendre mes études.

Cette décision était l'une des nombreuses étapes qui lui permettraient de devenir celle qu'elle souhait être. Elle avait déjà contacté les services de l'Éducation nationale pour se renseigner sur les possibilités de passer un diplôme équivalent au bac.

Le Colonel croisa les bras.

— C'est un peu tard pour ça, tu ne crois pas ?

— Mieux vaut tard que jamais.

— Qu'est-ce qui te fait croire que tu réussiras mieux, cette fois ?

Brenna soutint son regard.

— Cette fois, j'ai envie de réussir.

— Et que comptes-tu étudier ?

— Je ne sais pas, répondit la jeune femme en haussant les épaules. Je n'y ai pas encore réfléchi. Je vais commencer par améliorer ma culture générale.

— Voilà, c'est toujours le même problème. Et je suppose que tu ne t'es inscrite nulle part ?

— Pas encore, je viens juste de...

— Tu cherches toujours un moyen d'éviter tes responsabilités. Trouver un travail, un travail bien payé, voilà la priorité. Il serait temps que tu te prennes en charge.

Elle reposa sa tasse sur la table, et croisa les mains pour les empêcher de trembler.

— Je me prends en charge, dit-elle, en luttant pour parler d'une voix égale. Depuis dix ans. Je ne demande rien à personne.

— Pas pour l'instant, mais ça viendra tôt ou tard.

Elle braqua sur lui un regard très direct. Leurs conversations suivaient toujours la même pente, alors pourquoi lutter contre l'inévitable ?

— Combien de fois, en dix ans, vous ai-je demandé votre aide ?

Il ne répondit pas tout de suite, et elle répéta :

— Combien de fois ?

Il la toisa en silence.

— Pas une seule fois, répondit-elle à sa place.

— Et combien de fois as-tu compté sur Michael ? riposta-t-il. Il faut un sacré culot pour profiter de son propre frère. Tu crois qu'il va continuer à ramasser les morceaux après chacun de tes désastres ?

— Je ne suis pas allée le trouver, répliqua Brenna, furieuse. C'est lui qui a proposé de m'aider. Ce n'est pas du tout la même chose.

Sous la table, elle serrait les poings.

— Et pour ce qui est du soutien... vous confondez le soutien moral et l'aide financière.

— Il n'y a que les faibles pour avoir besoin des autres.

Brenna retint un soupir. Quoi qu'elle pût dire, il ne l'entendrait pas. Leurs positions respectives ne changeraient jamais, et c'était puéril d'attendre quoi que ce fût de lui. Elle se leva pour quitter la pièce.

— J'ai beaucoup à faire, aujourd'hui.

— Je ne t'ai pas autorisée à te retirer.

— Je ne suis pas l'un de vos soldats ! lança-t-elle, depuis la porte. Ni même une petite fille.

— Tu es ma fille, et tu n'as jamais cessé d'être une enfant, répliqua-t-il brutalement. Pour tout ce qui compte, tu n'es jamais devenue adulte. Quand les choses se compliquent, tu t'effondres. Je ne comprendrai jamais pourquoi ton frère supporte...

— Peut-être parce qu'il m'aime.

— Et tu en profites autant que tu le peux.

— Je n'ai jamais profité de Michael.

La colère commençait à l'emporter. Brenna sentait que son masque allait voler en éclats. Elle devait partir tout de suite, avant qu'ils ne se disent des choses qu'ils regretteraient par la suite.

— C'est pourtant ce que tu fais depuis des mois !

— Ce n'est pas vrai !

C'était trop stupide de se défendre encore. Autant se battre contre des moulins à vent ! Et pourtant, elle ne pouvait pas s'en empêcher.

— Ce n'est pas vrai, répéta-t-elle en tendant inconsciemment la main vers son père. Où est le problème, le vrai problème ? Pourquoi tenez-vous tant à me décourager ? Je déménage aujourd'hui : c'est bien la preuve que je me prends en charge. Je suis en train de me remettre sur pied, et je ne compte pas refaire les mêmes erreurs. Je vais reprendre mes études. Toutes ces choses, vous m'avez dit et redit que je devais les faire. Parfait, je les fais. Mais pas pour vous ou pour qui que ce soit d'autre. Pour moi seule.

— Je ne vois pas où est le changement : tu n'as jamais pensé qu'à toi-même. Tu as brisé le cœur de ta mère en quittant la maison. Et maintenant, Michael me dit que tu viens de dépenser l'argent qu'elle avait économisé pour toi ! Tu avais tellement hâte de t'en débarrasser ?

Brenna eut une sorte de vertige. Lui reprochait-il confusément la mort de sa mère ? Était-ce pour cela que...

— Cet argent m'a sauvée, dit-elle en tremblant. Il m'a permis de rembourser des dettes qui m'auraient poursuivie pendant encore dix ans.

Elle sentit un mouvement derrière elle, et jeta un regard rapide par-dessus son épaule. Michael était là, avec un jean pour seul vêtement, ses cheveux sombres ébouriffés. Il regardait fixement son père.

— Hier, vous m'avez déclaré que l'argent n'avait pas d'importance, dit-il à son père. Que Brenna pouvait le dépenser comme elle l'entendait.

— Ne te mêle pas de ça ! ordonna le Colonel. Elle gaspille son temps et ses talents depuis des années ! Elle se contente de se laisser vivre, sans se préoccuper des ravages...

En s'approchant de la porte d'entrée, Cole entendit des voix furieuses jaillir par la fenêtre ouverte de la cuisine. L'une de ces voix lui était inconnue, mais il devina tout de suite à qui elle appartenait. Une voix claire, autoritaire, précise et brève. Le père de Brenna.

La jeune femme lui répondit sur un mode plus calme mais terriblement acide et sarcastique.

— C'est ça, père. Je me suis laissée vivre. Ma vie a été très facile.

Il arrivait à temps. Dieu merci, il arrivait juste à temps ! Enfin, s'il avait réagi plus tôt, elle n'aurait pas été obligée d'affronter ça toute seule. S'il avait réagi plus tôt, elle ne serait même plus ici.

Il frappa à la porte tandis que les voix continuaient à distiller leur venin.

— Tu as reculé devant chaque défi qui s'est présenté à toi, poursuivait le Colonel. Il serait temps de faire des projets solides, au lieu de te précipiter dans je ne sais quelle nouvelle tocade.

— Si vous preniez une seule fois la peine de m'écouter vraiment...

Ce fut Teddy qui vint ouvrir la porte à Cole.

— Bonjour, dit-il d'une petite voix ensommeillée.

Cole lui caressa les cheveux.

— Ils sont en train de se disputer, dit le petit, impressionné.

Cole le souleva dans ses bras.

— C'est vrai. Toi, tu devrais retourner dans ta chambre et jouer un peu. Ça ne va pas durer longtemps. Tu veux bien ?

— Tes fameuses études ! criait le Colonel. C'est encore un caprice, une velléité. Tu comptes reprendre tes études, mais tu ne t'es même pas inscrite.

Teddy leva ses yeux graves vers Cole.

— Tu veux bien venir avec moi ?

— Non, moi, je vais aller aider Brenna.

On entendait la voix de Michael, dans la cuisine.

— Papa, disait-il, c'est trop bête ! À quoi ça sert, ce genre d'accusation ?

— Elle sera contente, fit Teddy avec un sourire approbateur. Elle a été très triste.

Cette petite phrase transperça le cœur de Cole comme un coup de couteau. Il posa le petit garçon à terre.

— Je sais, murmura-t-il. Allez, file.

— Michael, je t'ai dit de ne pas t'en mêler !

— Eh bien, je m'en mêle quand même ! Depuis des années, je vous regarde dénigrer tout ce qu'elle a jamais tenté de faire.

Pas une seule fois vous ne lui avez dit que vous étiez fier d'elle. Et vous savez ce que j'ai détesté le plus ? Être le bâton dont vous vous serviez pour la battre.

Cole s'avança vers la porte de la cuisine. Personne ne s'était encore aperçu de sa présence. Les larges épaules de Michael lui cachaient Brenna.

— Je ne lui ai demandé qu'une chose : réaliser son potentiel ! hurla le Colonel. Ce qu'elle n'a jamais fait ! Elle aurait pu réussir aussi bien que toi si seulement elle s'était donné la peine d'essayer.

— Vous avez toujours décidé d'avance des résultats que je devais obtenir ! lança Brenna. Eh bien, regardez-moi. Je ne suis pas Michael, je suis moi. Michael est mon frère et je l'aime de tout mon cœur, mais je ne suis pas comme lui. Je ne suis pas un génie, je ne suis même pas particulièrement douée, mais ça ne me retire pas le droit d'exister. Et rien ne m'oblige à rester là à vous écouter vous défouler sur moi.

Michael s'effaça pour la laisser passer, et elle vint se jeter contre Cole. Il la prit par le bras pour la soutenir, et vit son visage blêmir à l'extrême. Michael se retourna à demi, l'air aussi abasourdi que Brenna. Derrière lui, Cole voyait leur père, son visage anguleux figé dans une expression à la fois irritée et goguenarde.

— Vous êtes qui, vous ? lança-t-il.

Cole s'avança et lui tendit la main.

— Cole Cassidy. Vous devez être le Colonel James.

Ils se serrèrent brièvement la main, puis Cole se tourna vers Brenna qui le contemplait de ses yeux immenses, remplis de souffrance. Aussi légèrement qu'il le put, il lui dit :

— Il paraît que tu déménages. Tu as sans doute besoin d'un coup de main ?

Brenna le regardait d'un air incrédule. Délibérément, elle ferma les paupières, puis les rouvrit. Cole était toujours là, la main posée sur son bras. L'autre jour, à la bibliothèque, elle avait vécu le moment le plus affreux de sa vie — car son père pouvait l'humilier, mais seul Cole pouvait la briser.

Elle lut dans ses yeux une supplication muette, et comprit

qu'il lui demandait de lui faire confiance. Dans un éblouissement, elle comprit que jamais, jamais il ne lui ferait du mal délibérément.

Elle plaça sa main dans la sienne; ses doigts se refermèrent sur les siens, et elle se sentit réconfortée, rassurée. Il fit un pas vers la porte, et elle le suivit.

— Tu te sauves, une fois de plus? lança le Colonel d'un ton ironique.

Brenna se retourna pour le dévisager. Elle venait d'avoir une autre révélation.

— Oui. C'est exactement ce que je fais. Parfois, c'est la seule façon de sauver sa peau.

Elle tourna le dos à son père et entraîna Cole vers la porte.

— Notre conversation n'est pas terminée! déclara le Colonel.

Cole lui jeta un coup d'œil par-dessus son épaule, puis se retourna pour lui tenir tête.

— Oh, mais si!

James braqua sur lui un regard glacial qui, en son temps, avait dû faire trembler bon nombre de nouvelles recrues.

— Vous vous prenez pour qui, vous?

— Votre futur gendre, répliqua Cole. Je pense qu'il vaut mieux mettre les choses au clair tout de suite. Si vous voulez être un jour le bienvenu chez nous, vous devrez traiter Brenna avec le respect qui lui est dû.

Il baissa les yeux vers elle, sentit le tremblement nerveux qui la faisait vibrer. Avec douceur, il lui demanda :

— Tu as pris ton petit déjeuner?

Sans le regarder, elle secoua la tête.

— Tu viens le prendre avec moi?

Cette fois, elle leva vers lui ses yeux francs et limpides pour le regarder bien en face.

— Oui.

Cole offrit sa main droite à Michael, qui la serra.

— Je vous avais dit que, si je revenais, ce serait pour de bon. On vous téléphonera plus tard.

Il se retourna vers leur père, attendit un instant, puis lui tendit également la main.

— Quand nous nous reverrons, monsieur, j'espère que ce sera dans de meilleures circonstances.

Cette fois, le Colonel ne fit pas un geste pour prendre sa main. Cole la maintint immobile un long moment, soutenant son regard, acceptant le défi. Puis il lui tourna le dos, lança un clin d'œil à Michael, et sortit avec Brenna.

— Cassidy !

La voix du Colonel jaillit derrière lui, sur un ton de commandement. Un instant, Cole fut tenté de l'ignorer. Puis il se retourna au moment où il atteignait la porte.

— Je n'en ai pas terminé avec vous.

— Je n'ai plus rien à vous dire.

— Je peux vous retrouver, mon petit, qui que vous soyez ou quoi que vous fassiez. Je peux vous ruiner.

Cette fois, Cole vit rouge. Lâchant la main de Brenna, il fit volte-face. Il n'avait pas ressenti une telle colère depuis le jour où Bates s'était servi de lui pour attaquer Brenna.

— En premier lieu, dit-il, ne me menacez plus jamais. Je ne jouerai pas selon vos règles. Et c'est une chance pour vous parce que vous auriez du mal à vous en relever. En deuxième lieu, Brenna est libre d'aller où elle le souhaite, quand elle le souhaite. Si elle veut revenir ici, je ne l'en empêcherai pas. En troisième lieu, je l'aime. Et moi, je protège les gens que j'aime. Prenez ça comme une menace, Colonel, ou comme un avertissement amical. En ce qui me concerne, vous pouvez aller au diable.

Quand il se retourna, Brenna était plantée dans l'allée, le visage décomposé.

— Tu restes avec eux ou tu viens avec moi ?

Il sentit que sa voix était trop dure, que sa phrase ressemblait à un ultimatum. Néanmoins, elle répondit sans la moindre hésitation :

— Je viens avec toi.

Il se sentit fondre, et se hâta d'aller lui reprendre la main. Le sourire qu'elle lui offrit était bien pâle, mais c'était un sourire tout de même. Il lui ouvrit la portière de la jeep, l'aida à s'installer, puis alla se glisser derrière le volant.

Quand la voiture s'engagea dans la rue, Brenna lui jeta un regard furtif. Les pensées s'entrechoquaient dans son esprit, mais une idée annihilait toutes les autres : Cole venait de prendre sa défense. Elle n'espérait même plus son amitié, et il venait de lui rendre son amour.

Il conduisait avec nervosité. Ses lunettes de soleil cachaient ses yeux, son expression était dure. Elle se demanda à quoi il pensait.

Futur gendre ? Elle frissonna longuement en se rappelant les mots qu'il avait prononcés et qui avaient tout l'air d'un engagement. Elle ne savait pas comment, mais tout pouvait encore s'arranger !

Machinalement, elle nota que les montagnes se rapprochaient, et comprit que Cole la ramenait chez lui. Il y aurait sans doute un orage dans l'après-midi, mais, pour l'instant, on ne voyait pas un seul nuage dans le ciel limpide. Comme dans la vie, pensa-t-elle. Cole et elle avaient des problèmes à résoudre, mais, pour l'instant, leur avenir semblait aussi lumineux que ce ciel d'été.

Lui avait-il vraiment pardonné d'avoir menti par omission ? S'il lui accordait encore une chance, elle se montrerait parfaitement franche, à l'avenir. Plus d'évitements, plus de mensonge, plus la moindre mesquinerie.

Tout en roulant, Cole se demandait s'il n'y était pas allé un peu trop fort avec le père de Brenna. Elle avait la situation bien en main, à son arrivée : elle était en train de gagner sa propre bataille. Une fois de plus, il aurait dû maîtriser sa colère.

En s'engageant dans l'allée qui menait à sa propriété, il se sentait aussi peu sûr de lui qu'un adolescent qui s'apprête à embrasser une fille pour la première fois. Il regarda sa maison comme s'il la découvrait. Était-ce bien ici qu'elle souhaitait se retrouver ? Il ne le lui avait même pas demandé. Un peu inquiet, il se retourna vers elle, et vit qu'elle aussi contemplait la maison, avec son expression indéchiffrable. Vite, il mit pied à terre, contourna le véhicule pour lui ouvrir la portière, et demanda d'une voix que l'émotion rendait un peu bourrue :

— J'espère que ça ne t'ennuie pas que je t'aie amenée ici.

— C'est bien.

Elle posa sa main dans la main qu'il lui tendait, et il la sentit trembler. D'un mouvement vif, elle leva la tête vers lui, et il comprit qu'elle était aussi incertaine que lui. Lui offrant un sourire hésitant, elle murmura :

— Moi aussi, j'ai la frousse.

Il lui sourit tendrement.

— Viens, ma belle, entrons.

Elle le suivit sous la véranda, passa derrière lui la porte de la cuisine. La pièce était parfaitement nette, avec seulement une assiette et une tasse dans l'évier. Sans lui lâcher la main, Cole alla ouvrir le réfrigérateur.

— Voyons ce petit déjeuner, dit-il. Tu préfères des œufs ou des céréales ?

— Je préfère parler, dit-elle.

— D'accord.

Il referma le réfrigérateur, entraîna la jeune femme dans le grand living, et se laissa tomber sur un canapé sans lui lâcher la main. Elle lut dans ses yeux tant de regret, tant de solitude ! Elle s'assit près de lui, et déclara :

— Je regrette. J'aurais dû...

Au même moment, il disait, lui aussi :

— Je regrette. J'aurais dû...

Il prit son visage entre ses mains, et le contempla longuement. Sous son regard, les beaux yeux gris de Brenna se dilataient, éperdus. Il se pencha en avant, et posa ses lèvres sur les siennes. Tremblante, elle lui rendit son chaste baiser.

Elle se tenait rigide, terrifiée à l'idée de se réveiller et de découvrir qu'il ne s'agissait que d'un beau rêve de plus. Pourtant, dans ses rêves, les lèvres de Cole n'étaient pas aussi douces, ses mains ne se posaient pas sur elle avec autant de précaution. Jamais elle ne lui aurait imaginé ce visage tourmenté de remords. Mesurant tout à coup tout ce qu'elle avait failli perdre, elle sentit les larmes lui monter aux yeux. Elle noua les bras autour de son cou, soupira, et l'embrassa en laissant parler sa tendresse.

Il lui rendit son baiser en la serrant presque brutalement contre lui. Cette femme était la sienne, aucune autre ne pourrait le rendre heureux. Il était bouleversé de sentir ses doigts si froids sur sa nuque, sa bouche brûlante, ses larmes qui mouillaient leurs visages.

— Oh, Brenna, je t'aime tellement ! chuchota-t-il. Je ne voulais pas te faire de mal.

— Je sais...

Il sentait ses mains frémissantes se poser sur son visage, ses cheveux. Elle s'accrochait à sa bouche comme à une bouée de sauvetage.

Pour qu'elle fût encore plus proche de lui, il l'attira sur ses genoux, et referma ses bras autour d'elle. Il voulait lui faire comprendre que la seule chose importante, c'était de se retrouver là, ensemble, tous les deux. Il voulait la traîner dans sa chambre et lui faire l'amour à en perdre la raison. Et pourtant, certaines choses devaient être dites.

— Je voudrais... m'y être pris autrement, l'autre soir.

Il ferma les yeux. Le souvenir du visage torturé de Brenna venait de le heurter de plein fouet.

— Ne te fais pas ça, souffla-t-elle en posant la main sur sa bouche.

— Oui, mais si j'avais...

— Tout se serait effondré à un autre moment. Si quelqu'un a commis une faute, c'est...

— Je ne veux pas qu'on parle en termes de faute, coupa-t-il. Ni pour l'un ni pour l'autre.

— Mais...

— Non. Nous pouvons dépasser ce stade. Nous l'avons déjà dépassé.

D'un geste tendre, elle repoussa les cheveux qui lui tombaient sur le front.

— Que proposes-tu, alors ?

— Je ne supporte pas l'idée de te perdre.

— Moi non plus, souffla-t-elle, la gorge serrée.

— Épouse-moi.

Lentement, les grands yeux de la jeune femme se remplirent de larmes.

— Je t'aime, murmura Cole, bouleversé. Épouse-moi.

Elle attira sa main vers ses lèvres, l'embrassa, et balbutia :

— Je ne peux pas. Je t'aime, mais ne demande pas ça. Pas maintenant.

— Brenna...

— Tu aurais honte de moi.

— Jamais.

— Je sais que tu en doutes encore, mais je ne sais pas...

— Lire, acheva-t-il à sa place. Je te crois. J'y ai pensé toute la semaine. Je sais maintenant que tu me disais la vérité.

— Je n'ai jamais fait d'études.

— Je veux que tu partages ma vie.

— Ça ne... le mariage ne marcherait jamais. Tôt ou tard, je te ridiculiserais.

Il la fit taire en pressant à son tour les doigts sur ses lèvres.

— Je n'ai jamais admiré une personne autant que toi. Je n'étais pas en colère parce que tu ne savais pas lire, mais parce que...

— Parce que je t'avais menti.

— Ah, ma belle...

— Si j'avais été franche avec toi...

Elle avala sa salive et baissa la tête.

— Voilà la vérité : je refuse de t'imposer une femme illettrée.

Puis, en le regardant bien en face, elle ajouta :

— Je suis inscrite dans un programme d'apprentissage de la lecture, et je vais reprendre mes études. Je veux décrocher un diplôme équivalant au Bac.

— Je suis content, dit-il. Mais ça ne change absolument rien à mon désir. De toute façon, je veux t'épouser.

— C'est vrai, Cole ? chuchota-t-elle. Sincèrement ? Oh, je crois bien que tu m'aimes.

D'une main tremblante, elle lui effleura la joue, et reprit :

— Mais pour que tu croies en moi, pour que tu me respectes, il faut que je commence par croire en moi-même, et que je me respecte davantage. Tu peux comprendre ça ?

— J'essaie, ma belle.

— Alors, on va se marier ?
— Le plus vite possible.
Elle lui offrit un sourire mouillé, et reprit de la même petite voix déterminée :
— Demande-moi en mariage le jour où j'aurai mon diplôme. Si tu veux toujours de moi, si tu m'aimes toujours ce jour-là, je t'épouserai.
— Ça pourrait prendre des années.
Elle eut un nouveau sourire, plus assuré, cette fois.
— J'ai envie d'être ta femme, dit-elle. Je serai motivée.
Il se mit à rire.
— J'ai le droit de t'offrir une bague ?
— Pour montrer que je suis ta petite amie en titre ?
— En guise de garantie. Pour te rappeler ta promesse de m'épouser.
— Pas de diamants.
— Oh, il y aura des diamants, répliqua-t-il en lui offrant sa main. Mais, si tu y tiens, ils attendront ton Bac.
— Elle regarda sa main tendue sans comprendre ce qu'il voulait.
Il se pencha vers elle pour l'embrasser.
— On passe un accord. Si on se serre la main, c'est un contrat légal, et tu ne peux plus te défiler.
Émue, souriante, elle contempla la large main rude de Cole, puis leva les yeux vers les siens.
— Il y a des termes dans ce contrat dont je devrais prendre connaissance, Maître ?
— Je pensais t'emmener à l'étage pour te faire une démonstration.
Elle plaça sa main dans la sienne avec le sentiment de lui confier leur avenir.
— Marché conclu.

Dix-huit mois plus tard, jour pour jour, Cole put contempler Brenna debout sur une estrade où de hauts fonctionnaires décernaient des diplômes équivalant au Bac. Elle se tenait parmi les diplômés, tête haute, et il ne voyait qu'elle.

Les mois avaient passé très vite. Brenna avait tenu à garder son appartement, et n'avait accepté de sa part qu'un seul gage de fiançailles : sa vieille chevalière aux armes de son lycée, qu'elle portait sur une chaîne autour de son cou. Jamais il n'avait vu quelqu'un travailler aussi dur, montrer tant d'ardeur à la tâche et tant de détermination. Bientôt, Nancy put la confier à d'autres professeurs pour rattraper son retard scolaire. Michael l'encourageait, la soutenait, et ne cessait de lui rappeler que rien ne l'obligeait à être parfaite. Cette présence, ce soutien cimentèrent l'amitié que Cole lui portait déjà. Quand Brenna parla de s'inscrire à l'université, tous ceux qu'elle aimait le plus au monde — son comité de soutien, comme elle disait — applaudirent des deux mains.

On appela le nom de Brenna, et Cole la regarda s'avancer sous les acclamations de Teddy, Michael et Nancy. Au moment où on lui remettait son diplôme, il prit une photo.

Déjà, Brenna se dirigeait vers lui, rayonnante. Il lui tendit la main pour lui faire descendre les marches, l'embrassa, lui saisit la main, et glissa un énorme diamant à son doigt.

— J'espère que tu ne tiens pas à de longues fiançailles, ma belle.

Elle éclata de rire, et son visage transfiguré lui coupa le souffle.

— Grandmom m'a déjà dit qu'elle comptait sur un mariage pour la Saint-Valentin.

— C'est seulement dans trois semaines ! s'écria Cole.

— Je sais bien, murmura-t-elle en lui souriant.

— Ce sera parfait.

Et ce fut, effectivement, parfait.

Chère lectrice,

Vous nous êtes fidèle depuis longtemps?
Vous venez de faire notre connaissance?

C'est pour votre plaisir que nous avons imaginé un rendez-vous chaque mois avec vos auteurs préférés, vos AUTEURS VEDETTE dans les collections Azur et Horizon.

Les AUTEURS VEDETTE vous donneront rendez-vous pour de nouveaux livres vedette.

Pour les reconnaître, cherchez l'étoile... Elle vous guidera!

Éditions Harlequin

AUT-R-R

LE FORUM DES LECTEURS ET LECTRICES

CHERS(ES) LECTEURS ET LECTRICES,

VOUS NOUS ETES FIDÈLES DEPUIS LONGTEMPS?

VOUS VENEZ DE FAIRE NOTRE CONNAISSANCE?

SI VOUS AVEZ DES COMMENTAIRES, DES CRITIQUES À FORMULER, DES SUGGESTIONS À OFFRIR, N'HÉSITEZ PAS... ÉCRIVEZ-NOUS À:

LES ENTERPRISES HARLEQUIN LTÉE.
498 RUE ODILE
FABREVILLE, LAVAL, QUÉBEC.
H7R 5X1

C'EST AVEC VOS PRÉCIEUX COMMENTAIRES QUE NOUS ALLONS POUVOIR MIEUX VOUS SERVIR.

DE PLUS, SI VOUS DÉSIREZ RECEVOIR UNE OU PLUSIEURS DE VOS SÉRIES HARLEQUIN PRÉFÉRÉE(S) À VOTRE DOMICILE, NE TARDEZ PAS À CONTACTER LE SERVICE D'ABONNEMENT; EN APPELANT AU (514) 875-4444 (RÉGION DE MONTRÉAL) OU 1-800-667-4444 (EXTÉRIEUR DE MONTRÉAL) OU TÉLÉCOPIEUR (514) 523-4444 OU COURRIER ELECTRONIQUE: AQCOURRIER@ABONNEMENT.QC.CA OU EN ÉCRIVANT À:

ABONNEMENT QUÉBEC
525 RUE LOUIS-PASTEUR
BOUCHERVILLE, QUÉBEC
J4B 8E7

MERCI, À L'AVANCE, DE VOTRE COOPÉRATION.

BONNE LECTURE.

HARLEQUIN.

VOTRE PASSEPORT POUR LE MONDE DE L'AMOUR.

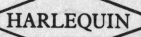

Composé sur le serveur d'Euronumérique, à Montrouge
par les Éditions Harlequin
Achevé d'imprimer en septembre 2002

BUSSIÈRE

GROUPE CPI
à Saint-Amand-Montrond (Cher)
Dépôt légal : octobre 2002
N° d'imprimeur : 24442 — N° d'éditeur : 9553

Imprimé en France